D0589127

IL PLEUT DES RATS

DU MÊME AUTEUR

ORAGES ÉLECTRIQUES, Actes Sud, 1991

L'auteur remercie le Conseil des Arts du Canada
pour l'aide généreuse accordée à la rédaction de ce livre

Les termes de base-ball utilisés ici sont ceux
que pratique la Fédération Française de Base-ball
que la traductrice remercie de ses conseils

Titre original :
Rat Palms

ISBN 2-86869-868-9

Illustration de couverture :
Abel Quezada, 1974

David Homel

IL PLEUT DES RATS

roman traduit de l'américain par Christine Le Bœuf

ACTES SUD / LEMÉAC

IN MEMORIAM
Ray Chamberlain

pour Marie-Louise

Voici la légende des palmiers à rats : les palmiers qui ornent les avenues de Los Angeles, tous plantés par la main diligente de l'homme, abritent des milliers de rats. De temps à autre, une ou deux de ces bestioles tombent du cœur touffu d'un arbre dans une voiture décapotable, semant le désordre dans l'esprit du conducteur.

On appelle aussi rat palms *les palmiers nains rabougris qui poussent le long de la côte atlantique de la Géorgie et de la Caroline du Sud.*

Première partie

HURT'S LANDING*

* On pourrait traduire Hurt's Landing par Port-la-Douleur – littéralement : le lieu où la douleur aborde – mais, ici comme ailleurs, nous avons préféré garder la version américaine des noms de lieux afin de préserver leur caractère local. *(N.d.T.)*

I

Une fois de plus, ma mère se saoule de mots. Elle m'entraîne sur le balcon de la veuve à l'étage de notre maison, à Hurt's Landing, sur l'Isle of Hope*. Debout l'un près de l'autre, nous contemplons la grande boucle que décrit le Lazaretto autour du débarcadère avant d'aller se perdre dans les marais.

— Tout ça t'appartient, me dit ma mère.

C'est ce qu'elle me dit chaque fois que nous nous tenons ici, face à la rivière. Puis elle dépose son verre sur la balustrade de bois écaillée et se tait, laissant flotter ses paroles dans l'air humide. Ce verre, elle le trimbale partout où elle va mais jamais – ou presque jamais – elle n'en boit le contenu. Son bourbon a le temps de s'évaporer avant qu'elle ne se décide à y tremper les lèvres. Elle trimbale ce verre comme si elle se trouvait au fond d'une caverne obscure et que ce fût un genre de torche.

— Tout ça t'appartient, répète-t-elle. Ton héritage, fils, bâti ici par des générations de Marster, depuis qu'ils se sont établis dans ce pays. Et ce qui ne t'appartient pas au titre de la famille n'en est pas moins à toi, du fait de l'histoire.

Du fait des racontars et commérages, aimerais-je rectifier. Mais je ne dis rien ; au lieu de répliquer, je regarde, là-bas : qu'est-ce, exactement, que je possède ? Notre appontement et ses pilotis encroûtés

* L'île d'Espérance. *(N.d.T.)*

de sel, exposés à marée basse avec les huîtres qui s'y cramponnent. Des mulets qui sautent, traits d'argent sur les eaux noir et vert du Lazaretto. Deux nègres dans un canot de pêche au bar, filant à bonne allure entre les casiers à crabes devant le panneau *No Wake**, la visière de leurs casquettes de base-ball sur la nuque.

Je la taquine :

— Vous êtes une éducatrice-née !

Elle rit, puis tousse de sa toux sèche de fumeuse.

— Il faut bien que quelqu'un se charge de ton instruction, maintenant que tu t'es fait expulser de cette école chic où nous t'avions envoyé. J'imagine qu'ils ne nous rembourseront pas ton inscription, d'ailleurs. Les pères bénédictins ne gèrent pas leur institution comme une compagnie d'assurances. Ils ne remboursent pas la quote-part inutilisée.

Voilà ce que cachent ces séances d'histoire et traditions Marster sur le balcon de la veuve : je me suis révélé incapable d'endurer la férule des bons pères. Un mois seulement avant le diplôme de fin d'études, un malheureux mois après quatre longues années d'exhortations bénédictines, l'idée m'a pris un dimanche matin d'assister au service religieux sous la chapelle qui, comme tout le reste ici, est construite sur pilotis. Un malheureux mois avant d'être jugé apte à m'en aller, à l'université de Pennsylvanie, me plonger dans l'étude de l'éthique, de la morale et de la logique, c'est-à-dire dans ce que je pouvais trouver de plus proche de l'étude du péché tout en demeurant dans le siècle.

Je me suis terré, je l'admets. Je ne voyais pas d'autre possibilité de supporter les harangues du père Dooley et les menaces qui ne manqueraient pas de leur faire suite. Et mon méfait était prémédité. Après un coup d'œil circulaire sur les abords

* "Pas de remous", signalisation pour la navigation fluviale. *(N.d.T.)*

de la Pax Chapel, je me suis glissé comme un crabe sous le bâtiment. Là se trouvait le monde de mes désirs. Tout en jouant avec le squelette d'un lapin qu'un chat devait avoir traîné là-dessous pour le dévorer, j'ai écouté le père Damian Dooley vitupérer l'état lamentable de nos âmes immortelles, ce ballot invisible, lourd et haïssable que nous trimbalons tous en nous tel un éclat de shrapnell. Et je suis parvenu, dans une certaine mesure, à cet état de contemplation sereine que sont censés connaître les philosophes amateurs. Chaque fois que le père Dooley frappait du pied, une fine poussière de chêne rongé par les termites pleuvait sur moi comme une manne. "Vous n'êtes rien ! Vous ne méritez que d'être rejetés ! Examinez vos âmes, considérez votre destin. Pensez-vous honnêtement que vos âmes soient dignes de la bénédiction de Jésus-Christ ? Vous les prenez pour des joyaux, alors que leur vue est insoutenable !"

Sa voix résonnait à travers le plancher de chêne sous lequel j'étais tapi dans l'air pulvérulent. C'était ainsi que je préférais considérer l'état de mon âme : du fond de mon petit enfer à moi, confortable, sentant l'humidité, et de ma propre invention. Etais-je digne de bénédiction ? Serais-je rejeté ? Et si je devais être rejeté, comme tout dans mon âme et autour de moi semblait le suggérer, aurais-je la force de faire ça moi-même, le premier, pour en être quitte ?

Le père Dooley s'acheminait vers le dénouement inéluctable, dans lequel le pardon est agité devant nous telle une marionnette de Guignol. J'avais l'intention de me précipiter hors de ma cachette juste avant la fin de son sermon et de traînasser près de la porte d'entrée avec l'air d'avoir été là depuis le début, paré sans doute d'une toile d'araignée de plus que les autres fidèles, mais ceux-ci auraient eu l'âme trop éprouvée pour le remarquer. Comme j'exécutais mon plan, je me suis retrouvé nez à nez avec le vieux préfet de discipline allemand, Alphonsus Byhauer, qui venait de gravir le perron en planches de la Pax Chapel.

Il s'est mis à m'invectiver :

— Rat ! Vermine ! Charognard !

Il fixait ma main. J'ai baissé les yeux pour voir ce qu'il regardait. Je tenais encore entre les doigts deux côtes de ce lapin et, plus bas, j'ai vu les taches sur les genoux de mon pantalon d'uniforme en flanelle grise et les paquets de boue aux semelles de mes chaussures cirées. Alors j'ai éclaté de rire.

Byhauer m'a empoigné. Il émanait de lui une odeur de vieilles robes et de pets. Il m'a enfoncé dans la joue la râpe de ses joues bleu-noir.

— C'est vous qui m'y *forcez*, grogna-t-il, râpant toujours. J'avais l'impression qu'on me passait le visage au papier d'émeri gros grain. Petit salaud dégoûtant. Petit charognard ! C'est vous qui me *forcez* à dire ces gros mots !

Et, je le jure, le bonhomme avait la larme à l'œil.

Les conséquences ne se sont pas fait attendre. Le lendemain, j'étais dans le bureau du père Dooley ; je devinais son désir de se montrer clément, en dépit des menaces proférées dans son sermon de la veille. Mais avant qu'il pût faire preuve de sa clémence, il me fallait manifester de la contrition. Nous nous tenions debout devant sa table, Evangéline et moi, dans ce cabinet mal aéré qui sentait le prêtre. J'ai préféré ne rien manifester.

— Je sens que vous me taisez quelque chose, mon fils, m'a-t-il dit de sa voix pesante de Père, triste et sans âge comme s'il avait été en personne témoin de la crucifixion. Et je ne peux pas vous contraindre à me le confier, ni même à l'admettre. Vous savez que vous serez une perte pour l'équipe de base-ball, d'autant plus que les finales de l'Etat sont proches. Nous formions de telles espérances... Vous savez que vous êtes notre élève le plus prestigieux. Malgré votre maîtrise de la langue vernaculaire, qui ne peut que vous trahir tôt ou tard, je le prédis. Un péché qu'on appelle orgueil, je crois : une certaine gloriole langagière. Je dois admettre cependant qu'il s'agit d'une variante intéressante d'un travers qui n'est que trop courant… De toute façon, je vais devoir vous renvoyer chez vous afin que vous réfléchissiez quelque temps à tout ceci.

Il a fait une pause, dans l'espoir que je dirais ce que je n'avais pas envie de dire. Je le trouvais touchant, en un sens.

Qu'aurais-je pu répondre ? Que je ne voulais pas laver ni polir la voiture de Mr. Byhauer, ni faire aucune des autres choses qu'il avait suggérées ? Ou que je ne pouvais pas, comme tout le monde le faisait à la chapelle, me débarrasser de ses sermons d'un haussement d'épaules ? Puni de posséder une âme incorruptible qui prend tout au pied de la lettre, j'allais aboutir sur le balcon avec ma mère, en observation devant les marées.

— Pendant que vous serez chez vous, a repris Dooley de son air pensif, mon intention n'est pas que vous restiez inactif ; cela n'aurait rien d'une punition. Si, comme je n'en doute pas, vous désirez toujours réintégrer cette école, vous allez me rédiger un rapport écrit sur votre période de réflexion. Lorsque vous me remettrez ce rapport, cela signifiera que vous souhaitez revenir parmi nous.

Dooley était un prêtre bizarre – à moins qu'un type comme lui ne représente la norme. Un jour il comparait nos âmes à des araignées répugnantes et le lendemain, de sa voix la plus gentille, la plus douloureuse, il m'enjoignait de regarder en mon âme et de réfléchir. Mais comment, au juste, réfléchir sur des choses répugnantes ?

Telle était, je l'ai compris, la tâche qu'il m'assignait. Merde ! Si j'avais eu le choix, j'aurais préféré rester après les cours pour nettoyer les tableaux noirs.

Dans la voiture, en rentrant de chez les bénédictins, ma mère pleurait avec décorum.

— Si au moins ton père était là. Lui saurait que faire de toi.

C'était ça qu'il convenait qu'elle dise, nous le savions tous deux. Mon père non plus n'aurait pas su que faire de moi.

Maintenant, ma mère, que j'ai appris à appeler Evangéline dans l'intimité de mes pensées – mais comment j'ai acquis cette habitude, ça, c'est une autre histoire –, est en contemplation sur le balcon de la veuve. La marée commence à remonter et à remplir le Lazaretto. Je sais ce qu'elle regarde : elle a les yeux fixés sur les fondations rectangulaires de ce qui fut un jour le magasin général, voici plusieurs générations de Marster, quand l'Isle of Hope commençait à peine à se peupler de gens de la ville qui fuyaient la fièvre jaune. Les Marster étaient commerçants à cette époque, gentlemen détaillants, si ça existe. Etonnant, toutes ces possessions, tous ces souvenirs d'événements que je n'ai pas vécus, me dis-je en regardant la rivière se gonfler. De tous côtés, le poids et le confort du passé sont suspendus au-dessus de moi, c'est comme les chênes auxquels la mousse fait la barbe de Jérémie.

— Tu n'es qu'à moitié Marster, bien sûr, dit ma mère. Elle a retrouvé son ton poétique et cessé de se demander si les pères bénédictins vont nous rembourser la quote-part inutilisée. Mais tu possèdes tout ça de plein droit. Les gens peuvent dire du mal des juifs, dans cette ville, ils peuvent se moquer de leur drôle de petite synagogue qui a tout juste l'air d'une église catholique, ils n'en ont pas moins fait de la lignée maternelle le fondement de leur loi. Ça doit être mis à leur crédit.

Et puis elle envoie la vanne.

— Ton père est du Nord. Je ne crois pas qu'il puisse comprendre. Le Nord, résume-t-elle, a été inventé hier.

Je ne réponds pas. Je n'approuve pas tout ce *signifying*, comme disent les nègres de Sandfly Crossing. Après tout, je suis à moitié du Nord, moi aussi.

Ces monologues de ma mère peuvent durer des heures, tout au long des après-midi oisifs de l'Isle of Hope. La marée a le temps de monter et de redescendre tandis qu'elle raconte comment les Marster, prévoyant la peur que la fièvre allait inspirer à la population, se sont précipités dans l'île pour y installer leurs magasins sur des terrains achetés au prix d'une chanson. Elle polit et caresse chaque mot avant de le laisser échapper, ce qu'elle ne fait qu'à grand regret, comme si seuls la beauté et ce doux miroitement nostalgique pouvaient la protéger de la tristesse de ces histoires, de même que l'huître fabrique une perle autour de ce qui la blesse.

L'éducation Marster est devenue plus rigoureuse depuis que mon père est parti dans le Nord jouer en ligue majeure, après des années d'efforts passées, en petite ligue, à lancer pour les *Savannah Indians* de la *Sally League**, comme disent les commentateurs sportifs. Zeke Justice, mon père, est monté chez les Grands, maintenant. Je me souviens de l'après-midi où il a appris qu'il suivrait l'équipe dans le Nord car je soupçonne en secret que ce n'est pas sans rapport avec la raison pour laquelle je ne fais plus partie du Lycée militaire bénédictin.

Nous défilions dans Colonial Park, soldats du Seigneur en flanelle grise et cuivres étincelants, sous la houlette du professeur de science militaire et du préfet de discipline. J'avais horreur de ces exercices en pleine ville où tout le monde

* Appellation familière de la *South Atlantic League*, ligue mineure, berceau de nombreux joueurs vedettes de ligue majeure dans les années cinquante et soixante. *(N.d.T.)*

pouvait nous voir et où tous, Noirs et Blancs confondus, nous regardaient bouche bée. Nous paradions au long d'Oglethorpe Street dans l'air tiède d'avril, sous la rangée de palmiers royaux qu'on a plantée là pour commémorer notre victoire sur les théâtres d'Europe et du Pacifique.

Dommage que cet itinéraire nous conduisît du côté de l'établissement appelé *Bo-Peep's* et de l'hôtel *John Wesley* où était installé Mr. Peep*. Au moment où nous passions devant ce lieu d'élection des viveurs, la lourde porte pleine s'ouvrit lentement et mon père surgit, clignant des yeux comme une taupe au grand soleil et pinté comme une grive. En le voyant là, ce grand type bien découplé en train de chercher ses repères au beau milieu de la journée, je remarquai pour la première fois qu'il avait quelque chose de fragile. Il était beau, bien sûr, tout le monde le disait, et il l'était à ce moment, en dépit de ses yeux vagues. Beau et fragile, les deux à la fois, le même homme.

Il resta figé sur place tandis que nous défilions au pas cadencé, nous suivant d'un regard aussi incrédule que si nous étions une vision échappée d'une bouteille de gnôle. Puis il m'aperçut, et ce fut le déclic.

— Fils ! Soldat de première classe ! Crapaud ! hurla-t-il tandis que je m'efforçais de lui passer devant de mon allure la plus martiale. Il m'attira hors du rang et quelqu'un derrière moi marcha sur mes talons et jura. Je suis élu ! Je pars dans le Nord ! Les Grands ! Enfin, quelqu'un s'est mis à faire attention !

Sorti du rang, je tentai de devenir invisible. Impossible, avec les bénédictins. S'ils peuvent lire vos pensées et se trouver là au moment où vous vous

* Little Bo-Peep est, dans la littérature enfantine anglophone, un personnage aussi connu que, pour nous, le Petit Chaperon Rouge. C'est la petite bergère dont le loup a mangé les moutons. Le vrai nom de Mr. Peep, propriétaire de l'établissement, est Mr. Wolf, et *wolf* signifie *loup. (N.d.T.)*.

extirpez d'une position délictueuse au-dessous d'une chapelle, ils n'ont aucun mal à vous voir abandonner la parade. Byhauer était là, les mains aux hanches, la haine de mon père sur sa face carrée, d'un bleu de cobalt.

Je tâchai de m'arracher à Zeke.

— Je sais, je sais, je comprends, disait-il, mais il ne comprenait pas. Il m'avait fait une clef à la tête et m'étreignait et m'embrassait, dans son imitation nordiste d'un braillard sudiste.

— Je suis à la parade, plaidai-je. Faut que j'y aille. Je lui échappai et doublai le pas pour rattraper le groupe.

Byhauer reprit la cadence derrière nous. J'entendais ses bottes marteler l'asphalte ramolli par le soleil.

— Je vous plains, mon garçon, susurra-t-il dans mon dos.

Une carte postale illustrée de mon père, envoyée d'une ville du Nord. Cleveland, je crois. Je m'en fus la lire sur l'appontement. Le côté face montrait le terrain de base-ball local. "Je mange des steaks au petit déjeuner, je laisse des pourboires de deux dollars. La grande vie. Tout va bien. Veille à ne pas perdre la main."

Lui ne l'avait pas perdue, de toute évidence. Son écriture était tout en courbes et en fioritures, telle qu'il l'avait apprise chez les religieuses, quand il était petit.

Ma ligne tressauta, et je la ramenai. Encore une saloperie de crapaud de mer, tout gonflé pour attirer l'attention sur sa hideur, un poisson de vase que seuls les nègres mangeraient, à en croire ce que m'a déclaré ma mère la première et seule fois que j'en ai rapporté un à la maison. Avec sa large bouche de batracien, il n'y a rien de plus laid dans la rivière, et il est l'objet de toutes sortes de superstitions. Ça mord, ça pique, ça donne des boutons. "Cartilages pour négros", disait Evangéline, quand mon père n'était pas là pour interdire l'usage de ce mot, si naturel sur l'Isle of Hope. Apparemment, j'ai le don de pêcher ces trucs-là. Ce qui explique le sobriquet calamiteux dont mon père m'a affublé. *Crapaud.*

J'arrachai l'hameçon et rejetai la pauvre chose blessée dans le Lazaretto.

Ma mère arriva sans bruit tandis que les ronds provoqués sur l'eau par l'impact du crapaud de mer commençaient à s'éteindre. Elle avait une façon de flotter comme un fantôme, silencieuse même sur les planches sonores de l'appontement. Avant que j'aie pu dissimuler la carte, elle était sur moi.

— Qu'avons-nous là ?

— Carte postale, répondis-je.

— De ton père ?

— Oui, m'dame.

— Ça c'est drôle. Drôle qu'il l'ait envoyée.

Sa voix montait à la fin des phrases, comme si tout était une perpétuelle question.

— Qu'est-ce que ça a de drôle, une carte postale ?

— Rien. Mais je crois savoir qu'il revient bientôt, peut-être dès demain.

Je me sentis mal. Une touche sur ma ligne, mais je n'eus pas envie de réagir.

— Comment ça se fait ?

Evangéline fit un petit geste négligent de la main.

— Tu sais que je ne comprends rien à ce jeu.

Vous comprenez très bien. C'est parce qu'il y jouait que vous l'avez épousé. Je gardai ça pour moi. Gardai les yeux baissés. Ce que mon père appelle la moue Marster : on baisse les yeux dans une attitude censée exprimer le respect, en raclant le sol des pieds. Mon père a horreur de ça, et il a raison. Ça n'exprime aucun respect. Seulement de la résistance.

— A propos, fit Evangéline avant de quitter l'appontement, un endroit où elle ne se sentait pas trop à l'aise bien qu'il fît partie des choses qui lui appartenaient, attends-toi à voir arriver ton grand-père. Il va venir te prendre. Il a décidé qu'il avait envie de passer un moment avec toi.

— On m'a demandé mon avis ?

— Autant qu'à moi, fils, répondit-elle, puis elle tourna les talons et s'en fut.

Mon père n'aurait guère fait plus de deux semaines chez les Grands. Des jours désabusés s'annonçaient à Hurt's Landing.

Peu après, j'entendis un coup de klaxon sur la route du Lazaretto. Sans me presser, je remontai la pente, et je vis la voiture qui attendait au bord de la chaussée, avec grand-père Jefferson Marster à l'intérieur. Seul, bien entendu, ma mère réfugiée dans la maison s'étant bien gardée de venir le saluer. Leur appartenance à la grande chaîne des Marster ne semblait pas impliquer que sa fille et lui eussent à se parler. Une blessure ancienne – toute une série de blessures, sans doute – avait rendu impossible entre ces deux-là le moindre rapport humain. La dernière fois que je les avais vus ensemble, il y avait des années de ça, lui tenait à la main un papier qui représentait, je l'ai su plus tard, le titre de propriété de la maison que nous habitons, et elle exécutait son interprétation personnelle de la moue Marster, mille fois plus opaque que la mienne, perfectionnée par la pratique, sans aucun doute. Je n'avais pas cherché à connaître la nature de leur dispute ; la feuille de papier jauni n'était qu'un accessoire, un prétexte. Je n'avais pas cherché à savoir parce que je n'en avais pas besoin. Tôt ou tard, l'histoire me serait révélée, tout naturellement, comme d'elle-même.

Dans les récits de ma mère, grand-père Jefferson faisait figure de vieillard admirable, digne de révérence, pareil à l'une de ces statues de bronze où perchent les mouettes sur les places du centre ville qui, s'animant soudain, se serait mise à déambuler parmi nous en proférant des paroles de sagesse. Une pièce de musée, en quelque sorte. Mais le vrai Jefferson Marster ressemblait plutôt à une version minable du colonel du Kentucky qui sert ici d'enseigne aux marchands de poulets rôtis. Il avait le visage rouge brique et les cheveux blancs teintés de jaune par la fumée de ses cigares, et il était vêtu d'un complet du même ton pâle de nicotine.

Je montai dans la voiture et claquai derrière moi la lourde portière. Puis m'absorbai dans l'examen de la garniture couleur crème de l'automobile. C'était une Buick Spéciale bicolore, rouge et crème, avec trois petites bouches d'aération sur chaque aile.

— Comment va ta maman ? me demanda-t-il, comme il le faisait chaque fois.

— Bien, m'sieu.

— Où aimerais-tu aller aujourd'hui ?

Je fis la moue Marster, me disant que, de toute façon, il avait déjà fixé son choix.

Il enclencha la première.

— Je pense que je vais t'emmener au Telfair Museum. Je suppose que tu n'y es jamais allé avec tes parents.

— Non, m'sieu.

— Ce ne sont pas des amateurs de musées.

— Non, m'sieu.

Après être passés devant les plus belles maisons de l'île, nous nous engageâmes sur Laroche Avenue, en direction de la ville. Il faisait plus chaud, loin de l'eau, et, en plein midi, il n'y avait guère de circulation. Tout le monde était occupé à quelque chose, quelque chose qui ne consistait pas à circuler d'un bout à l'autre de la route de l'Isle of Hope, plongé dans une réflexion obligatoire imposée par les maîtres bénédictins. A dire vrai, je n'avais pas encore eu l'occasion de me plonger dans une réflexion approfondie. Tout mon temps avait été dévoré par des histoires Marster.

Il y a des gens, sur cette île, qui vous signalent leur présence dans une pièce en parlant à voix haute. Jefferson Marster faisait ça avec son cigare, qui peu à peu lui teignait au milieu de la chevelure une bande jaune, comme sur le dos d'une mouffette. Il avait l'air si satisfait et si seigneurial avec ce truc planté au milieu de la figure qu'on ne pouvait s'empêcher de penser qu'il menait le jeu et savait de quoi il parlait. Son cigare lui procurait un tel bien-être qu'entre sa béatitude et ma moue Marster, nous restâmes silencieux jusqu'au musée Telfair des Beaux-Arts, où il dut l'éteindre avant de passer la porte.

Le Telfair était un temple à la beauté installé dans l'ancien hôtel particulier d'un méthodiste. Curieux, car aucun des méthodistes que j'ai rencontrés ne témoignait d'un enthousiasme exagéré envers la beauté, sauf dans les cantiques, et encore, là aussi la musique passait toujours après la louange. En marchant vers le musée, je flairai sur mes mains l'eau du Lazaretto et le crapaud de mer ; j'aurais bien voulu être ailleurs. Je ne pouvais pas imaginer que grand-père Marster fût venu ici pour son plaisir, lui non plus. C'était une forme de devoir civique et familial. Il salua d'un hochement de tête le garde pétrifié qui nous ouvrit la porte et les dames qui caquetaient à l'approche d'un visiteur, chose rare, semblait-il. Il déposa son obole dans le panier d'osier et refusa l'offre de dépliants en couleurs consacrés au musée.

— Je sais ce qu'ils racontent. C'est grâce à moi qu'ils ont été imprimés, déclara-t-il aux membres terrorisés de la brigade féminine.

— Si nous pouvions vous dire un mot, Mr. Marster, implora l'une d'elles. Connaissant votre générosité habituelle…

— Plus tard, fit-il. J'accompagne ce garçon.

La lumière entrait à flots par la grande vitre semicirculaire surplombant la porte du hall d'entrée que l'écho de nos pas solennels et cérémonieux traversa derrière nous. Dans la première galerie, les murs étaient couverts de tableaux brunâtres, accrochés les uns sur les autres, et même moi je pouvais dire combien ils étaient laids. Bienvenue à un nouveau chapitre du livre d'histoire Marster ! Secrètement, je mis le vieux Marster au défi de me faire éprouver le moindre sentiment d'appartenance envers ces portraits de gentilshommes vérolés, qui ressemblaient tous plus ou moins à George Washington, posant en perruque poudrée devant leur horloge à balancier. Certains d'entre eux, je le supposais, devaient être de mes parents. Mais j'aurais plus volontiers contemplé la face d'un crabe bleu que n'importe lequel de ces cadavres.

Ça s'améliorait dans la seconde galerie. Deux dames d'albâtre se dressaient à l'entrée, nues et des dauphins aux pieds. *Pudentia*, disait la légende sous l'une d'elles. Ces statues avaient les yeux vides, comme la petite Annie l'orpheline, dans les bandes dessinées, et leurs têtes étaient coiffées de serpents.

Jefferson Marster se plaça derrière moi.

— C'est la beauté *idéale*, me prévint-il. Tu crois regarder une dame nue, jeune homme, mais en réalité ce que tu regardes est un idéal.

Je contemplai les parties féminines de la belle, qui étaient aussi pâles et aussi crayeuses que le reste de sa personne. Elle n'avait pas de poils entre les jambes, c'était en cela sans doute qu'elle était idéale. Par contre, ses deux seins portaient des traces de doigts sombres, comme si elle venait d'être placée là par un employé peu soigneux. Traces de la réalité.

— Que veut dire *Pudentia*, de toute façon ?

— C'est du latin, m'instruisit grand-père Marster. Ça vient d'un mot qui veut dire honte.

Honte et beauté idéale me tournoyèrent dans la tête tandis que nous parcourions les salles latérales, où étaient présentées des reconstitutions de salons des XVIIIe et XIXe siècles. J'avais vraiment horreur des vieux meubles et de l'atmosphère étouffante qu'ils génèrent. Les pièces de ma propre maison me suffisaient ; je n'avais pas besoin d'un musée pour m'informer de leurs effets maléfiques.

Et parce que j'étais furieux de me trouver là, confié au grand-père Marster comme un ballot de marchandises compromettantes, parce que j'étais confronté à la honte d'admirer des dames nues, je décidai de rendre coup pour coup. Pas ouvertement, bien sûr, mais à la manière sournoise, lente et cauteleuse d'un poisson-crapaud du Lazaretto. Comme nous contemplions des sièges conçus pour brimer le corps de l'utilisateur, je lançai à Jefferson Marster :

— Quand vous parlez de ma mère, monsieur, vous l'appelez toujours par son prénom. Personne ne fait ça, par ici.

— Tu veux dire Evangéline ? C'est parce que c'est son nom, fiston. C'est un nom de femme. Après tout, ta mère est une femme. Et une femme pleine de charme et de vivacité.

— De charme ?

— Certains parleraient de beauté, fiston, mais un père n'a pas à dire ça de son propre rejeton. Surtout si c'est une fille.

J'y réfléchis un moment. Pendant ce temps, il se mit à me diriger vers la sortie des galeries de vieux meubles.

— Vous ne vous voyez pas très souvent, vous deux.

— Nous n'en avons pas besoin, m'assura-t-il. La famille, ça ne se perd jamais.

Il s'arrêta dans le grand hall pour admirer le plafond, ce qu'il devait avoir fait déjà des centaines de fois.

— Tu poses beaucoup de questions, ce qui n'est pas un mal, en soi. Mais n'en aurais-tu pas de plus appropriées à cet endroit ?

— Plein, dis-je, joyeux. Racontez-moi pourquoi le Lazaretto s'appelle comme ça.

— Pendant la guerre entre les Etats, on avait construit un lazaret à l'embouchure de la rivière, à sa jonction avec le chenal navigable, pour y abriter nos soldats. Le nom vient de là.

— Qu'est-ce que c'est qu'un lazaret ?

— Un endroit où on isole les gens affligés de la maladie de Lazare.

Je farfouillai dans mes souvenirs approximatifs d'histoires bibliques. Si ma mémoire était bonne, ce Lazare s'était relevé du tombeau après quatre jours. On avait fait basculer la pierre et hop ! il avait surgi, triomphant, bien vivant quoique hideux et couvert de bandelettes. Sa maladie s'appelait résurrection. Ça me plaisait.

Nous défilâmes devant le comptoir, où ces dames du musée s'agitaient comme des papillons.

— Mr. Marster, cria l'une d'elles en courant après nous.

Il s'arrêta pour lui accorder son attention, et elle se mit à le supplier de consacrer une fois de plus sa générosité notoire à cette noble cause : la sauvegarde du passé, grâce au musée Telfair. C'était un spectacle dont je ne voulais pas être témoin.

— Si vous voulez bien, dis-je, je vous attendrai dehors.

Pendant que nous étions à l'intérieur, en train d'adorer la beauté idéale, la chaleur avait eu le temps de se répandre partout, aussi palpable que la résignation. En ville, sans les brises venues du Lazaretto, l'air avait une immobilité de tombeau. J'allai m'asseoir sur un banc dans le petit square, en face de la statue de Mr. Telfair, le méthodiste. Le rémouleur poussait sa carriole au long du trottoir, son col relevé malgré la chaleur dissimulant en partie les taches roses sur sa peau noire. Ding-dong-ding, sonnait son carillon à trois notes. Il guettait attentivement sur le trottoir les trous et bosses qui auraient pu déséquilibrer son engin, et s'il y avait eu des clients il ne s'en serait pas aperçu ; je pensai que ça n'avait sans doute pas d'importance. Son boulot consistait à pousser sa carriole et à être là, aussi inutile pour la cité qu'une seconde conscience.

La statue de Mr. Telfair était entourée d'une grille de fer dont les barreaux me paraissaient affilés sans nécessité, comme si le conservateur des statues craignait que des vandales ne fissent effraction pour voler le passé sous le couvert de la chaleur. Je ne sais pas comment le bon Dieu peut permettre de telles catastrophes, mais tandis que je tentais d'interroger l'œil aveugle, lugubre et souillé par les pigeons de Mr. Telfair, qui vis-je arriver de sa démarche incertaine, sinon Pharris Buckley ? A l'instar du rémouleur, Pharris Buckley surveillait avec une attention démesurée la surface sur laquelle il marchait, mais pas pour les mêmes raisons. Il n'avait jamais maîtrisé l'art élégant de boire avec modération. Il avait fait partie jadis de l'équipe des *Indians.* Je connaissais son histoire et les différentes opinions qu'elle suscitait, et je préférais la version qui était la moins dure pour lui. Sa mauvaise vue l'avait empêché de devenir un bon joueur et, faute de raison de s'en abstenir, il s'était mis à boire ; il avait tendance à perdre exprès ses lunettes quand il se trouvait dans une situation embarrassante, parce qu'il était aussi vaniteux que myope.

Il traversa juste devant moi, s'aperçut de ma présence et s'appliqua laborieusement à ajuster sa vision. Lorsqu'il me reconnut, il fut si heureux d'avoir accompli ce haut fait qu'il se lança dans une conversation enthousiaste.

— Timmy, jeune crapaud, qu'est-ce que tu fais si loin de l'Isle of Hope ?

— Surveillance de statues, m'sieu. Et vous ?

— Oh, moi, tu me connais. Garde un œil sur l'eau des rigoles pour qu'elle coule bien dans les bouches d'égout. Préfère ne pas imaginer ce qui se passerait si je la quittais des yeux. Pas grand-chose à faire pour un bavard comme moi depuis que ton père a quitté la ville. Merde, quand on jouait ensemble, les gens disaient qu'il avait une mauvaise influence sur moi, à cause de la boisson, comme si c'était sa faute, comme si c'était lui en personne qu'avait inventé ce truc-là, comme s'ils avaient jamais entendu parler d'alambics du côté de Claxton. Eh bien, depuis que ton père est parti, je crois que je suis tombé plus bas dans le péché, du fait qu'y a personne à qui parler.

Je me demandais si j'allais lui dire que mon père revenait, quand Jefferson Marster descendit à grands pas les marches du musée et arriva dans le square. Il n'eut pas l'air très content de voir Pharris Buckley. Pharris ne vit tout simplement pas mon grand-père.

— Eh bien, qui est cette star de terrain vague ? demanda Jefferson Marster d'une voix tonitruante.

Je me levai d'un bond.

— Grand-père, voici Pharris Buckley. C'est un vieil ami de mon…

— Je sais foutre bien qui c'est, et il saurait qui je suis, lui aussi, s'il arrivait à se rappeler où il a mis ses lunettes. Il est bien de l'acabit de ton père.

— Zeke Justice n'a pas d'acabit, répliqua Pharris Buckley en clignant des yeux sous le nez de mon grand-père. Il est unique en son genre, juste comme n'importe quel être humain. C'est ça qu'on m'a enseigné, pas vous ?

Jefferson Marster renifla, comme s'il détectait une mauvaise odeur, puis il attaqua Pharris Buckley par son point faible. Remarquez, mon grand-père avait le choix, au rayon des faiblesses, en ce qui concernait ce pauvre Pharris.

— Vous ne perdez pas la bataille avec la bouteille, hein, Buckley ? Avec votre acuité visuelle de taupe, vous risqueriez qu'une rigole vous saute dessus pour vous décerveler.

Pharris Buckley rit, sans s'émouvoir.

— Je m'occuperais de mes plates-bandes, si j'étais vous. C'est en vendant la gnôle que vous gagnez votre pain. Pouvez pas vous permettre de chasser vos meilleurs clients. Le regretteriez peut-être, un jour.

Là-dessus, Pharris m'adressa un clin d'œil myope et fit à mon grand-père une parodie de salut, puis il s'en fut à travers le square. Vers où, je n'en savais rien, mais certainement pas vers l'établissement qui portait le nom de Pinky Marster.

— Avoir affaire à un individu pareil me donne l'impression d'être souillé, déclara mon grand-père.

— Quand on lutte dans la poussière, on salit ses vêtements, fis-je avec une gaieté feinte.

Il ne répondit pas. C'était aussi bien. Il était trop occupé à regarder Pharris Buckley qui atteignait l'autre côté du square et se dirigeait vers Broughton Street. Mais en le regardant, de toute évidence, c'était quelqu'un d'autre qu'il voyait.

— Tu veux un Royal Crown Cola ?

Je n'en avais pas envie, mais j'acceptai.

Nous marchâmes dans la chaleur jusqu'au *Rexall*, où nous nous assîmes au comptoir. Une batterie de ventilateurs soufflait en tous sens, éparpillant les serviettes en papier, chacun contrariant la brise des autres. La dame du comptoir, avec son tablier noir en demi-lune, sembla surprise de voir mon grand-père. Surprise, et un peu contrariée, parce qu'un changement dans les habitudes de quelqu'un paraît toujours suspect, par ici. Mais quand elle m'aperçut, elle comprit.

— Bonjour à vous, Mr. Marster. On invite le jeune homme à boire un Royal Crown ? demanda-t-elle. Sur l'étiquette de plastique épinglée à son corsage, on pouvait lire son nom : Nell.

— J'en prendrai un aussi, dit-il.

Elle posa les Cola sur le comptoir puis considéra mes vêtements civils.

— Je croyais que vous étiez occupé dans cette belle école militaire…

— Il a été renvoyé du lycée bénédictin, annonça mon grand-père.

Là-dessus il aspira tout son R. C. Cola, faisant sonner les glaçons au fond du verre. Je ne savais pas que nous étions censés exposer nos petites hontes familiales jusqu'au comptoir du *Rexall*. La mauvaise graine continue de prospérer, semblait-il annoncer à qui voulait l'entendre. Mais ce drame-là n'intéressait pas Nell.

— Qu'est-ce que vous aviez fait ? Z'aviez lancé des boulettes de papier sur le nez du prof ?

— Il s'est rendu coupable de turpitude morale, lui dit Jefferson Marster.

— C'est vrai, je l'avoue. J'ai été condamné à une période de réflexion.

On voyait que Nell luttait pour garder son sérieux. Elle ne réussit pas tout à fait.

— Vous avez de ces façons, vous deux, avec les mots ! Elle passa son chiffon sous le verre vide de mon grand-père. Une pauvre serveuse comme moi n'y comprend rien.

— C'est des façons de curé. Ils font ça exprès, lui expliquai-je. Ils compliquent tout, pour que le diable n'y retrouve plus son chemin. Juste comme ces paysans qui construisaient des granges rondes pour que le vieux Satan n'ait pas de coin où se cacher.

— Il y a toujours des coins où le diable peut se cacher, fit mon grand-père, sentencieux.

Nell agita son chiffon en l'air, nous aspergeant de gouttelettes de R. C. Cola et d'eau de vaisselle.

— C'est pas dimanche, protesta-t-elle. Ne me parlez pas du diable. Tout ce que je sais, c'est que c'est une honte qu'on vous ait renvoyé de votre école.

— Une honte ? Mon grand-père inclina la tête d'un air sarcastique. Sans doute, mais petite. Je connais quelques meilleurs exemples de honte dans cette ville.

Nell fronça les sourcils, se demandant quel genre de type Jefferson Marster était en train de devenir, et aperçut à l'autre bout du comptoir un client providentiel. La honte et le diable, c'était évident, n'avaient pas l'habitude de s'arrêter au *Rexall* pour y boire du R. C. Cola. En plus, leurs pourboires étaient moins généreux que ceux du vieux Jefferson.

— Une période de réflexion ? répéta mon grand-père tandis que nous retournions vers la voiture. Ça ne me paraît guère naturel. A quoi as-tu l'intention de la consacrer ?

— A attraper des crapauds de mer et à les rejeter, je suppose. A réfléchir à la beauté idéale.

— Aux dames nues, tu veux dire ?

— Aux dames nues et aux crapauds de mer. Ça va ensemble, d'une certaine manière, vous ne trouvez pas ?

Nous parcourûmes les places de Savannah dans un silence lourd, au creux du confort couleur crème de la Buick du vieux Marster. J'observais avec avidité les objets du monde des vivants, de l'autre côté du pare-brise. Dans ce monde, à quelques carrefours de distance, j'aperçus Pharris Buckley en train de marcher sur le trottoir en toute innocence, les mains dans les poches et légèrement penché en avant, comme s'il était en perpétuelle perte d'équilibre. Jefferson Marster ralentit la voiture, et je compris qu'il l'avait vu, lui aussi.

Au moment précis où Buckley s'apprêtait à traverser la rue, je sentis bondir la Buick. Enfonçant l'accélérateur, mon grand-père balança le volant vers la droite à l'instant où Buckley posait le pied en bas du trottoir. Buckley sentit venir la voiture et eut juste le temps de se détourner avant que le pare-chocs avant ne le prenne à hauteur de la hanche et ne le projette sur la chaussée.

Alors Jefferson Marster crut bon de klaxonner.

— Faites attention où vous allez, mon garçon, cria-t-il à Pharris par la vitre baissée.

— Faites attention vous-même, dis-je au vieux Marster.

Je me retournai. A travers la lunette arrière, je vis Pharris bondir sur ses pieds et commencer à nous courir après. Il fit trois ou quatre pas puis s'arrêta en se tenant la hanche. S'affaissant sur un genou au milieu de Jones Street, il se mit à invectiver la voiture, et j'étais certain qu'il savait à qui elle appartenait.

— Aveugle et saoul, quelle combinaison ! grommela mon grand-père, puis il vira dans Drayton Street en faisant crier ses pneus sur l'asphalte tiède.

— Pas la peine de fuir la scène du crime. Je suis sûr qu'il vous a reconnu.

Jefferson Marster détourna les yeux de la chaussée et les posa longuement sur moi.

— Je m'en moque, déclara-t-il.

— Qu'est-ce que vous avez contre ce type, d'abord ?

— Lui ? Rien de spécial. Rien de plus que contre tous ces vauriens de joueurs de base-ball.

— Comme mon père, par exemple ?

— Ecoute-moi bien.

Mon grand-père criait comme s'il y avait un kilomètre entre nous, et non un mètre. Son visage était si rouge que je pensai voir le sang jaillir de tous ses pores.

— Ecoute-moi bien. Qu'est-ce que tu ferais si ta seule fille encore en vie était allée se faire couvrir par une star de base-ball minable qui fréquente les nègres et joue les philosophes dans mon propre établissement ?

Il se tourna vers moi, furibond, ignorant les arbres qui défilaient au long de Victory Drive à quelques centimètres de ses garde-boue. Puis il remit son cigare dans sa bouche et la fumée parut l'aider à se reprendre. Dommage que je n'aie pas disposé d'un tel accessoire.

Victory Drive menait à Laroche Avenue, qui menait à l'Isle of Hope. La marée était haute et ma rivière bien-aimée, mon refuge, était pleine jusqu'à ses berges tendres. Mon grand-père s'arrêta devant la maison et je posai un pied sur la chaussée.

— Merci pour la leçon, lui dis-je. C'est intéressant de savoir où je figure dans la grande chaîne des Marster : le maillon défectueux. Et maintenant, j'imagine que vous n'allez pas entrer, boire quelque chose de frais ?

Le vieux Marster s'en alla dans sa voiture avec ce qui me parut une pression excessive sur l'accélérateur, même compte tenu des circonstances. Ce type était une menace.

Me mettre à réfléchir, la tâche était malaisée au sein d'une telle activité. Notre maison avait deux niveaux, elle était bien assez grande pour nous trois, avec sa véranda au rez-de-chaussée et son balcon à l'étage, son jardin à l'arrière, et sa vue sur la rivière nommée d'après une maladie. Mais elle nous contenait difficilement, Evangéline et moi, tandis que nous attendions le retour de mon père, déconfit chez les Grands.

L'appontement m'offrait un salut temporaire. Je m'y réfugiai dès que Jefferson Marster m'eut relâché, et j'y passai aussi le jour suivant. Mais cet appontement n'est pas assez loin, pensais-je en regardant les bateaux de pêche au bar et les barques à fond plat prendre le grand virage, là où le Lazaretto commence à se perdre dans les marais déserts, peuplés d'aigrettes et de silence. Pour un salut durable, il fallait un canot avec un hors-bord capable de lutter contre la marée. Je ne possédais ni l'un ni l'autre.

La condition primordiale de la réflexion, je m'en fis la réflexion, c'est d'avoir un endroit où réfléchir. J'avais accepté d'écrire ce rapport pour le père Dooley parce que cela servait mes desseins : si on veut réfléchir, il faut s'en aller. D'abord sur l'appontement, et puis en des lieux plus éloignés, dès que j'en aurais les moyens. De ces lieux que je ne connaissais pas encore, j'étudierais les vagues provoquées par la guerre entre les Justice et les Marster, et au sein des Marster eux-mêmes, et je m'interrogerais sur les causes premières de mon bannissement du lycée. L'attirance exercée par la bonne haleine trouble de la terre, la paix et la méditation de la vie parmi les créatures rampantes qui profitaient du fait que la chapelle fût construite sur pilotis pour se terrer sous la maison de Dieu.

Je commençais à percevoir le caractère réellement blasphématoire de mes actes. J'avais fait preuve de quelque chose comme un intérêt pour les dessous de Dieu, ces éléments malpropres à cause desquels nos bonnes manières de l'Isle of Hope paraissaient si importantes. Non content de me moquer de Dieu, je m'étais faufilé de l'autre côté de la scène afin d'examiner les pièges et les machineries de la foi. C'est pourquoi j'étais hors jeu. Si je m'étais acoquiné avec le diable, l'offense eût été moins grave ; je serais du moins resté dans le registre de l'église. Mais au lieu de ça, je m'étais enfoui sous le lieu du culte et j'avais littéralement inspecté la charpente pourrissante et moisie qui étayait l'enseignement des bons pères.

Ajoutez à cela l'impénitence. Car en cet instant même où, assis sur l'embarcadère, j'observais le jeu des oiseaux-serpents en quête de poisson, j'avais en poche ces deux os de lapin et je les branlais avec énergie.

Après tout, la maxime des bénédictins n'est-elle pas qu'il faut étudier les voies de ce monde, et n'étais-je pas prêt à réfléchir à n'importe quoi, pourvu que ce ne fût pas à Jefferson Marster ?

Le vent complice m'avertit de l'approche de ma mère en m'apportant une bouffée de son parfum. Je me retournai vers l'embarcadère. Elle s'était endimanchée.

— Tu ne pêches même pas ?

— Je réfléchis.

— Ne te moque pas de moi, ordonna-t-elle. Tu ne me dis rien de ma robe ?

— Si vous m'en laissiez le temps…

— C'est juste. Nous allons chercher ton père à la gare. Je veux que tu viennes avec moi. Je vais essayer de l'empêcher de filer vers l'un de ses lieux de débauche à l'instant même où il aura posé le pied sur notre sol. Ce ne sera guère plaisant d'avoir un homme déçu à la maison.

II

Nous étions debout sous l'horloge au centre de la vaste gare bourdonnante, Evangéline et moi, là où défilent les passagers qui s'apprêtent à sortir dans la chaleur. Elle me tenait la main très serrée et je la laissais faire, bien que le temps fût passé depuis longtemps pour de telles attentions entre mère et fils.

Elle alluma une Viceroy. Nous devions être beaux à voir, avec elle drapée dans son écharpe d'automobiliste, comme si elle arrivait d'une traversée du Sahara et pas simplement de l'île pour accueillir son baseballeur de mari. Tandis qu'elle s'accrochait à moi avec un acharnement peu maternel, je méditais sur cette honte : mon père remballé en petite ligue. Son flirt avec les Grands n'avait été qu'une brève rencontre. Zeke Justice, lui qui avait valu tant de victoires aux *Savannah Indians*, star de *Sally League* dans une équipe qui avait envoyé en grande ligue tant de joueurs fameux, tels Enos Slaughter ou Juan Pizarro. Leur chance n'avait pas déteint sur lui. En apprenant la nouvelle de son retour, les amis de mon père seraient déçus pour lui mais, au fond, ils seraient très contents, même s'ils ne le disaient pas, de ce contentement des buveurs lorsqu'un de leurs compères buveurs d'eau revient à la bouteille.

Je me représentais la scène qu'Evangéline souhaitait empêcher. Mon père escorté chez Johnny Harris pour y reprendre possession de sa table, le maire passant par hasard et lui rappelant mine de rien d'éviter les histoires tout en lui pardonnant d'avance celles qui ne pourraient manquer de se produire. On se passerait l'information : Zeke Justice est revenu en ville, dommage qu'il ait été renvoyé, mais on l'a de nouveau avec nous, maintenant.

J'avais parfois l'impression que la moitié de Savannah et des îles connaissait mieux mon père que moi.

Ma mère laissa tomber sa Viceroy et écrasa le mégot sur le sol avec une élégance de grande dame.

— Vous êtes contente qu'il revienne ?

— Comment, il ? C'est de ton père qu'il s'agit !

Je me remis à cette longue et lente attente. Bientôt, les haut-parleurs annoncèrent avec des crachotements l'entrée en gare du *Panama Limited.* Alors il se produisit une chose que je n'oublierai jamais. Un vieux Noir arriva en traînant les pieds au centre de la gare, là où nous nous tenions, Evangéline et moi, pareils à deux statues. Je connaissais ce bonhomme, il s'appelait Paul Gant, je l'avais vu sur l'île calfater les barques de Jefferson Marster. C'était l'un de ces Noirs dont je n'aurais pu deviner l'âge en un millier d'années, parce qu'ils ne vieillissent pas de la même façon que les Blancs.

Paul Gant s'installa à côté de nous, prit son souffle et ouvrit grande la bouche. Il entreprit alors de couvrir la voix des haut-parleurs de la gare de Savannah.

Nou Yoke.
Filly Dilly.
Bal tii More.
Wash e Ton.
Rich Man.

Ce ne fut pas seulement sa prononciation qui me figea sur place dans la gare où se déversaient les passagers du *Panama Limited.* Tout le monde peut, pour s'amuser, déformer le nom des villes, j'avais entendu bien souvent jouer ainsi avec les mots à Hurt's Landing. C'était la façon dont sa voix remplissait l'espace jusqu'aux poutrelles vert-de-gris tout en haut d'Union Station. L'air cédait la place précipitamment au chant du crieur de trains, et peu importait que le métier de crieur de trains eût disparu depuis belle lurette après qu'un cave quelconque eut inventé les haut-parleurs, et que Paul Gant ne fût qu'un vieux fou de nègre qui n'était pas au courant. L'air avait peur de l'effet que lui faisait sa voix en montant vers les sommets. Il se tirait du chemin, et excusez-moi, Mr. Gant.

Je suivis cette voix en haut de la coupole de la gare. Pendant un moment, je fus ému et cinglé au point de regretter de n'être pas noir, pour pouvoir chanter comme lui, comme ils chantent au Centre de Délivrance du Vrai Vignoble, à Sandfly Crossing, le dimanche après-midi.

De telles pensées n'étaient certes pas celles que les bénédictins avaient à l'esprit en me condamnant à un temps de réflexion. Ils n'avaient à s'en prendre qu'à eux-mêmes. Ils avaient lâché le monde sur moi. Prenez-en note, père Dooley, quand le moment sera venu de punir votre prochain pécheur.

Ma mère me tira la main comme un cordon de sonnette.

— Que regardes-tu, mon garçon ? Ton père ne va pas descendre de ces poutrelles. Ce n'est pas Jésus-Christ. C'est un homme en chair et en os, je ne le sais que trop, que le Seigneur le lui pardonne !

Paul Gant, son cri lancé, repartit de son pas traînant vers l'un de ces recoins de la gare où on permet aux nègres d'attendre ce qu'ils peuvent bien attendre, un miracle ou une paire de chaussures à cirer. Mais sa voix demeurait là-haut, dans la coupole d'Union Station, et c'est là que j'étais, moi aussi.

Puis mon père apparut, marchant lentement, faisant obstacle au flot des passagers qui se dépêchaient de sortir de la gare, dans le soleil. Il traînait sur le sol son sac d'équipement de *Major League.* Evangéline me lâcha la main.

— Gentil d'être venue, lui dit-il. Il l'embrassa sur la joue puis, comme dans un remords – je m'en rendis compte –, sur la bouche.

Puis il la contourna et me fit face.

— Crapaud, dit-il, ils ont eu mes balles à effet.

— Ça ne fait rien, papa. (Curieuse entreprise que d'essayer de consoler son propre père.) Vous serez bientôt reparti dans le Nord. Tout ce qu'il vous faut, c'est quelques grands matchs.

Il renversa la tête en arrière et rit, et son rire monta dans la coupole rejoindre le chant de Paul Gant. Il me cogna le biceps, en douceur, pour une fois.

— C'est bien, fils, tu parles comme les journaux sportifs ! Je vois que tu as étudié la question.

Un parfum de bourbon, de cuir et de fumée de cigare l'enveloppait, tel un nuage rassurant. L'odeur des hommes, et des petits péchés qui leur sont permis.

— Tu as reçu la carte postale que je t'ai envoyée ?

— Oui, m'sieu.

— M'appelle pas monsieur. Ça me fait me sentir vieux.

Il rit encore. Ma mère m'avait fait imaginer des cantiques funèbres à la gare, mais il n'y eut rien de tel. Mon père ramassa son sac et se le jeta sur l'épaule. Nous nous dirigeâmes vers la sortie principale avec Evangéline en remorque.

— Vrai, tu as aimé ma carte postale ?

— L'écriture était rudement jolie.

— Un homme n'est rien s'il n'a pas une bonne main. Un bon bras aussi, ce qui ne paraît pas être mon cas ces jours-ci. Mais, merde, je n'ai pas été si mauvais.

— Zeke, ne parle pas comme si tu étais dans les vestiaires, fit ma mère.

Nous montâmes dans la voiture, dont il reprit les clefs à ma mère. Il n'avait pas l'air d'un homme qui vient de se faire renvoyer en petite ligue.

Evangéline réussit à maintenir mon père à l'écart des lieux de plaisir pendant tout ce qui restait de l'après-midi et le début de la soirée. Ensuite il se passa quelque chose qui le rendit très excusable d'y aller. Tel est du moins mon avis. Il est vrai que ma mère me reproche toujours de prendre son parti.

Nous étions assis sur le perron, lui et moi, dans le crépuscule. Je regardais la lumière virer au vert foncé sous les chênes et les couleurs de la rivière s'éteindre à mesure que le soleil se couchait derrière la maison. Il n'y avait quasiment personne sur l'eau et les marais de Burnpot Island, de l'autre côté, bruissaient d'oiseaux en train de becqueter et de s'installer pour la nuit. Mon père me parlait de la taille des steaks et des pourboires qu'il laissait aux serveuses, et de la nostalgie qu'il en avait. Pas un mot sur les matchs auxquels il avait participé, ni sur la façon dont sa balle à effet s'était fait massacrer parce qu'elle avait perdu son effet, aucune plaidoirie pour ses performances, rien de cette déception que m'avait promise ma mère ni de la rage qui devait s'ensuivre. Peut-être n'était-il pas déçu. Peut-être était-il content d'être revenu. A contempler la rivière et le marais dans le crépuscule tiède et moite, je comprenais qu'on pût être content de se retrouver à Hurt's Landing.

L'obscurité tombait, douce et sans limites, du genre qui se prête aux spéculations les plus optimistes.

A l'intérieur de la maison, et comme un élément du ronron paisible de la soirée, le grand meuble radio était réglé sur WTOC, la voix des *Savannah Indians*. Le ronron parut se renforcer, nous devenir plus familier, et nous le reconnûmes en même temps : on annonçait un match de base-ball. Seulement, ce soir-là, les *Indians* ne jouaient pas. Alerté, mon père me lança un coup d'œil puis rentra précipitamment pour monter le son afin que nous l'entendions sur le perron. C'en était fini de la paix du soir.

“Nous diffusons du fameux stade William Grayson de Victory Drive, à Savannah, disait la voix. Le berceau des meilleurs, où tant de grands joueurs ont fait leurs débuts. Des stars comme Mick Eden, des *New York Yankees*, et Bob Eliot, le champion des *Boston Red Sox*, et tous les autres, trop nombreux pour que je les énumère. Mesdames et messieurs, ce parc est imprégné d'histoire.”

— Imprégné ? demandai-je à mon père.

— Chut ! fit-il.

Windy Herring commentait à la radio le déroulement de la partie. Il avait l'air de bien s'amuser tout seul, sans match réel pour lui gâcher son plaisir.

“Ce soir, l'as des *Indians*, le lanceur droitier Zeke Justice, montera sur la butte en face de Charleston, la principale rivale de Savannah en *Sally League*.”

— Il n'y a pas de match, ce soir, si ? s'interrogeait mon père. De toute façon, comment puis-je être là-bas alors que je suis ici ?

Ça ne me paraissait pas tellement saugrenu. Mon père était souvent à plusieurs endroits en même temps, par l'intermédiaire de ses amis, de ses agents, de ses commentateurs à la radio et de ses chroniqueurs.

Passant la tête dans la maison, il frappa quelques petits coups sur la radio.

— Windy ? Windy, tu es là ? Parle-moi ! Qu'est-ce qui te prend ? Comment serais-je sur cette butte alors qu'il n'y a pas de match, alors que je suis assis ici sur le perron avec mon gamin ? Windy Herring, tu n'aurais pas pris un petit coup de trop ?

Il revint s'asseoir sur la balancelle.

— Eh, peut-être que je suis là-bas ce soir, en réalité. Peut-être que je suis pas ici du tout. Peut-être que ce vieux pochard est dans le vrai.

Je commençais à rire, quand je m'aperçus qu'il était sérieux. Il était vraiment capable de penser ça. Je me relevai de la balustrade et vins me poser sur le bras de son fauteuil.

— Bien sûr que vous êtes ici, lui dis-je. Qu'est-ce que vous croyez ? Je frappai du doigt l'accoudoir en bois. C'est aussi clair que ça.

Il ne répondit pas. Puis il me serra dans ses bras, mais pas de la même manière que dans l'après-midi, pendant que nous nous baladions sur Oglethorpe Street. Les étreintes de mes parents me couvraient de bleus en quelques heures.

A la radio, Windy Herring s'était lancé dans la description détaillée de la partie. Croyez-le ou non, la diffusion d'un match de base-ball a quelque chose de magique et nous ne pouvions nous empêcher d'écouter. Mon père ratissa dans l'ordre les meilleurs batteurs de Charleston, 1, 2, 3, au cours de la première manche. On frappait peut-être ses balles à effet chez les Grands, mais pas ici. Chaque fois qu'un batteur touchait, c'était Windy qui heurtait le micro avec un crayon à mine de plomb. La foule, c'était lui qui faisait des bulles dans un verre d'eau, ou de n'importe quoi. Son imitation des téléscripteurs amenant les résultats de l'extérieur de la ville était plus vraie que nature. En fait, c'était le plus beau match qu'on eût jamais joué, le match idéal. Windy ne dépendait pas des stratégies débiles des managers. Aucun coureur n'enfreignait les consignes. Aucun défenseur ne loupait la balle. Windy Herring avait le polygone pour lui tout seul, et il mettait en scène le match le plus parfait qu'on pût rêver. Je ne pouvais pas reprocher à mon père d'avoir envie d'y croire.

Au plus fort de la sixième manche, nous menions avec une avance confortable. Sur la butte, Zeke Justice paraissait s'améliorer au fur et à mesure de la partie, ce qui arrive parfois, quand un lanceur est vraiment en forme. Et puis un des patrons de la station intervint. Il devait avoir entendu les imitations de bruits de foule et le rire jovial et autosatisfait de Windy. Il devait avoir consulté ses programmes et découvert que les *Indians* ne jouaient pas ce soir-là. Il ordonna donc qu'on interrompe notre match. Un interlude musical le remplaça. Mon père et moi nous effondrâmes dans notre fauteuil.

— C'était drôle tant que ça durait, lui dis-je, même si ça ne s'est pas vraiment passé.

— Pas d'importance. On a remporté cinq manches. J'ai *gagné* ce match. Laisse-moi te le dire, ça m'a fait du bien, j'avais besoin de cette victoire. Ça ne peut que me remettre en piste.

Je lui jetai un petit coup d'œil de côté en tentant de croiser son regard, mais il s'était déconnecté de notre soirée. Il était ailleurs maintenant, à un endroit où je ne pouvais le rejoindre. Il croyait vraiment à ce match, et ça me donna la chair de poule.

Il se leva d'un bond, abandonnant la balancelle à son balancement et m'envoyant presque sur mon derrière du même coup. Ma mère sortit quand elle entendit démarrer le moteur de la voiture.

— Zeke, où vas-tu ? Tu m'avais dit…

— Il faut que j'aille féliciter ce vieux Windy pour ce match qu'il m'a fait gagner, cria-t-il par la vitre ouverte de la portière. De toute façon, il a sûrement perdu son boulot. Un homme peut avoir besoin d'aide, dans ces conditions. Et il me reste un peu de mon pécule de voyage.

Evangéline et moi regardâmes disparaître ses feux arrière lorsqu'il quitta la route du Lazaretto en direction de Laroche et de la ville. Nous étions seuls, de nouveau. Elle coupa l'interlude musical.

— L'alcool, dit-elle lentement. Regarde le résultat. Ça vous fait appartenir aux autres. Souviens-t'en, fils.

Puis elle rentra dans la maison pour s'occuper de Dieu sait quoi. De toute façon, ça m'interdisait les lieux ; je traversai la route et me laissai descendre jusqu'à notre appontement. Dans l'eau calme de la rivière, de petits ronds indiquaient les endroits où les prédateurs nocturnes en brisaient la surface. L'obscurité était complète.

Je restai debout à l'extrémité de l'appontement. *Lazaretto, lève-toi,* ordonnai-je. Pas de réponse, pas même un crapaud de mer. Il ne se passait jamais rien sur cette île. Pas étonnant que mon père se tirât chaque fois qu'il en avait l'occasion. Je ris de moi-même : une fois de plus, j'étais en train de prendre sa défense.

Je décidai de me servir d'un peu de cette obscurité à mon usage personnel. Planté au bout de l'appontement, je mis mes mains en coquille devant ma bouche comme une trompette. Je n'avais pas la voix basse de Paul Gant, chargée d'ans et de vertu. Peu importait. Je ferais avec ce que j'avais. Je commençai à chanter la note la plus sonore, la plus haute, la plus stridente dont j'étais capable, et je la maintins aussi longtemps que je pus. Puis je l'interrompis et l'écoutai traverser la rivière où elle fit rouler les bateaux amarrés là-bas et s'écarter les hautes herbes dans les marais où les aigrettes essayaient de nicher.

Pas mal pour une première fois. Je ris, d'embarras et de plaisir. J'allais devenir le premier Little Richard blanc.

Maintenant que j'avais accompli ce pour quoi j'étais venu, il ne me restait rien à faire sur l'appontement. Je fis demi-tour et retournai vers la maison, où les lanternes étaient allumées, jaunes et dolentes.

III

Zeke passait plus de temps avec Windy Herring, maintenant que Windy était sans travail, et plus de temps dans cet établissement qu'on appelait le *Bo-Peep's* qu'à travailler ces balles à effet censément responsables de tous ses ennuis dans le Nord. Du dehors, où je me trouvais, il n'y avait pas grand-chose à faire. C'était comme si, sorti en mer dans un canot de pêche prenant l'eau de toutes parts, je voyais la tempête fondre sur moi. Il devait lancer pour les *Indians* ce soir-là mais, de toute évidence, il n'était pas prêt. Cette fragilité qu'il avait en lui était en train de miner son élan, son assurance et son allure. Je me demandais comment il allait réussir à agripper une balle de ses mains tremblantes. La peau sous ses yeux paraissait tuméfiée, et il parlait trop. Il avait une explication pour tout. Et dans ses explications, il y avait trop de rapports entre des choses sans rapport.

Assis sur le perron, nous regardions les hauts nuages d'orage s'élever en champignons dans la touffeur de l'après-midi. Je sentais combien il était tendu, comme une montre trop remontée, et je savais qu'il aurait préféré lancer dans un match à la Windy Herring, où tout serait permis. Où un arbitre compréhensif annoncerait les balles et les coups. Le sac contenant son uniforme et son équipement gisait avachi sur le plancher du perron, en haut des marches. Il le contemplait fixement et je commençai à le voir tel qu'il le voyait : un objet flasque, menaçant, plein de mauvaises intentions et immensément lourd.

— Tu sais, crapaud, je suis le Satchel Paige* de *Sally League*, me dit-il. Je lance et je lance, et je suis aussi bon que je le deviendrai jamais, et on me répète tout le temps de m'améliorer. Et je continue à lancer, et à lancer, et c'est ma vie que je lance. Je ne rajeunis pas à jouer à ce jeu.

Je ramassai une balle de base-ball sur le plancher du perron et me mis à la frotter ainsi que je l'avais vu faire. C'est ce que font les lanceurs quand ils veulent gagner du temps.

— Ça ira très bien, lui dis-je. Ma voix sonna morte à mes oreilles.

— Qu'est-ce qu'un fils peut dire d'autre à son père ?

— Il y a des fils qui ont dit pire à leur père, protestai-je.

— Je suppose, admit-il. Et il y en a par ici.

Il contemplait d'un air morose la lumière brumeuse du soleil reflétée par le Lazaretto, et je lisais sur son visage l'idée de s'enfuir, aussi nette qu'un signal lumineux.

— Si on allait sur la plage ?

Il se leva et descendit les marches du perron, les genoux raides.

— Et votre sac ? lui rappelai-je.

Il se retourna avec irritation, l'empoigna et le jeta à l'arrière de la voiture. Nous montâmes dans la Chrysler et partîmes, passant d'abord par le pont de Thunderbolt, où s'amarrent les pêcheurs de crevettes, puis par le bout de route asphaltée qui mène à la plage de l'île Tybee. On appelle ce bout d'asphalte la route Tommy Dorsey en l'honneur de l'orchestre qui jouait habituellement sur la jetée de Tybee, jadis, avant qu'un ouragan ne la détruise et que les prêcheurs baptistes ne se mêlent d'empêcher les gens qui aiment s'amuser de la reconstruire.

* Lanceur noir, une merveille de la nature, devenu un mythe. *(N.d.T.)*

Sur l'île Tybee, tout était plat, offert à la lumière féroce et torturante. Butler Avenue, l'artère principale, ressemblait à la grand-rue d'une ville fantôme, avec ses palmiers nains rabougris pour toute source d'ombre. Après avoir garé la voiture sur un bout de terrain délimité par des rochers artificiels en béton, nous nous engageâmes sur cette désolation appelée la plage.

Tybee n'était pas une bonne idée. Nous ne savions ni l'un ni l'autre que faire sur la plage, maintenant que nous y étions. Nous voulûmes enlever nos chaussures, mais le sable était brûlant et nous n'avions pas pensé à des couvertures, ni à des serviettes de bain, ni à rien de ce qu'on emporte à la plage. Assis sur le rivage, en chaussettes, comme deux idiots, nous jetions des cailloux et des bouts de coquillages dans les vagues paisibles qu'on distinguait à peine dans cette lumière aveuglante. La plage n'allait remonter le moral à personne, à cette heure où tout être sain d'esprit se trouvait à l'ombre, et tous les gens normaux au travail.

A travers les ondes de chaleur qui s'élevaient du sable, nous vîmes un homme arriver d'une démarche maladroite, l'air aussi sot que nous, portant une caisse sur la hanche. La caisse ne semblait pas lourde, encombrante seulement, et il était seul pour la porter.

Il se trouve que mon père le connaissait. Lui aussi faisait partie de la fraternité du terrain vague.

— Rags ! cria-t-il. Viens te mettre par ici, tu nous feras de l'ombre.

L'homme nous rejoignit et laissa tomber sa caisse, qui était en réalité une glacière en polystyrène. Il s'assit dessus.

— Eh bien, Zeke Justice, qu'est-ce tu fous là en plein soleil ? Je croyais que t'étais allergique à la lumière du jour !

Ce type avait un de ces accents irlandais de Yamacraw qui transforment le mot *boat* en un mot de deux syllabes, ou plus.

En guise de réponse, mon père haussa les épaules.

— Tu as entendu que Windy Herring m'a fait gagner le match, la semaine dernière ?

— Non, fit Rags. Tu sais, on n'a pas la radio, nous autres, sur la plage. On vit comme une bande de nègres au fond des bois, sauf que c'est pire : y a pas d'arbres ici, on attrape des coups de soleil.

Mon père raconta à Rags le match de base-ball de Windy Herring.

— J'ai lancé l'autre soir, conclut-il. Maintenant, faut que je lance aussi ce soir.

— Tu ferais bien de te mettre en forme pour ce match, conseilla Rags, malicieux.

— Justement, cette idée me trotte en tête.

— Gaffe aux idées qui trottent, qu'elles se fassent pas arrêter pour vagabondage. Le shérif de Tybee est affreusement vache.

Rags souleva son derrière de dessus le couvercle et farfouilla sous lui, un peu comme s'il se nettoyait après une station aux cabinets. Il portait un ouvre-bouteille en pendentif, et il décapsula deux bouteilles de liqueur de malt.

Ils burent. Je regardai descendre le niveau de la bière à travers le verre brun des bouteilles.

— J'ai oublié de vous présenter, se souvint mon père tout à coup. Crapaud, fils, voici Rags Scoggin. Il a joué pour les *Indians*, lui aussi. En fait, au début de ma carrière dans cette ville, Rags faisait équipe avec moi. Zeke et Rags, un et deux.

— Un foutu blanc-bec de Yankee, que c'était, mais on voyait bien qu'il était plus cinglé qu'un rat de chiotte avec une muselière, même alors.

Rags rit en me serrant la main, et je déclinai mon vrai nom. Pas Crapaud – Timmy. Timmy Justice.

— Je ne suis plus de la partie maintenant, me confia Rags.

Je le croyais sans peine. La seule chose qui permettait de deviner qu'il avait été receveur était sa difficulté manifeste à obtenir de ses genoux qu'ils le soulèvent de dessus le couvercle de la glacière. Il ôta sa casquette et s'essuya le front. Il avait la peau tannée et le cheveu rare, et des plaques brûlées sur le crâne.

Deux gamins noirs qui, comme moi, auraient dû être à l'école, arrivèrent sur la plage. Ils tournicotaient autour de nous, on voyait bien qu'ils lorgnaient les bouteilles vides sur le point de valser dans le sable et pensaient à l'argent des consignes qu'ils empocheraient s'ils pouvaient les rapporter au magasin.

Rags gesticula pour les faire partir.

— Laisse ces gamins ramasser ces bouteilles, lui dit mon père. C'est tout ce qu'ils ont. De toute façon, tu vas les rapporter, toi ?

Rags me poussa du coude.

— Tu vois, je te le disais bien que c'est un sale Yankee.

Mon père garda le silence un moment, comme s'il se demandait s'il allait mettre Rags au courant. Puis il se décida.

— Tu sais, j'ai fini par monter dans le Nord. Il y a un mois.

— Qu'est-ce tu fous ici, alors ?

— Ils ont eu mes balles à effet, merde ! cria Zeke avec tant de violence que les deux petits Noirs détalèrent sans leurs bouteilles.

Rags manqua tomber de sa glacière.

— Du calme, fils. Il se rassit et se rajusta. Là, maintenant, raconte-moi ce qui s'est passé, sur un ton normal.

— J'ai maintenu cette foutue équipe de *Sally League* au sommet pendant toutes ces années où j'ai lancé pour elle. Et je me fais tout le temps dépasser. J'étais là quand Pizarro s'est amené. Il monte. Je reste sur place. Je les ai tous vus défiler. Bon, d'accord, j'ai pas sorti autant de batteurs que lui. Et puis tout à coup, juste quand ça va être trop tard, on me fait monter. Je reste là-haut trois, quatre semaines et puis me revoilà dans ce foutu trou – sans vouloir t'offenser. D'accord, je me suis fait retirer une ou deux fois parce que mes balles étaient trop faciles à frapper, mais il faut le temps de s'habituer aux Grands. Pas de balles à effet, qu'ils me disent, bordel ! Mais si tu veux mon avis, il s'agit d'autre chose. Quelque chose qu'on ne me dit pas.

— Si c'est pas ta balle à effet, c'est quoi, à ton idée ? demanda Rags.

— J'en sais rien, je te dis. Mais il y a quelque chose ! Maintenant, tu crois que tu pourrais bouger de ce truc-là ton gros cul paresseux de receveur et m'en donner une autre bien fraîche ?

— Encore besoin de te mettre en forme, hein ? Rags rit, jovial, pour que mon père n'ait pas l'impression que c'était une critique. Comme je vois les choses, ton problème c'est que tu oublies tout le temps que c'est un jeu. Tu prends ça trop à cœur, c'est pas bon pour bien lancer. J'ai joué avec toi, j'ai été dans ton équipe, je me souviens comment c'était. J'ai eu quelques bonnes années, je nous ai gagné quelques parties. Mais c'est fini, ça. Maintenant je gagne ma croûte en pêchant la crevette et le base-ball, pour moi, c'est sur les gradins ou derrière un poste de télé.

Mon père hocha la tête.

— Je ne peux pas laisser tomber comme toi. De toute façon, tu es d'ici, toi. Quand tu as cessé de jouer, à peine sorti du parc tu as embarqué sur un pêcheur de crevettes. N'oublie pas que moi je suis venu du Nord pour jouer ici. C'est ma seule raison de m'y trouver. Je ne peux rien faire d'autre.

— Ne me sers pas ces salades, Yankee. T'es devenu des nôtres. Ou tout comme !

Rags assena à mon père une claque sur l'épaule. Il faisait de son mieux pour lui, et je l'aimais de faire cela.

— Sûr que je me suis senti moche quand on m'a viré, dit-il à mon père. Mais j'avais pu voir des villes et rencontrer des femmes qu'en avaient rien à foutre d'un pauvre type comme moi qu'a passé son enfance à jouer au *half-rubber** sur la plage. Décontracte, Zeke, enfin !

— Je ne peux pas. Mon père désigna la glacière. Il n'y a plus de décontractant.

— Alors on part en exhibition chez Doc.

Je supposai que Rags voulait dire *expédition* mais, quoi qu'il en fût, nous relevâmes nos culs et nous dirigeâmes à travers le sable brûlant vers la 16e rue. Il y a là quelques établissements au sol recouvert de sable et un supermarché T. S. Chu, au cas où on aurait besoin de provisions pour la plage.

En atteignant l'endroit où la 16e rue débouche sur le bord de mer, avec les bouis-bouis du côté droit et la jetée courte sur pattes des pêcheurs vers la gauche, mon père s'arrêta et se palpa les poches avec ostentation.

— Rags, je suis un peu à court. J'ai filé à Windy ce qui restait de mon pécule de voyage, et je n'ai pas encore eu l'occasion de le remplacer. Tu peux me dépanner ?

— Je ferai au mieux de mes possibilités, répondit Rags. C'est-à-dire que j'insisterai pour que Doc nous fasse une ardoise.

Dans la rue sans ombre, nous passâmes devant le *Novelty Bar*, dont les volets étaient fermés, et un terrain vague où quelques machineries de carnaval achevaient de se rouiller dans l'atmosphère salée. En principe, c'était notre petit moment ensemble, père et fils, mais je ne comptais pas plus pour lui à présent qu'un crapaud de mer. Pourtant, je n'arrivais guère à lui en vouloir. Au moins j'étais là, et je lui en étais reconnaissant, pour l'occasion qu'il me donnait là de l'étudier et de veiller sur lui, les deux en même temps, comme une femme de marin sur son balcon.

* Le *half-rubber* est un succédané de base-ball – en fait, plus proche du cricket – pratiqué sur la côte entre Savannah et Charleston ; se joue avec un manche à balai et une balle de caoutchouc coupée en deux. *(N.d.T.)*

Je n'étais encore jamais entré dans un vrai débit de boissons. En pénétrant chez Doc, je compris pourquoi les gens pouvaient trouver ce genre d'endroit si rassurant. Il y faisait sombre et frais, grâce au climatiseur placé dans la fenêtre. Et il y avait quelque chose dans cette pièce, qu'on appelle ça confort, complicité ou pardon, je ne sais pas. Nous étions seuls, à part Doc.

— Deux bourbons à l'eau, dit mon père.

— Vous voulez une marque particulière ?

— On peut aussi bien, puisque vous nous faites une ardoise, dit mon père. Disons Mr. Beam.

Rags rit. Il jeta un coup d'œil autour de la pièce et aperçut les trois petits postes de télévision, tous allumés, chacun branché sur une chaîne différente.

— Eh, Doc, lequel tu regardes ?

— Tous. Et ceci aussi. Il frappa les mots croisés posés sur le bar avec la gomme qui se trouvait au bout de son crayon. Ça fait fonctionner la matière grise. Faut s'occuper, quand on est enfermé toute la journée dans un endroit pareil avec une bande de singes.

— Doc est un génie en son genre, déclara mon père en me poussant du coude. Je faillis tomber de mon tabouret, peu habitué que j'étais à ce genre de perchoir.

Doc servit les verres et les déposa sur le comptoir. Mais il gardait les mains autour.

— Vous savez qu'on a pas le droit de laisser entrer des mômes, ici. Alors tenez ce garçon à l'œil.

— Je sais que c'est un endroit convenable, c'est pour ça que nous sommes ici. Ne vous en faites pas pour ce garçon. Il est sous ma tutelle.

Doc grimaça en entendant ça. Il n'était pas si génial que ça, après tout. Il ne savait pas ce qu'est une tutelle, mais il n'allait pas l'avouer.

— Et s'il veut prendre un verre, qu'il ne le mette pas sur notre ardoise. Il a dit qu'il se paierait à boire avec ses économies.

Mon père rit, et ils décidèrent tous d'apprécier la plaisanterie à mes dépens. Je me sentais plutôt cloche, assis sur un tabouret de bar, et j'en descendis pour aller m'intéresser au jeu de *shuffleboard*. On est censé faire glisser un disque brillant comme de l'argent dans une allée en renversant des chevilles, comme dans un jeu de quilles. C'est ce que je fis, une fois ou deux. Puis je me rendis compte que tout ce que je pouvais gagner, c'était une chance de refaire tomber les mêmes chevilles une fois de plus, mais gratuitement. J'éternuai deux ou trois coups dans mes paumes, et m'éloignai du climatiseur.

Mon père et Rags bavardaient toujours avec Doc. Leur rire était épais et gras, comme le papier brun dans lequel on a emballé un pique-nique. Imprégné de pardon. Ils riaient à propos de dettes qui ne seraient jamais honorées, et à propos du match de ce pauvre Windy Herring, et de la façon dont sa femme et lui allaient gagner leur pain désormais.

— La ville s'en occupera, déclara mon père en levant un doigt de prédicateur.

Puis Doc se mit à parler d'un homme qui avait été surpris avec la femme d'un autre homme par ce dernier, lequel s'était emparé d'un marteau et en avait frappé le premier sur la tête. "Ça a changé sa vie", disait Doc.

Au bout d'un moment, je me rendis compte, avec soulagement, qu'ils m'avaient complètement oublié. Je me glissai par la porte dans la chaleur de plomb, sur l'asphalte crémeux de la 16e rue. Y a personne qu'en a rien su, comme on dit sur l'île Tybee.

Je longeai la rue dans l'ombre mince comme une lame des devantures et me retrouvai face au supermarché de plage de Mr. Chu. T. S. Chu devait être le Chinois le plus solitaire de Tybee, étant donné qu'il y était le seul. Qu'est-ce qui pouvait bien l'avoir attiré dans un endroit pareil ? A travers la vitre, je regardai ses babioles. Ses mobiles faits de coquillages qui tournaient dans le vent.

Ses lignes à crabes hors de prix, ses lunettes de soleil avec une pin-up sur chaque tempe. Dieu, que la plage était horrible un après-midi de semaine ! J'entrai chez Mr. Chu pour profiter un peu de la brise de ses ventilateurs.

— Bonjour, jeune monsieur, me lança-t-il à travers des dents de lapin teintées de tabac à chiquer.

J'étais seul dans son magasin. Il fallait que je dépense un peu d'argent. Je mis dix cents dans une machine et entrepris de faire dégringoler des shérifs moustachus en plastique bleu. C'était à peu près aussi amusant que le *shuffleboard*.

Je ne sais pas combien de temps ça prend de boire ce qu'on est censé boire dans un établissement comme celui de Doc, mais quoi qu'il en soit, ce temps dut s'écouler. J'attendais devant chez Chu, appuyé contre la vitrine. Mon père et Rags arrivèrent en chaloupant dans la 16e rue. Les yeux réduits à des fentes, ils s'envoyaient mutuellement des bourrades sur les épaules, puis regardaient en l'air en agitant les bras vers le ciel, comme s'ils en voulaient au soleil de briller d'un tel éclat et d'exposer leur sottise à tous les regards et au grand jour.

— Crapaud ! s'écria mon père lorsqu'il m'aperçut. Où étais-tu fourré ? On t'a cherché partout !

— Vous n'êtes pas supposé lancer ce soir ? demandai-je, plaçant ma petite pointe vengeresse.

— Nom de Dieu, t'as raison !

Sa voix avait un ton de gratitude impuissante et je me rendis compte qu'il était ivre. Il y arrivait vite quand il le fallait. Quand il avait besoin de se sentir assez détendu pour affronter le match du grand retour.

Il exécuta son mouvement préparatoire au lancer, là, en pleine 16e rue, dans l'air en fusion. Il me fit bonne impression, mais évidemment, il n'avait pas de batteur en face de lui, sur l'asphalte.

— Ça commence en fin d'après-midi, lui rappelai-je en faisant mine de regarder une montre que je ne possédais pas.

— C'est ça qu'il te faut, Rags. Un fils pour prendre soin de toi ! Je ferais mieux de rentrer en ville, je suppose. Merde, j'irais bien nager, maintenant. Me rafraîchir un peu. Pas le temps... la dure vie du travailleur !

Il fit deux ou trois tours sur lui-même dans la rue pour situer la voiture, la mer, la direction générale du stade parmi les objets environnants. Puis d'une voix suppliante et pitoyable :

— Merde, Rags, si au moins c'était toi mon receveur, ce soir. Tu me fixerais la cible ; tu comprendrais.

Rags secoua la tête.

— Y a rien à comprendre. Fous-y droit dedans.

Cette réponse ne plut pas à mon père. Le temps de presser un bouton, il bascula dans une ivresse méchante.

— C'est toi qui conduis, grommela-t-il à mon adresse.

Il me lança les clefs, mais je n'étais pas prêt. Je réussis tout juste à lever les bras pour me couvrir comme un boxeur craintif.

— C'est pas comme ça qu'on reçoit, hurla-t-il. C'est pas comme ça qu'on joue à ce jeu.

Rags disparut discrètement. Il devait avoir senti que le vent tournait. Sur le parking, la Chrysler New Yorker était en train de cuire ; toutes vitres ouvertes, il y faisait une température de four. Mon père s'appliquait à contourner la grosse voiture blanche qui ressemblait à une baleine échouée là, sur ce terrain vague. Il se dirigeait vers le côté passager, et manqua de peu s'empaler sur un des ailerons arrière, tel un insecte de collection.

— Vous savez que je ne sais pas conduire ce truc, protestai-je tandis qu'il se battait avec la portière.

— Facile. Y a qu'à viser. Tu es sous ma tutelle, souviens-toi. De toute façon, t'es en âge d'avoir le permis, nom de Dieu. Pourquoi tu l'as pas ?

Puis il se transporta sur le siège arrière où il s'étendit à l'horizontale et sombra dans un sommeil désespéré, bruyant, peut-être même feint.

Je m'aperçus qu'il disait vrai. Je pointai l'ornement du capot au milieu de la voie et appuyai sur l'accélérateur. Je quittai Tybee Island par Butler Avenue, bien lentement, afin de ne pas attirer l'attention du shérif. J'étais assis tout droit, tout raide, les bras si crispés sur le volant qu'ils me faisaient mal. Je transportais une cargaison précieuse, nul n'avait besoin de me le rappeler. Si d'aventure le shérif m'arrêtait, je pourrais toujours plaider que ce n'était pas ma faute si j'étais ainsi au volant avant d'en avoir l'âge. Mais ce serait violer les termes de mon accord avec mon père. *Veille sur moi*, tel en était le sens. Surprenant, d'avoir à agir en père pour son père, et surprenante aussi, la façon qu'avait mon père d'obtenir ça des gens. Je n'étais pas le seul.

Mais dans ce genre d'échange, tout le monde finit tôt ou tard par lasser la bienveillance des autres. Ceux-ci ne peuvent que se sentir déçus si, après les avoir persuadés qu'on mène le jeu et qu'on a la situation bien en main, on s'écroule à leurs pieds, larmoyant et plein de remords.

Une fois passé le pont de Tybee, je pris en direction du stade Grayson, avec à ma droite le chenal navigable de la Savannah River ; je roulais bon train. La route était sans problème. Il n'y avait personne. Je jetai un coup d'œil en douce à Zeke Justice, star de ligue mineure, mort au monde sur le siège arrière. *Dors, mon père. Ton sommeil est mon permis.*

J'entendis une fois de plus la grande voix douloureuse d'Evangéline me reprocher de prendre éternellement le parti de mon père. Je rectifiai : Je ne me contente pas de prendre son parti, maman. Je l'étudie aussi. Et notez bien. Ce n'est pas pour l'imiter que je l'étudie. C'est pour le dépasser.

Le passage à niveau bosselé et une longue attente au feu rouge de President Street réveillèrent mon père.

— Vous êtes en ville, lui annonçai-je.

Comme mû par un ressort, il bondit sur le siège arrière.

— J'ai fait un rêve, dit-il.

J'écoutai.

— J'ai rêvé d'un cheval. *Distinct Intent*, il s'appelait. Ça ne m'était encore jamais arrivé. Continue jusqu'à Oglethorpe Street.

Je conduisis prudemment la Chrysler à travers les carrefours du centre de Savannah, en l'immobilisant à chaque panneau STOP comme si je voulais impressionner un moniteur d'auto-école.

— Plus vite, disait-il.

Une fois dans Oglethorpe Street, je devinai qu'il voulait aller au *Bo-Peep's*. Je m'arrêtai devant la porte latérale de l'hôtel John Wesley et poussai le levier au point mort.

— Pas ici, chuchota-t-il, d'une voix vibrante de panique et d'excitation. Gare-toi derrière le coin.

La précaution me paraissait inutile, comme si quelqu'un pouvait penser, en voyant sa voiture derrière le coin, qu'il avait affaire ailleurs dans le quartier. Mais je fis ce qu'il me disait. Il sonna et la porte s'ouvrit dans un grésillement. Je dus monter les marches deux par deux pour le suivre dans l'escalier.

Le *Bo-Peep's* avait les dimensions d'une petite salle de bal, avec d'un côté un bar courbe, en forme de J, et de l'autre une rangée de téléphones. Au milieu, il y avait une demi-douzaine de tables de billard, toutes à l'état neuf. Au sol, dans le carrelage, des carreaux décorés des quatre couleurs du jeu de cartes étaient incrustés à intervalles réguliers. Un endroit où on prend ce genre de paris est illicite, je le savais ; en voici un licite néanmoins, puisque après tout il est là, et avec tant d'élégance.

Ou bien le rêve de mon père était réellement prophétique, ou bien il avait consulté la rubrique des courses à un moment de la journée, car il y avait bel et bien un cheval nommé Distinct Intent. Il courait dans le Kentucky Derby, et ses chances de gagner étaient cotées à un contre seize. Mon père n'avait pas d'argent sur lui, mais il conclut un accord avec Mr. Peep et un homme qui se trouvait à l'un des téléphones, en conversation avec le champ de courses. Mon père emprunterait deux cents dollars pendant quelques heures, le temps de parier.

— Deux cent deux dollars, précisa-t-il à Mr. Peep, qui déployait son portefeuille comme un drapeau.

Mr. Peep avait des ongles laqués dont les bouts formaient de petits ovales parfaits. Ses sourcils broussailleux pointaient vers le haut en ailes d'oiseau et ses lourdes mâchoires reposaient d'un air satisfait sur un cou de taureau. Cet homme était mauvais, ça se voyait à l'état impeccable de ses mains et au complet blanc qu'il arborait.

— Pourquoi les deux en plus ? demanda-t-il.

Il comptait son argent. Notre argent. Qui allait sans doute redevenir son argent.

— Je vais les jouer pour ce garçon. Deux dollars de plus sur Distinct Intent.

Mr. Peep haussa les épaules.

— Il y a des gens qui feraient n'importe quoi pour forcer la main à Dame Fortune. Jusqu'à se servir de leurs enfants.

Mon père empoigna Mr. Peep par son complet blanc, cravate rouge et chemise rose comprises, et le souleva d'un coup.

— Sale petit youpin. J'ai rêvé que ce cheval allait gagner ! Tu ne sais même pas ce que c'est que rêver !

Deux hommes à Peep apparurent, deux Grecs musclés qui avaient l'air de dockers arrivés tout droit des quais.

— On lui casse la tête ? proposèrent-ils.

Mon père le laissa tomber. Peep défroissa ses vêtements.

— Pas la peine. Il la cassera bien lui-même. Vous n'êtes plus le bienvenu ici, Mr. Justice, dit-il à mon père. Mais, bien entendu, votre argent l'est toujours. Maintenant enregistrez votre pari et sortez d'ici, allez jouer à la balle dans la poussière.

— Un jour c'est vous que je sortirai, jura mon père. Et selon mes conditions. On verra qui saigne le plus fort. Oh, j'ai lu Shakespeare, je sais que vous saignez comme nous tous.

— Nous avons là un homme cultivé ! En voilà une rareté ! Mr. Justice, vous ne me sortirez nulle part, sinon à votre table personnelle chez Johnny Harris. Je vous suis trop indispensable.

Un des hommes de Peep mit les deux coupons des paris dans la main de mon père.

— Je crois que je vais prendre un verre, dit celui-ci d'une voix forte.

— A votre aise. Mr. Peep haussa les épaules. Votre argent est toujours le bienvenu.

Et il sortit dans un nuage d'eau de Cologne.

Je suivis mon père au bar, qui était capitonné, couvert de vinyle rouge façon coussin bon marché. On aurait pu s'y cogner la tête tant qu'on voulait sans rien sentir.

— Nous sommes dans un bar, m'expliqua-t-il. Tu veux faire l'expérience de ton premier verre ?

Il y avait une rangée de bouteilles de dix mètres de long, toutes alignées comme des soldats prêts à marcher au combat. Je ne savais pas quel effet me feraient leurs contenus, ni pourquoi je devrais essayer.

— Je crois que je passe, lui répondis-je.

— Pas plus mal, marmonna-t-il. Ne te mets pas à boire, quoi que tu fasses. C'est pas une vie.

Puis il s'envoya un godet de bourbon dans le gosier tellement vite qu'il semblait hors de question qu'il en sentît le goût.

IV

Je suis toujours ému quand je pénètre dans le stade Grayson. On passe sous l'arche de briques, sous la grille de métal laqué rouge, devant le stand où je n'ai jamais acheté une fiche de score parce que je me les fais moi-même. Ensuite on monte une petite volée de marches et le polygone vert apparaît, avec les lignes blanches parfaites tracées par le type chargé de l'entretien du terrain, à l'aide de sa machine à étendre la chaux. A l'intérieur du polygone, la terre rayée de traces de râteau a l'air aussi propre qu'un seuil qu'on vient de balayer. La limite entre la terre rouge et l'herbe a la netteté d'un trait de rasoir, et l'herbe est si verte qu'on aimerait se déshabiller pour s'y rouler.

Mon père allait s'installer sur le monticule au centre de ce terrain et, debout là-dessus, prenant appui sur la butée, il allait s'efforcer de lancer de façon à regagner sa place chez les Grands, saoul comme une grive, avec deux cent deux dollars en train de courir sur Distinct Intent, un coup foireux à seize contre un. Deux de ces dollars étaient à mon nom.

Ça ne me disait rien qui vaille, en vérité.

J'étais plein de sombres pensées, qui s'assombrirent encore quand j'aperçus Evangéline dans la section réservée aux familles des joueurs, les meilleures places du stade, celles où je m'installais d'habitude. Ma mère n'avait plus assisté à un match depuis des années, plus depuis l'époque où mon père lui faisait la cour, m'avait-elle raconté un après-midi lors d'une séance de culture et traditions de la famille Marster. Elle avait un instinct sûr pour les catastrophes, comme un conducteur d'ambulances chevronné.

Elle avait dû prendre sur elle d'appeler un taxi pour venir de l'île, par Laroche et Victory Drive, une grande première pour une Marster qui jamais, dans des temps meilleurs, ne serait montée dans une voiture où pouvait s'asseoir, où s'asseyait sans doute n'importe qui. Je l'observai tandis qu'elle s'installait sur son siège. Un foulard sur la tête, comme si elle s'attendait à un orage, les yeux tournés non vers le terrain où les joueurs s'entraînaient, laconiques, les membres relâchés dans la chaleur, mais plus loin, au-dessus de la surface des choses. Debout à quelques rangées derrière elle, je regardai ce qu'elle regardait. Comme une balle frappée par un gagneur, son regard survolait la barrière du champ centre-gauche, passait au-dessus du panneau *Baseball and Beechnut* qui était peint dessus et se perdait dans les grands chênes moussus plantés là-bas en rang tels des spectateurs qui n'auraient rien compris au jeu.

J'allai prendre place à son côté.

— Ah, te voilà, toi. Je suppose que vous êtes allés faire un tour, ton père et toi. C'est ce que j'ai compris quand je n'ai plus vu ni la voiture ni vous deux.

Je fis la moue.

— Les nerfs, dis-je. Papa était nerveux avant le match.

Elle hocha la tête. Il y eut un silence, traversé par les sons plus joyeux provenant du terrain et des joueurs.

— Tu sais quoi ? commença-t-elle. Je n'ai pratiquement plus assisté à un match depuis l'époque où ton père me faisait la cour.

Ma mère était d'avis que toute bonne histoire supporte la répétition. Mieux, qu'elle s'améliore, en fait, à chaque récit. Si une histoire était bonne, on avait l'obligation de continuer à la raconter, jusqu'à la mort.

— Ça se passait dans des temps meilleurs, bien sûr, faut-il le dire ? Je me souviens que j'aimais être assise près de ma sœur Adelina, quand elle était encore avec nous. Nous étions là, au premier rang, juste au-dessus du banc des joueurs. Je m'étais acheté un sachet de cacahuètes bouillies, et quand une balle perdue est arrivée sur nous comme un boulet, j'ai eu si peur que je l'ai lâché. Et, tu sais quoi ? les cacahuètes sont tombées pile sur la tête de l'homme que j'ai fini par épouser. Il a levé les yeux vers nous, et j'ai vu dans ces yeux qu'il ne savait pas laquelle des deux choisir, ma sœur Adelina ou moi. A ce moment-là j'aurais dû comprendre qu'il ne vaudrait rien, en tant que mari, du moins. Un homme qui a besoin de réfléchir pour choisir une femme, et qui n'a pas peur que ça se voie dans ses yeux ! Et, en vérité, je l'avais compris, mais quand je me suis rendu compte que c'était moi qu'il allait préférer, j'ai négligé ma petite voix intérieure ; c'est ainsi que nous faisons toutes.

Elle rit.

— Les curés et leurs sermons sur le développement de la conscience ! A quoi bon développer sa conscience, puisque la plupart du temps on ne l'écoute même pas !

Je parcourus le terrain du regard. Pas de Zeke Justice. On jouait contre Columbia, ce soir-là, et leur lanceur était devant son abri, en train de s'échauffer, à l'aise, en faisant quelques dernières balles. Mais de notre côté, la butte d'entraînement était déserte, on ne voyait que des outfielders qui s'envoyaient mutuellement des balles hautes en soufflant de grosses bulles de bubblegum rose.

Et tout le temps, Evangéline continuait de parler, d'occuper cette douce et belle soirée où vibrait une extraordinaire inquiétude, une peur finement ciselée.

— A cette époque-là, le base-ball était encore un simple jeu, et ça n'avait pas d'importance si je ne comprenais pas toutes les règles. Tu sais, je suppose, qu'on nous a mariés sur la butte du lanceur, ton père et moi. C'était avant un match, en début de soirée, juste comme celui-ci. Un programme double, je crois.

— Vous me l'avez raconté. J'ai toujours pensé que c'était une idée formidable.

— Ne m'interromps pas, garçon.

Son reproche habituel. J'avais commis une de mes indiscrétions caractéristiques : céder à l'enthousiasme à propos d'un détail de son récit avant qu'elle ait pu nous piloter jusqu'à sa conclusion inévitablement triste.

— L'ourlet de ma robe était tout rouge à cause de cette poussière d'argile grasse. J'avais l'impression que tout prenait un temps fou, et l'arbitre commençait à annoncer le début du match. Quand nous avons enfin échangé nos anneaux et nos vœux, j'étais si agitée que j'ai laissé tomber mon bouquet et me suis enfuie de la butte. Et me voilà courant à travers ce vieux terrain poussiéreux avec ma sœur Adelina, puisse-t-elle reposer en paix, qui était ma demoiselle d'honneur, mon père – ton grand-père Marster – et le pasteur, et Zeke debout sur la butte dans son uniforme lavé de frais et repassé pour l'occasion. On avait à peine eu le temps de se marier que je détalais. Tout le monde est sorti du terrain en file derrière moi, très digne, sauf Zeke, qui devait lancer. Le bouquet était par terre, abandonné. Il l'a ramassé. Il ne savait pas quoi en faire. Je ne crois même pas qu'il savait comment on tient un bouquet de fleurs – il le tenait à l'envers, par les tiges, les fleurs vers le bas. Nous jouions contre Jacksonville, et le premier batteur était déjà en place. Alors Zeke a haussé les épaules, il a fourré les fleurs dans sa chemise et s'est tapoté le cœur. J'hésitais entre l'envie de rire et d'applaudir, comme le stade entier, y compris le pasteur, ou de me sentir mortifiée de cette exhibition.

Je restai coi, attendant le passage triste du récit. Jusqu'ici, ce n'avait été triste que pour les fleurs. Elles avaient dû rester durant une manche entière sous la chemise d'un joueur de base-ball, par une chaude soirée de Savannah.

— Et la réception ! Je ne savais pas si je me sentais honorée ou humiliée. C'était après le match, au *Johnny Harris*, qui n'était encore qu'une vulgaire taverne, en ce temps-là, pas un restaurant comme maintenant. Un endroit pas très régulier, avec des machines à sous dans le vestibule qui vous agressaient les sens dès l'entrée. Le propriétaire avait conclu je ne sais quel accord avec le maire pour que les limites de la ville contournent son établissement sans l'y inclure, de sorte qu'on pouvait faire tout ce qu'on voulait à l'intérieur, sans se soucier de questions de moralité publique.

"Des joueurs de base-ball en sueur, ni peignés ni rasés, des gars qui n'avaient encore jamais eu affaire à des femmes et ne connaissaient rien en la matière, faisant la file pour embrasser la mariée. Des gens que je n'avais jamais vus, buvant du champagne au goulot comme du Coca-Cola. Tout le monde envoyait des claques dans le dos de Zeke en lui disant qu'il avait l'étoffe des plus grands. Les serveurs s'empressaient autour de lui pour avoir son autographe, parce qu'il avait remporté le match ce soir-là, bien entendu – je ne pense pas que la ligue aurait admis que ça se passe autrement. Tout le monde l'aimait sauf un entraîneur, m'avait-on expliqué, parce que, pendant le match, il avait couru malgré les indications de cet entraîneur quand il était en base trois, mais de toute façon il avait marqué le point en terminant son tour par une glissade, dans un nuage de poussière. Et à la fin de la soirée, quand tout le monde, moi comprise, avait tellement bu de vin mousseux qu'on tenait à peine debout, ton père m'a manœuvrée jusqu'à l'intérieur d'une de ces stalles qu'il y avait le long des murs, au

Johnny Harris, il a tiré le rideau et m'a déclaré que puisque nous étions mariés, rien ne nous empêchait plus de faire un peu zig-zig."

L'indignation arracha à Evangéline un cri aigu.

— Ce culot ! Et lui qui essayait d'avoir l'air malin, audacieux, viril, comme si tout ça c'était son idée, comme si on n'avait pas déjà... c'est même ainsi que tu es arrivé, je peux bien le dire.

Alors la voix de Windy Herring s'éleva dans le stade grâce au réseau des haut-parleurs. Herring, mis à la porte par WTOC et rengagé par les *Indians*. Le pardon en abondance pour un pécheur sympathique.

— Ce soir, mesdames et messieurs, nous souhaitons la bienvenue au premier lanceur de Savannah, Zeke Justice. Il est revenu parmi nous !

Windy donnait l'impression que le renvoi de Zeke Justice en ligue mineure était une promotion déguisée. Renvoyé, retourné chez lui, là où il était quelqu'un. Les joueurs de Savannah firent irruption sur le terrain et se répartirent à leurs places tandis que nous acclamions notre équipe. Mais un temps infini s'écoula sans que mon père ne s'avance vers la butte de cette allure désinvolte qui lui était habituelle. Enfin, juste avant que les gens commencent à soupçonner que quelque chose n'allait pas, il sortit lentement, la tête basse, son gant dans la main gauche et la balle dans la droite. Il gardait la tête baissée, comme s'il surveillait ses pieds pour voir où ils allaient. Sa démarche paraissait excessivement prudente, et je pensai qu'il n'était pas dupe de l'accueil de Windy, même si le stade entier avait adoré ça.

J'ai encore la fiche de score que je m'étais faite pour ce match, dans la mesure où j'ai pu le chiffrer. C'est l'envers d'un carton de chemise, mais je n'ai pas besoin de m'y référer. Je peux vous dire ce qui y est écrit : *5-3, 6, K.* Une bonne manche, à la hauteur des espérances de la foule. Columbia n'envoya pas une balle au-delà du champ intérieur.

Mais tout le temps qu'il fut sur la butte, mon père faisait penser à un type que le shérif aurait surpris au volant avec une haleine chargée de whisky et obligé à marcher sur la ligne blanche. *Concentre-toi. Concentre-toi.* La ligne blanche, c'était la butée du lanceur. Sur notre véranda, à Hurt's Landing, j'avais entendu des hommes se vanter des quantités qu'ils s'étaient envoyées la veille au soir, et de ce qu'ils ne se souvenaient même pas comment ils avaient rentré leurs voitures au garage. "Pilotage automatique", expliquaient-ils. Je savais qu'on peut accomplir certaines choses ainsi, sans avoir conscience de faire ce qu'il faut, par habitude. C'était un talent que le buveur devait posséder s'il voulait s'en tirer.

Le geste d'un lanceur doit avoir un tel automatisme. L'automatisme d'un buveur faufilant sa voiture entre deux chênes plantés de part et d'autre d'un chemin de campagne. *Y a qu'à viser*, chuchotai-je à l'intention de mon père, là-bas, sur sa butte. *Je l'ai fait. Tu peux le faire aussi, merde.*

Je n'ai pas enregistré ça sur ma fiche de score pour cette manche, car il n'existe pas de symbole désignant ce genre de choses, mais je le sentais aller et venir en parlant tout seul sur la butte. Quand le premier batteur frappa – une simple balle roulante en seconde base – mon père sursauta comme s'il avait vu un fantôme. Après que ce batteur eut été retiré, le joueur de première base garda la balle une ou deux secondes de plus et, d'un signe de tête, engagea Zeke à se calmer. Je pensai au jour où il avait épousé Evangéline, à cet endroit même, aux acclamations dont la foule avait salué le bouquet plein de sueur et à l'enthousiasme de tous devant ce spectacle. Ce spectacle-ci allait être d'un autre genre.

Il termina la manche en sortant le troisième batteur de Columbia. Mais ça se passa d'une façon bizarre. Alors que le batteur avait déjà manqué deux strikes, Zeke parut se préparer à lancer une balle rapide, et puis quelque part dans son mouvement la force lui manqua. La balle changea complètement d'allure, et le batteur de Columbia eut le temps de donner deux grands coups de batte dans le vide avant qu'elle finisse par atterrir dans le creux du gant de l'attrapeur. La foule du stade Grayson hurla de joie.

— Y en a pas un qui peut lancer comme ça, s'exclama un fan, à quelques rangées derrière nous.

Ce fan avait raison.

Je jetai un coup d'œil à ma mère. Elle torturait une Viceroy.

— A quoi vous pensez ? lui demandai-je.

— Je pense à ces vieux chênes de l'autre côté de la clôture. Qu'est-ce qu'ils sont beaux !

J'eus envie de l'étrangler. Etait-elle vraiment aveugle à ce point au spectacle de son mari en train de tomber en pièces sur la butte devant ses adorateurs ? Elle reprit son récit doux et vague, pas plus intéressée par les joueurs sur le terrain que s'ils avaient été un nuage de mouches à merde.

— Tu sais, j'ai cru que je devrais me passer de bénédiction pour épouser ton père. Ton grand-père Jefferson était tellement opposé à ce mariage, au début. Mais je dois dire qu'en voyant son comportement chez Johnny Harris le soir de la réception, en voyant combien les mœurs de cet établissement lui étaient familières, j'ai deviné que ce n'était pas la première fois qu'il franchissait ces portes ou d'autres similaires, et j'ai compris qu'il n'était qu'un homme comme les autres. En le regardant chalouper de table en table et flirter avec les femmes, je dois admettre que j'ai éprouvé une certaine satisfaction. Je comprenais qu'il ne pouvait pas honnêtement s'opposer à quoi que je puisse vouloir et que s'il le faisait c'était uniquement à cause de mon sexe. Oh, j'étais une jeune fille impétueuse avant l'arrivée de ton père. Il n'était pas le premier. Quand j'ai dit ça à ton grand-père, il m'a accusée de posséder des connaissances peu naturelles – jamais je n'oublierai ces mots ! Ha ! Si seulement j'en avais possédé un peu plus ! Et du genre extra-lucide, pas simplement peu naturelles… Mais je m'emballe. Ça m'arrive tout le temps quand je veux raconter une histoire. Donc, quand j'ai remorqué ton père dans le vieux bureau poussiéreux de ton grand-père Marster, voilà Mr. Jefferson Marster qui s'enflamme comme le prédicateur de feu et de soufre qu'il aurait dû devenir. S'étendant sur le fait que Zeke était catholique – ce que, soit dit en passant, ton grand-père avait toujours regretté de ne pas être –, et nordiste, et joueur de base-ball, et affublé d'un prénom bizarre qui aurait mieux convenu à un nègre. Pendant ce temps, Zeke restait planté là, se balançant sur ses talons et l'esprit manifestement ailleurs. Alors ton grand-père a commencé à déblatérer contre le base-ball, sur ce ton de dérision qui est toujours chez lui, je devais m'en rendre compte plus tard, prélude à sa bénédiction. Le base-ball est un sport de terrain vague, n'importe qui peut y jouer et y joue, a-t-il déclaré à ton père. Tenez, regardez ce type, ce Brissie qui était dans votre équipe pendant la guerre : ce lanceur unijambiste, qui recourait à des trucs de cirque pour attirer les foules.

“Il y a eu une accalmie dans son attaque. Je m'attendais à voir ton père sortir de ses gonds et le cogner au visage, comme j'aurais aimé pouvoir le faire, pour mon compte personnel, pas seulement pour le sien. Et tout à coup, voilà Zeke qui se lance dans un truc vraiment bizarre : il commence à citer en latin toutes sortes d'empereurs romains et de poètes morts, des choses qu'un baseballeur n'est pas supposé connaître mais que celui-ci connaît à cause de son éducation catholique, celle à laquelle tu viens de renoncer, puis-je te le rappeler ? Vois-tu, il avait un instinct animal pour ce genre de choses, et il devait avoir senti la formidable envie qu'inspirait à ton grand-père le splendide apparat de la religion catholique.

Grand-père Marster a déposé son cigare dans la coquille d'huître qui lui servait de cendrier. Il s'est levé. Je me demandais si Zeke et lui allaient finalement en venir aux coups, ce qui signifierait que nous pourrions nous enfuir ensemble, ou annuler le mariage ; à ce moment-là, l'un ou l'autre m'aurait convenu. Mais non. Ton grand-père Marster a chassé la cendre de sa veste et déclaré : Vous me surprenez, mon garçon, par votre instruction. Et pourtant, qu'y a-t-il là de surprenant, si l'on y pense ? Vous êtes un joueur de base-ball, mais que suis-je, moi, après tout ? Un commerçant – moins que cela, un détaillant. Un homme qui gagne sa vie en vendant de l'alcool. Puis il a élevé les mains comme s'il bénissait la flottille des pêcheurs de crevettes de Thunderbolt au temps pascal. Et j'ai compris que ce serait notre bénédiction. Pour le meilleur ou pour le pire, ces vieux auteurs latins avaient fait leur effet. Ton pauvre grand-père Marster leur trouvait une sonorité si noble ! Il avait toujours aimé les noms difficiles à prononcer, et n'importe quoi d'un peu cérémonieux. Du moment que ça l'élevait au-dessus de sa basse condition de gentleman-négociant en boissons alcoolisées."

Evangéline se réajusta à l'inconfort du banc de bois et observa le marchand de bière ambulant qui descendait la travée en cahotant, avec son robinet qui crachait à chaque secousse. Pour l'instant, son histoire suffisait à la saouler.

— Mais, bien entendu, on ne pouvait pas en rester là. Beaucoup trop simple pour une famille aussi compliquée que la nôtre. Ces deux-là, mon mari et mon père, continuaient à se renifler le cul mutuellement comme deux corniauds de bas étage, passe-moi l'expression. Tout ce qu'ils attendaient, c'était une bouteille de whisky et une scène adéquate, avec un public de connaisseurs. Et où penses-tu qu'ils ont trouvé ça ? Chez Johnny Harris, bien sûr, et au diable le fait que ce fût, après tout, ma réception de mariage. Vers le milieu de la soirée, mon père passait de table en table pour saluer les habituées, Zeke l'empoigne par une épaule et la lui serre en disant : Alors, papa, vous me présentez quelques-unes de vos petites amies ? Et comme si ça ne suffisait pas, il se met à se moquer de lui en le présentant comme un prince du commerce qui a passé tout son temps dans ses livres de comptes et n'a jamais eu l'occasion d'apprendre à vivre. Les petites amies gloussent. Ton grand-père prend son élan et décoche une grande volée du droit qu'il aurait aussi bien pu envoyer par télégraphe une semaine avant. Zeke n'esquive pas. Il se contente de reculer un brin, de sorte que quand le coup arrive il ne lui fait aucun mal. Zeke exhibe un large sourire et se frotte le menton. Le silence est total dans la pièce, et chez Johnny Harris ce n'est pas peu dire. Alors Zeke, assez haut pour que tout le monde l'entende : "Papa, si c'est tout ce dont vous êtes capable, vous feriez mieux de rester à l'écart du ring. Vous risqueriez un mauvais coup."

Des acclamations s'élevaient. Je me retournai vers le terrain et aperçus notre shortstop qui plongeait la tête la première vers la plaque de but en une glissade maladroite soulevant un nuage de poussière rouge. Je n'avais pas eu l'occasion de noter les points pendant cette manche. De toute façon, ce n'était pas là que se jouait la vraie partie. Je crois que nous avions remporté ce point de justesse grâce à deux hits et à une erreur de Columbia. Pas ce qu'on aurait pu appeler une avance confortable pour mon père, qui remontait sur la butte en vue de la manche suivante, guère en forme pour ce boulot. Mais son manager ne pouvait pas vraiment le retirer du jeu dès la première reprise parce qu'il avait l'air tendu et un comportement bizarre – pas après tout le foin qu'avait fait Windy Herring. Qu'est-ce que vos amis ne feront pas pour vous !

Même à distance, sur les gradins, on avait l'impression que Zeke prenait son élan de façon désordonnée. Soit il y mettait trop d'énergie et tombait presque de la butte sur sa figure, soit il se montrait si prudent qu'il se ramassait dès qu'il avait envoyé la balle vers la plaque, au cas où le batteur la lui aurait retournée comme un boulet.

Pourtant, miraculeusement, Zeke nous gagna encore cette manche. Je vois un coup sûr, un jeu forcé, puis un jeu alerte transformant un autre coup sûr en retrait à la deuxième base. Zeke regardait sa défense, derrière lui, comme si les gars avaient été en train de jouer dans un autre match.

Après le retrait du quatrième batteur, je quittai mon siège et descendis par la travée jusqu'au pied des gradins. Je ne savais pas ce que j'avais l'intention de faire. Quoi que ce fût, je regretterai toujours de ne pas l'avoir fait. J'arrivai au premier rang, juste au-dessus de l'abri des *Indians*. Les outfielders rappliquaient de leur petit pas de course décontracté, et au milieu d'eux il y avait mon père, les genoux raides, trop contrôlé. Il fixait ses chaussures.

Les gradins ne sont pas hauts. J'aurais pu sauter sur le terrain. J'aurais pu venir à ses côtés. Il aurait pu me donner du crapaud ou de n'importe quel autre surnom détesté. Ça m'aurait été égal, du moment que ça lui faisait du bien. Mais je ne l'ai pas fait.

Je me penchai par-dessus la balustrade. La face ridée et endormie d'Hector Torres, l'entraîneur des lanceurs, apparut au coin de l'abri.

— Ne dérange pas les joueurs, fiston, me dit-il gentiment.

Je dérivai sottement vers ma place à côté d'Evangéline, qui fit semblant de n'avoir même pas remarqué que j'étais parti.

Nous remportâmes encore un tour dans notre moitié de la seconde manche sur un coup de chance. La chance des autres. Deux à zéro pour les *Indians*. Une avance qui n'était toujours pas suffisante à la moitié de la troisième manche, quand Zeke remonta sur la butte pour lancer à Al Pinkerton.

Pinkerton allait monter en ligue majeure, et tout le monde le savait. D'habitude, il passait en quatrième position, mais le manager de Columbia l'avait mis en première parce qu'il avait été blessé à la main la semaine précédente. Il regarda passer une ou deux balles lancées par mon père trop bas et trop à l'extérieur. Quand Zeke lança pour la troisième fois, je pensai : C'est la bonne, mais la balle se mit à filer en l'air comme une fusée. Pinkerton la regardait arriver, penché en avant, guettant où frapper. A la dernière minute, une expression d'incrédulité envahit son visage et il se pétrifia. La balle l'atteignit sous la mâchoire à la manière d'un uppercut. Sa tête bascula en arrière et il s'écroula en tas.

Le stade entier avait entendu craquer l'os. Un fracas comme celui d'une branche morte s'écrasant sur le sol. C'était le bruit le plus affreux que j'aie jamais entendu.

— Bordel de Dieu ! jura un spectateur, à quelques rangées derrière nous.

J'entendis couler quelque chose et pensai qu'on avait laissé tomber une bouteille. En me retournant pour voir où elle avait atterri, je vis que ce type avait vomi.

Mon père n'avait pas seulement brisé la mâchoire de Pinkerton. Il avait enfreint une règle non écrite de *Sally League* : on ne frappe jamais un gars qui va passer en grande ligue. Il l'avait fait. Son univers, ses règles, et il les avait transgressées.

Ma mère hochait la tête sans arrêt, comme si elle s'était attendue à ça depuis le début.

Pinkerton était dans les pommes, sur l'herbe. L'entraîneur de Columbia arriva, et lui et l'arbitre firent rouler Pinkerton sur une civière, sur laquelle on l'emporta hors du stade. Un médecin dégringola des gradins et suivit la civière en lui agitant sous le nez un flacon de sels. Mon père demeura dos tourné à la scène. Je suppose qu'il n'avait pas la force de regarder.

Dans l'assistance, personne ne comprenait. On ne descend pas un type quand le compte est de deux balles, zéro strikes. Pinkerton était bon, mais il n'avait jamais réussi un grand coup avec une balle lancée par mon père. Celui-ci n'avait aucune raison de lui envoyer une balle chargée. Il n'y avait aucune stratégie là-dedans. Ce qui amena tout le monde à penser que mon père avait agi ainsi par méchanceté pure.

Finalement, Columbia mit un coureur d'urgence en première base, et l'arbitre relança la partie. A l'extérieur du stade, on entendit hurler une sirène au long de Victory Drive. A l'intérieur, l'écho du craquement de la mâchoire de Pinkerton résonnait encore entre les murs.

Ma fiche de score indique que le coureur parvint en seconde base sur une balle sacrifiée et emporta le point sur un simple au champ droit. Ce qu'elle ne raconte pas, c'est qu'en sortant du terrain, après la fin de cette manche, mon père essaya de présenter des excuses à l'entraîneur de troisième base de Columbia, et que l'entraîneur ne parut guère coopérer.

Je savais que ça allait arriver. Tout le monde le savait, dans ce foutu stade. Et alors qu'ils le savaient tous, et savaient que ce serait grave, ils ne purent ou ne voulurent rien faire pour l'empêcher. Notre joueur de seconde base, Azuma, frappa un coup sûr au champ centre. Zeke Justice se retrouvait donc avec un coureur en première base et pas de retrait. Une situation cousue main pour un sacrifice. Mon père gagna le marbre avec sa batte. Dans le stade, tout le monde avait l'intuition de ce qui allait se passer, mais tous se rassuraient en se disant : Non, on ne peut pas le frapper maintenant, ce serait trop évident. Ils attendront de faire ça plus tard, quand ils en auront vraiment besoin, à la fin de la saison ou dans un match plus important que celui-ci, là ils sauront que ça fera bien mal.

Mon père se prépara à sacrifier la première balle. Il tenait sa batte à hauteur de poitrine, et se tenait jambes écartées devant la plaque de but. La balle arriva droit vers sa tête, et il resta là, mué en cible. Il se contentait de la regarder arriver sur lui en pensant à Dieu sait quoi – j'aurais donné gros pour le savoir. Il l'encaissa comme si ç'avait été un juste châtiment.

La balle passa au-dessus de sa batte et le frappa en plein casque. Le casque s'éparpilla en morceaux.

Ma mère sauta sur ses pieds.

— La plaque, la plaque, hurlait-elle.

Je regardai en direction de la plaque de but. Je ne lui trouvai rien d'anormal. Mon père se relevait et s'époussetait. Il porta la main à son crâne pour sentir s'il y avait du sang et se frotta les doigts, puis il secoua la tête. Ensuite il trotta vers la première base sans un regard pour le lanceur de Columbia, comme si des choses pareilles arrivaient tout le temps. Des coureurs en première et en seconde base, personne out.

Evangéline se leva au moment où l'arbitre s'apprêtait à expulser le lanceur de Columbia. Elle tremblait. On aurait pu croire que c'était elle qui avait reçu le coup.

— J'en ai assez, de cette honte, annonça-t-elle. Aide-moi à trouver un taxi.

Je n'avais guère le choix. Mes pieds la suivaient, mais mes yeux regardaient en arrière. J'allais bientôt découvrir à quelle plaque elle faisait allusion. Ce n'était pas une plaque du genre de celle qu'on trouve scellée dans le sol d'un terrain de base-ball.

V

Sur l'Isle of Hope et en ville, la balle qui avait fracassé la mâchoire d'Al Pinkerton était devenue propriété publique. Deux jours après le match, Rags Scoggin s'amena dans son pick-up, avec une montagne de vieux filets à crevettes sur le plateau et, bourdonnant au-dessus, un nuage de mouches affriolées. Son camion ressemblait à une de ces épaves qui échouent sur les plages. *"Raggedy*"*, lisait-on sur sa plaque d'immatriculation. D'habitude, Rags flânait, lambinait, allait son train. Il ne se pressait jamais. Il y avait plein de crevettes dans la mer, et il savait où les trouver. Mais en le voyant descendre d'un pas décidé vers l'appontement où mon père et moi étions en train de pêcher, je compris qu'il avait à faire chez nous.

Mon père ficha sa canne dans son support et alla saluer Rags. Tous deux restèrent plantés là, les bras croisés ; ils fixaient la rivière, mais ni l'un ni l'autre n'y pensait.

— Plus rien n'est comme avant, ici, dit mon père.

Rags ne répondit pas. Il attendait, sachant ce qui allait suivre.

— Tu sais, depuis que j'ai démoli Pinkerton.

— C'est les risques du métier.

— Vrai. Mais je peux te dire, on me regarde d'un drôle d'air, ces derniers temps.

* Loqueteux. *(N.d.T.)*

— Ouais ? Les poissons te font le mauvais œil ?
Mon père ne rit pas.

— Ouais, tu sais, comme si j'étais un genre de criminel. Je suis allé au *Bo-Peep's*. On me laisse plein de place devant le bar. Je remonterai jamais chez les Grands, après ça. Ils voulaient des raisons ? En voilà une de plus ! D'abord ses balles à effet ne valent rien. Ensuite il est trop vieux. Maintenant il est cinglé, il a démoli un gars.

Mon père parlait plus vite, il faisait toutes les parties dans un procès imaginaire.

— Il a démoli un gars qui allait monter chez les Grands parce que lui ne peut plus y aller. Par dépit. Voilà. C'est ça qu'ils vont dire !

Rags lui laissa le temps de se calmer avant de demander :

— Pourquoi tu l'as frappé, ce Pinkerton, d'ailleurs ?

— Je voulais frapper personne. J'ai juste lancé. D'accord, peut-être que je maîtrisais pas bien. Après Tybee, moi et Crapaud, on est allés chez Peep pour enregistrer un pari. Moi et Peep on a eu une petite escarmouche verbale, et je pense que j'avais ça en tête. Mais ces trucs-là n'avaient pas d'importance, avant ! La gnôle non plus n'avait pas d'importance. Je sais pas… Je maîtrise plus.

Il agitait la tête d'avant en arrière, comme pour se débarrasser d'un nuage de moucherons. Mais il y faisait trop de vent pour qu'il y ait des moucherons, et il n'y avait pas de mouches, non plus.

— Pinkerton s'en remettra, t'en fais pas, dit Rags d'une voix égale, mais on voyait qu'il était soucieux. Tout le monde oubliera cette histoire.

— J'ai peur de lancer à l'intérieur, dit mon père.

— J'ai déjà entendu ça, fit Rags. Le gars qui a foutu la beigne souffre plus que celui qui l'a reçue. Moi je sais pas, je n'étais qu'attrapeur. Mais si ça arrive à un lanceur, il vaudrait mieux pour lui qu'il renonce à jouer.

Nous écoutâmes cette affirmation de Rags suspendue dans les airs. Personne à Savannah ni dans les îles n'avait jamais suggéré à Zeke Justice qu'il vaudrait peut-être mieux pour lui faire autre chose. Que pouvait-il faire d'autre ? Dans le silence qui s'accumulait autour de nous, nous additionnions les chances de Zeke, chacun de nous, Zeke compris.

— Tu sais, y a un truc que les gens oublient, protesta-t-il. J'ai été touché, moi aussi. A la tête.

— Ouais. Mais c'est ton casque qui a pris la balle. Ça fait pas du tout le même bruit dans un stade qu'une mâchoire.

— Le casque était en douze morceaux.

— Sûr. Mais la tête qui était dessous est ressortie tout d'une pièce.

— Ça j'en suis plus tellement certain, grommela mon père. Il tapota le côté de son crâne, sous ses cheveux, comme s'il pensait encore y trouver du sang.

— Si t'as quelque chose, tu devrais peut-être te voir un docteur. Un vrai, pas juste un toubib de terrain.

— Je veux pas qu'un docteur me trouve quelque chose, explosa mon père. J'ai en vu assez, de ces foutus docteurs, dans ma vie !

Baissant les yeux vers le seau, j'inspectai mes prises de l'après-midi. Des crapauds de mer, en train de s'enfler et de gonfler leurs ouïes. Ils étaient si laids que c'était comme si vous aviez un paquet de vos pires cauchemars en train de nager en rond dans un bac galvanisé juste à vos pieds.

Alors Rags eut le geste indulgent. Il plongea dans la poche arrière de son large pantalon de toile et en sortit un quart de litre de bourbon.

— T'as congé, aujourd'hui, dit-il à mon père. Tu peux aussi bien te mettre un peu en forme.

Mon père eut un rire comme un aboiement.

— C'est ta recette pour améliorer ma maîtrise ? T'en fais un équipier, toi ! Il repoussa d'une bourrade la main qui tenait la bouteille, et fit un geste dans ma direction. D'ailleurs, y a le gamin qu'est là.

Rags se tourna vers moi.

— Tu pardonnes, n'est-ce pas, fils ?

— Faut bien, lui dis-je.

Mon père me regarda. Il écarquilla un peu les yeux, puis se mit à rire.

— Ecoutez-moi cette réponse ! Et on me demande pourquoi je bois ! Je bois pour être pardonné, nom de Dieu !

Alors il prit la petite bouteille des mains de Rags et y fit une ponction considérable.

Et, en vérité, n'était-ce pas une bonne médecine qu'administrait ainsi Rags Scoggin ? Prenez la peur qu'éprouve un homme de perdre sa maîtrise, et domestiquez-la à l'aide d'une goulée de quelque brave vieux whisky. Je me sentis soulagé lorsque le bourbon et la chaleur de l'après-midi conspirèrent pour donner au discours de Rags et de mon père un ton de sagesse résignée et les mettre d'accord sur l'injustice d'un monde où, qu'on gagne ou qu'on perde à ses jeux divers, les efforts d'un homme reçoivent rarement leur récompense, et alors de façon incongrue. Rags avait d'abord traité mon père avec rudesse ; maintenant il lui accordait l'indulgence. Ça sortait tout droit de l'église du père Dooley.

Mais puisque l'indulgence paraissait si facile à obtenir pour mon père et pour Rags, elle cessa bientôt de m'intéresser. Après tout, j'avais déjà pris part à de telles cérémonies. Je remballai ostensiblement mon matériel tandis que lui et Rags s'enfonçaient dans la nostalgie, face au Lazaretto. Un quart de litre n'est qu'une goutte dans la rivière, et je savais qu'avant longtemps ils monteraient dans le pick-up de Rags pour aller à Sandfly Crossing chez le nègre qui vend les boissons à emporter, en dépit des protestations de Rags. “M'en fous pas mal que ces types soient des nègres, lui dirait mon père. Y a pas un négro qui soit plus négro que moi. Je serai aussi nègre que ça me chante. T'as qu'à rester dans le camion si t'as peur de l'homme noir.” Seul un Yankee à moitié bourré peut parler comme ça par ici. Et Rags céderait, et s'en irait avec mon père au magasin installé dans un abri de tôle ondulée. Après quoi, aussi sûr qu'il y a un Dieu là-haut et des crapauds de mer dans le Lazaretto, ils fileraient vers le quai Thunderbolt où était amarré le bateau de Rags et s'installeraient sur le pont pour boire leurs achats de Sandfly. Eux partis, l'appontement m'appartiendrait à nouveau, pour en faire l'usage auquel il était destiné : un lieu voué à la réflexion et à la capture de crapauds de mer.

Quand le pick-up de Rags eut négocié le virage de la route du Lazaretto, je soulevai le seau contenant ma pêche et le vidai dans la rivière. Poissons de Lazare, qu'ils étaient. Atteints d'un mal hideux. Nageurs surgis des fonds turbides, miroirs en quelque sorte. Messagers des profondeurs, pour autant qu'il y a ici des eaux profondes. Je commençais à ressentir envers eux de l'affection. Il me semblait que nous avions quelque chose en commun. Pas l'apparence, à première vue. Tout en ne sachant pas exactement de quoi j'avais l'air, je pensais bien n'être pas aussi répugnant que mes camarades à branchies. Le lien qui me liait aux crapauds de mer se situait en deçà des apparences. Et je me trouvais sur l'appontement afin de l'examiner.

Eau et pêche tombèrent dans la rivière avec un bruit évoquant la chasse d'un cabinet géant. Une fois dispersés les ronds dans l'eau, et les poissons libres de filer ou de mourir, une sorte d'inspiration me frappa. Je mis les mains en cornet devant ma bouche, évoquai le vieux Paul Gant et commençai à chanter :

Coule, Lazaretto.
Lazaretto, coule sur moi.

Ça me satisfaisait assez. Je fis un nouvel essai, en plaçant ma voix plus haut. Si vous n'êtes pas Paul Gant, si vous ne pouvez pas émettre des sons graves et nobles, dignes de Dieu lui-même dans son *sweet chariot*, alors il ne vous reste que les notes hautes et criardes.

Poisson de Lazare.
Maison de Lazare.
La.
Za.
Ret.
Tooo.

Ce n'était que trop prévisible. A peine avais-je fini d'écouter ma voix s'éparpiller sur les marais de Burnpot Island et s'évanouir au-dessus des nids d'échassiers que j'entendis claquer la porte de la maison. Ma mère émergea de l'ombre, silhouette blanche flottant dans le crépuscule comme un fantôme aquatique. Elle traversa la route et descendit vers l'appontement, enjambant avec précaution les fondations de pierre de l'ancien entrepôt Marster.

— Ai-je entendu un bruit ? s'enquit-elle, derrière moi.

— C'était moi, le bruit.

Elle hocha la tête.

— Tu as observé ces hommes ?

— En un sens. Puisque vous évoquez le sujet, il y a une chose que je ne comprends pas. Comment se fait-il qu'ils sont sans cesse à se reprocher leurs erreurs haut et fort, de façon que tout le monde les entende ?

— Fils, proféra-t-elle, rien n'est plus glorieux aux yeux de certains hommes que de reconnaître ses fautes en public. Si tu t'accuses toi-même, il devient difficile pour les autres de t'accuser. Ta femme, par exemple. C'est une façon de frapper l'ennemi.

— C'est vous, ça ?

— Seulement à un degré secondaire, et encore. L'ennemi, c'est toi-même, mon garçon, toi-même. Mais ne commence pas à réfléchir à ça. Il est trop tôt pour de telles préoccupations.

— C'est comme d'appliquer toute sa force de concentration à ne pas penser à quelque chose.

Elle haussa les épaules avec cette délicatesse désespérée dont elle était coutumière. *Le monde n'est pas fait selon mes désirs*, semblait-elle dire.

— Maintenant, raccompagne-moi à ma porte, puisque ton père n'est pas là pour le faire.

Elle m'offrit son bras. Le roi parti, le valet devait assumer ses obligations. Quittant l'appontement, nous descendîmes dans le rectangle que dessinaient les ruines de l'ancien entrepôt Marster.

— Toi, c'est l'appontement que tu aimes. Moi, c'est cet endroit où se trouvait jadis le magasin. A chacun son refuge, je suppose.

Je pensai à mon père, couché sur le pont du bateau de Rags Scoggin, au quai Thunderbolt, en train de regarder tomber le crépuscule. A chacun son refuge, en effet !

— Peu importe que les mauvaises herbes l'aient envahi et que le sol en ait durci. Tout est encore présent, et tout cela nous possède.

Elle parlait d'un ton rêveur, comme pour me faire entrer dans sa vision. Mais je ne voulais pas y entrer. Si tout ça est tellement bien, aurais-je aimé demander, pourquoi n'en reste-t-il que des fondations en ruine ? Pourquoi n'avons-nous pas un vrai bâtiment ? Pourquoi est-ce quelqu'un d'autre qui détient les papiers de notre maison ?

— Tu as de la chance, fils, me dit-elle d'un air accusateur. De la chance de grandir au milieu de tout cela. Je sais que tu méprises ce monde. Je sais que tu préfères celui de ton père. Mais un jour, tu apprécieras ta chance.

— Je me demande quand viendra ce jour.

Elle m'adressa un de ces regards résignés qu'elle tient en réserve pour les pécheurs et récidivistes en tout genre. Puis lâcha mon bras. Elle n'avait plus envie que je l'escorte jusqu'à l'autre côté de la route du Lazaretto. Survolant la surface sombre de l'asphalte, elle disparut sous la ramure protectrice des chênes, qu'animaient toutes les espèces imaginables d'insectes racleurs et crisseurs. Peu après, dans la maison au bord du chemin, les lampes s'éteignirent.

Je ne me sentais plus d'humeur à m'exercer au chant. Qu'elle appelle ça un bruit m'était égal, mais je n'allais pas la laisser m'épingler sur le panneau de velours de la collection Marster de comportements doucement angoissés. Pourquoi livrer mon refuge ? Il n'y en avait qu'un par personne, même dans cette famille richement dotée. La prochaine fois, je m'en irais hors de portée de son ouïe. Mais pour faire cela, sur une île, il faut un bateau.

Nuit, nuit de l'Isle of Hope, je revêtirai ton épais manteau noir afin que nul de mes procréateurs ne m'aperçoive, et que je puisse les étudier et réfléchir à mon aise à leur propos. J'aimais m'adresser à moi-même sur ce ton fabriqué, mi-Ecritures, mi-Evangéline Justice, née Marster. C'était une parodie des deux, qui me semblait convenir à un crapaud de mer hideux, pécheur condamné à rendre compte de ses réflexions s'il voulait être réintégré dans le sein de l'Ecole.

Dans l'obscurité, mes pieds trouvèrent les fondations de l'entrepôt Marster. Je pris une autre voix : guide touristique de Hurt's Landing. “Au siècle dernier, les habitants de Savannah se trouvant entassés aussi à l'étroit qu'une douzaine de crapauds de mer hideux dans un seau en fer et ignorant jusqu'aux préceptes les plus élémentaires de l'hygiène et du beau langage, des épidémies de pellagre et autres maladies aux noms trop difficiles à prononcer faisaient rage, telles les bagarres dans les bars. Fuyant la cité dans l'espoir d'échapper au mal, les gens vinrent s'installer sur la haute berge de ce Lazaretto si judicieusement nommé en souvenir d'un homme qui fut sauvé. Ils baptisèrent cet endroit l'Isle of Hope.”

J'arpentais les fondations du magasin. J'avais accéléré l'allure et parcourais ce tracé rectangulaire tel un ours de cirque en colère. Il me fallait marcher vite si je ne voulais pas que les racines Marster surgissent des pierres pour enfoncer leurs doigts noueux dans les semelles de mes baskets et me fixer sur place. “Et d’ici, mesdames et messieurs, nous contemplons Hurt’s Landing, ainsi nommé parce que… ainsi nommé parce que… parce que c’est ici que ça fait mal…”

Marster, Justice et Hurt : les trois maîtres de l’île. Je chantai leurs noms, mais très doucement cette fois. Ce soir-là, j’ai appris ceci à propos de la musique : on n’est pas obligé de hurler pour emplir un espace de sa voix.

Quelques jours plus tard, j’étais assis au premier rang dans le stade Grayson, accoudé à la balustrade, et je regardais les *Indians* s’entraîner avec nonchalance en vue du match de l’après-midi, tout en méditant sur le plaisir de reconnaître ses faiblesses en public. Ce n’était pas exactement un acte religieux, comme la confession ; les règles de la confession sont trop strictes. Elles imposent le moment, le lieu et l’auditeur. La gloire est contrainte. Tel que le pratiquait mon père, cet acte relevait de la tactique militaire : coup préventif. Peut-être aurais-je dû écouter avec plus d’attention mon professeur de sciences et tactiques militaires à l’école des bons pères, où de telles pratiques étaient étudiées normalement dans des conditions plus sereines.

Je me lançai dans un exercice de logique. Postulons que l’ennemi, c’est nous-même. Je me frappe avant que tu puisses le faire. J’examinai cette idée. Elle paraissait bizarre, mais plus je la tournais, la retournais et m’y habituais, plus elle devenait plausible. Sur une île, par forte chaleur, la logique a tendance à ramollir et à devenir malléable comme un tuyau surchauffé.

Pensées à éviter, Evangéline m’en avait averti. Elle prenait plaisir à me mettre en garde : “Cette période de réflexion – et quand tu prononces ces mots je ne peux m'empêcher de penser que tu les dis à la blague – ne fera que te remplir la tête de toutes sortes d'idées. Et ces idées mineront ta force et ta jeunesse. Le monde n'aura plus de fraîcheur à tes yeux."

Mais qu'y pouvais-je ? La réflexion était un démon semé par le père Dooley.

D'ailleurs, elle avait tort, en ce qui concerne la fraîcheur. Ce matin, le stade Grayson me paraissait aussi frais et aussi passionnant que jamais, et tout y conspirait à me donner envie d'être heureux. La ligne d'ombre projetée par le toit sur le terrain du côté de la première base, le choc des balles des lanceurs à l'exercice dans le gant de l'attrapeur. La vibration de l'air quand le batteur-entraîneur frappait la balle avec la partie tendre de la batte et l'envoyait, par-dessus la barrière de bois, là où les gamins de la ville attendaient précisément de telles aubaines.

Mon père prit alors place sur la butte d'entraînement afin d'en lancer quelques-unes. Je ne l'avais plus revu en plein jour depuis cette fin d'après-midi, quarante-huit heures auparavant, quand lui et Rags étaient montés dans le vieux pick-up déglingué, en chahutant et en blaguant à propos de l'homme noir, pour filer vers Sandfly Crossing. Je ne l'avais pas revu, mais je l'avais senti dans la maison, de même qu'on peut deviner la présence d'un intrus. Ouvrant les yeux dans l'obscurité, je l'avais senti, en train de parcourir les pièces du rez-de-chaussée, massif, gauche et dangereux comme un ours ivre de baies sauvages. J'avais refermé les yeux, trop inquiet pour attendre la suite.

Au cours de la nuit, j'avais fait un rêve. Les gens d'ici n'en ont que pour leurs rêves, ils y voient des signes, moi je ne rêve jamais. Je m'applique à éviter ça. Je laisse ça aux autres. Mais dans mon rêve mon père était malade. On allait devoir l'opérer, et cette perspective me plongeait dans la panique. *Je ne veux pas qu'on l'ouvre,* protestais-je. *Je ne veux pas qu'on me découvre à l'intérieur.* Je m'étais réveillé et l'avais entendu en bas, marchant à tâtons dans la maison obscure, chantonnant un vieil air de *square dance*, un genre de musique qui n'a rien à faire sur notre île.

Je m'étais redressé dans la pénombre de ma chambre. Au bord de la route du Lazaretto, le réverbère était drapé de mousse. Etrange, avais-je pensé en me souvenant de mon rêve. Ton père est supposé se trouver en toi. Pas toi en lui. C'est ton père qui te fait. Pas le contraire.

Je m'étais rendormi, mais la nuit était loin de son terme. Quelque temps après, j'avais rouvert les yeux et deviné mon père debout sur le seuil, une main sur chaque montant du chambranle.

— Puis-je entrer ?

Sa politesse exagérée. L'effort de contrôle. Il était de nouveau en train de marcher sur cette ligne blanche.

— Oui, m'sieu, avais-je murmuré.

— Si tu m'appelles encore monsieur je mets une grenouille dans ton lit !

Il était venu s'asseoir au bord du lit. Une minute plus tard, il était couché de tout son long au-dessus des draps, le dos tourné vers moi.

— Je peux dormir ici ?

Sa respiration s'apaisait et j'avais compris qu'il n'avait pas besoin de réponse. Peu à peu, un nuage de vapeurs d'alcool et de fumée de cigare avait envahi la chambre.

— Je ne peux pas dormir dans ce lit, avait-il dit. Le lit conjugal. Tout le sommeil qu'il contenait a été dormi. C'est comme quand on a frappé tous les coups dont une batte était capable. Matelas plein de voix qui gémissent et qui déblatèrent. Comme si on dormait sur un lit de clous.

— Pas besoin d'expliquer, lui avais-je répondu.

La vérité, c'était que je n'avais pas envie de ses explications.

— Je t'aime, Crapaud, avait-il murmuré.

Puis il avait sombré, immobile, et pendant un instant de panique j'avais cru qu'il était mort. Le lendemain matin, ce matin, il était parti.

Sur la butte d'entraînement, en contrebas de la balustrade du premier rang, où j'étais assis, mon père posa le pied sur la butée et commença à lancer, à l'aise, pour s'échauffer. Après quelques douzaines de balles, il se mit à lancer plus fort, au rythme d'un vrai match. Mais il avait de nouveau ce tic étrange : après chaque coup, il secouait la tête avec irritation, comme s'il avait eu une mouche devant la figure. Lui seul, sur le terrain, semblait affecté par les mouches. Imaginaires ou non, elles lui cassaient son rythme. Il prenait son élan puis, à mi-chemin, oubliait ce qu'il fallait faire, ou pourquoi il était là, ou dans quelle direction ce petit objet rond et blanc dans la paume de sa main droite était censé partir. Comment un homme peut-il oublier une chose qu'il pratique depuis qu'il est tout gamin ?

Je détournai les yeux et m'aperçus que les autres joueurs avaient fait le vide autour de lui, comme s'il était une bombe à retardement et qu'ils n'avaient pas envie d'être touchés quand il exploserait. Le vieil Hector Torres au visage tanné comme du cuir veillait, debout près de la butte. Je n'avais encore jamais vu personne, sur un terrain de base-ball, avoir l'air aussi soucieux.

Soudain, un homme vêtu d'un costume noir démodé et lustré arriva de la zone hors jeu, marchant vers nous le long de la ligne. Un complet noir sur un polygone de base-ball, en pleine chaleur. On aurait pu penser qu'il avait perdu son chemin et s'était égaré sur le terrain du stade Grayson. Mais à sa façon de s'avancer vers nous en soulevant à chaque pas de petits nuages de poussière rouge, on comprenait qu'il savait exactement où il allait. Quand il fut plus proche, je reconnus cette chevelure couleur parchemin et ce visage rouge brique : c'était Jefferson Marster.

Il marcha jusqu'à la butte du lanceur. Je vis alors disparaître Hector Torres et le reste des *Indians.* Grand-père Marster avait un air farouche, tel un manager qui s'apprête à retirer un jeune lanceur qui n'a rien fait de bon pendant la première manche. Mon père était debout, les mains sur les hanches ; il tenait encore la balle et fixait Jefferson Marster comme s'il se demandait s'il était réel ou pas.

Marster crocheta d'un doigt la chemise de mon père. Puis il se racla la gorge à la manière d'un politicien sur le point de se décharger d'un discours. Il devait avoir répété son texte pendant tout le trajet entre la taverne de Pinky Marster et le stade, et rien n'allait l'empêcher de le prononcer.

— Je suis obligé de faire commerce d'alcool pour assurer ma subsistance et celle de tous ceux qui dépendent de moi, vous inclus, déclara le vieil homme. Mais cela n'implique pas que je tolère un gendre qui proclame ses faiblesses et ses échecs, et ceux de sa famille, dans mon établissement. Si vous voulez boire, parfait – c'est le privilège de l'homme, certains disent même son devoir. Mais au moins, apprenez à boire. Ce qui signifie : cessez de philosopher jusqu'aux petites heures dans cette veine lugubre que vous affectionnez. Vous me comprenez ?

Sans attendre de réponse, Jefferson Marster décrocha son doigt de la chemise de mon père et repartit à travers la zone hors jeu, vers l'abri des joueurs, où la balustrade était peu élevée. Il y posa une main et passa par-dessus.

— Encore vert, le vieux, fit Hector Torres, qui était remonté sur la butte près de mon père. Il cracha dans l'herbe un jet de tabac brun. Ne le laisse pas te casser ta concentration.

Dans la même position, les mains sur les hanches, mon père regardait fixement l'endroit où le vieux

Marster s'était trouvé si peu de temps auparavant. Il paraissait pétrifié.

Puis il secoua la tête pour chasser d'imaginaires moucherons.

— Merde, il s'imagine que son bar est le seul du coin ? Y a plus d'un zinc dans cette ville !

VI

Je sortis du stade, conscient d'avoir assisté à une humiliation publique. Sur cette foutue île, tout semblait toujours devoir se jouer sous le regard des autres. Sur un terrain de base-ball, dans un lieu de plaisir, même sur les ondes radio.

Je rentrai à la maison de Hurt's Landing plein de pressentiments. Puisqu'il fallait attendre, je m'y pris de la façon que je connaissais le mieux. Je ramassai mon gant sur le perron et reniflai sa bonne odeur d'huile de sabot de vache, capable de transformer en un instrument véritable un gant échangé contre des timbres boni de supermarché.

J'allai sur le côté de la maison, là où il n'y avait pas de gouttières, et commençai à lancer la balle sur le toit ; je la regardais redescendre à contre-jour, puis je l'attrapais dans le creux de mon gant quand elle arrivait. Pas bien fameux, comme jeu. Je ne faisais pas un équipier très amusant.

Après une douzaine de coups, ma mère sortit sur le perron et passa la tête par-dessus la balustrade.

— Fils, j'ai les nerfs un peu tendus cet après-midi. Ça t'ennuierait d'aller jouer ailleurs avec cette balle ?

Je rattrapai la balle qui dégringolait du toit. Impeccable. La défense avait toujours été mon fort. Puis je relevai la tête et, au-delà de ma mère, je vis ce que je savais qui allait arriver. Elle aussi le savait. Il m'apparut alors qu'elle était sans doute l'instigatrice de l'exhibition du vieux Jefferson Marster.

Mon père s'avançait à grands pas sur la route du Lazaretto. C'était une vision merveilleuse et terrible dans la douce lumière verte de l'après-midi, sous les chênes : un homme vêtu d'un uniforme de base-ball blanc avec le mot *Indians* écrit en travers du torse, un uniforme immaculé sauf deux ronds de sueur sous les aisselles et un triangle pointe en bas sur la poitrine, son gant calé sous le bras et ses crampons grinçant sur l'asphalte, et ceci sans le moindre stade de base-ball en vue pour donner à un homme en uniforme des *Indians* une raison d'être dans le paysage.

— Excuse-moi, fils, dit ma mère.

Elle se détourna, évitant avec beaucoup de détermination de se hâter, et monta dans sa chambre pour attendre.

Je lançai une dernière fois la balle sur le toit puis restai là, accroupi en position défensive sur le côté de la maison, sentant le cuir et l'huile de sabot, et ma propre sueur en train de surir sur moi tant j'avais peur. Mon père franchit l'espace qui nous séparait et se planta derrière moi. Je le regardai, et la balle retombant durement du toit m'atteignit à la joue. Une larme brouilla mon œil du côté qui avait été touché.

— Ne quitte jamais la balle des yeux, fils, dit-il.

Puis il vint se mettre devant moi.

— On a gagné, Crapaud !

De quel jeu s'agit-il ? me demandais-je. Il enfonça la main dans la poche étroite de son pantalon d'uniforme. Il y avait là des billets verts, des tas de billets verts, tout roulés et froissés n'importe comment. Il en déposa quelques-uns dans mon gant. Trois de dix et un de deux, billet porte-chance de deux dollars, aux coins arrachés.

— *Distinct Intent*, expliqua mon père. Seize contre un. Juste comme dans mon rêve.

Puis il tourna les talons et monta les marches du perron. J'entendis claquer le cuir sur le bois quand il lança son gant sur le plancher. Mauvais signe, de la part d'un homme qui m'avait enseigné que le meilleur ami d'un joueur est son gant, une chose faite de la peau vivante d'un animal. La porte à mouches se referma bruyamment tandis qu'il montait l'escalier.

Je lançai haut la balle sur le toit et rabaissai sur mon nez d'imaginaires lunettes de soleil. Laissez-moi jouer à un jeu de môme, une dernière fois, implorai-je des dieux qui régentent Hurt's Landing. Mais ils restèrent indifférents, comme toujours. Avant que cette balle n'ait eu le temps de redescendre, j'entendis mon père envoyer la porte de la chambre à coucher contre le mur avec tant de violence qu'il me sembla sentir les vis de métal sortir des gonds. Ma mère hurlait : "Zeke, Zeke, ne fais pas ça, tu vas te blesser la main !" Il se mit à crier quelque chose à propos de *vous autres*, je savais qu'il voulait dire les Marster. Puis vint le bruit que j'avais peur d'entendre, celui qui ne fut suivi d'aucun hurlement : ma mère qui tombait lourdement contre la commode, dans cette petite alcôve, là-haut, où elle se faisait belle, et le miroir de sa table de toilette qui se brisait. Les mots *poids mort* m'explosèrent dans la tête comme un éclair rouge, comme si c'était moi qui avais encaissé le coup. Je reçus la balle dans mon gant et la renvoyai sur le toit d'un grand mouvement du bras, trop fort cette fois, elle disparut de l'autre côté, dans le forsythia du voisin.

Je restai immobile un moment, jusqu'à ce que je m'y surprenne. Planté là tel un vulgaire piquet, comme si le Dieu du père Dooley allait en personne se pencher de son paradis pour me renvoyer la balle de ce côté de la maison, ou si un quelconque miracle de ce genre allait empêcher ce jour d'être le pire que j'aie jamais connu. Je retournai devant la maison, mon père était debout sur le perron, encore en uniforme des *Indians.* Son visage était d'un calme surnaturel, mais là-dessous je l'entendais respirer fort, à petits coups, pour reprendre son souffle. Il tenait ses gains dans sa main de lanceur.

— Trois mille deux cents dollars verts américains. Tu sais ce que ça représente ? Faut que j'aille à un endroit où je pourrai pas dépenser c'te merde.

Il se parlait à lui-même. Puis il releva la tête et s'adressa à moi.

— Allons faire un tour en bateau.

— Je vais chercher le matériel.

— On ne va pas à la pêche. On va juste faire un tour.

J'expédiai mon gant sur le perron. Il atterrit à côté du sien. Je chercherais cette balle dans les buissons un autre jour.

Mon père lança le moteur 10 CV Evinrude, et je m'assis sur le bac à appâts. De l'eau ballottait au fond de la barque et j'écopai à l'aide d'une moitié de boîte de Clorox. La barque aurait eu besoin d'un bon calfatage. Il emballa le moteur, le plongea dans l'eau et nous partîmes sur le Lazaretto. Par-dessus l'épaule, je lançai un coup d'œil vers la maison. Rien ne bougeait à l'intérieur, personne ne nous regardait partir. Puis elle disparut derrière la courbe de la rivière. Adieu, appontement. Adieu, établissement Marster.

Les efforts de l'Evinrude produisaient plus de bruit que de puissance, et ne laissaient guère de place à la conversation. La marée était basse, et mon père tenait la main serrée sur le manche pour nous maintenir au centre du courant, à l'écart des bancs de sable.

— *Distinct Intent*, cria mon père au bout d'un moment par-dessus le rugissement du moteur. Seize contre un. Sacré Peep, il s'en est presque étouffé dans sa cravate rose de merde.

Il tapota sa poche de pantalon.

— Ça fait une belle petite liasse, hein ?

— Qu'allez-vous acheter avec ?

— Je ne vais rien acheter. Je vais garder ça en poche jusqu'à ce que ma poche sache ce que c'est que se sentir pleine de fric. Il faut que j'aille quelque part où on ne peut rien dépenser.

— Là, peut-être ?

Je désignai les étendues d'herbes marécageuses tout autour de nous et, sur les terrons, les palmiers rabougris qui se balançaient en crépitant dans le vent.

Il rit.

— Bon choix, Crapaud ! Puis son visage s'assombrit. Mais, tôt ou tard, faudra bien accoster.

Nous arrivions là où la rivière s'élargit, où le Lazaretto et quelques autres mêlent leurs eaux à celles du Channington. A gauche, vers l'intérieur des terres, se trouve Savannah. A droite, le Channington emporte toute cette eau et la déverse dans le détroit de Wassaw et l'océan. Nous allions droit devant nous. J'avais l'impression que nous piquions vers la terre ferme, ou ce qui passe ici pour de la terre ferme. Alors mon père laissa ralentir le moteur et nous dirigea vers l'embouchure d'une voie d'eau étroite. Je pensai que le niveau de la marée ne nous permettrait pas de passer, mais quand la barque eut contourné le banc de sable qui en gardait l'entrée, je vis que ce chenal était profond et calme, même à marée basse.

— Qu'est-ce que tu vas faire de ton argent ? me demanda-t-il.

Je le pris d'abord à la blague, vu qu'il avait trois mille deux cents dollars en poche et moi trente-deux. Mais il me regardait fixement et je dus lui répondre.

— Je vois rien qui me donne envie de dépenser de l'argent.

C'était une échappatoire, ou un mensonge, ou les deux, parce que ce dont j'avais vraiment envie c'était un bateau avec un bon hors-bord, seulement ces choses-là coûtent un peu plus de trente-deux dollars. Alors je nommai ce qui venait juste après.

— Je vais peut-être m'acheter une guitare bon marché.

— Une guitare ?

— Oui, m'sieu. Pour chanter.

— Tu sais chanter ?

Je voyais bien qu'il ne me croyait pas, et pourquoi m'aurait-il cru ?

— Ecoutez ça, lui dis-je, et je lançai mon plus beau hurlement à la Little Richard, qui fit jaillir un nuage d'aigrettes d'un nid qui se trouvait par là.

— Où as-tu appris à faire ça ?

Mon père applaudissait, mais par-dessous, il avait aussi l'air un peu mal à l'aise. Il découvrait un inconnu en son sein.

— J'ai appris tout seul. Enfin, pas vraiment. J'ai entendu le vieux type qui annonçait les trains faire ça pendant que j'attendais, quand vous êtes revenu du Nord.

— Et tu as simplement fait comme lui ?

— C'est pas tout à fait aussi simple.

— T'es un drôle de gosse, m'apprit-il. Tu m'avais jamais dit que tu étais capable de faire ça.

— Vous ne me l'aviez jamais demandé.

— Mais merde alors, poursuivit-il, ce genre de bruit fait brinquebaler mon crâne !

Il nous pilota dans l'étroit chenal où c'était tout juste si l'hélice ne malaxait pas le fond boueux. Dans sa concentration, il avait l'air aussi sombre que l'eau des marais.

— Je suis désolé que tout ça tourne de cette façon, dit-il. J'ai accepté d'être un gars du Nord dans le Sud. J'ai fréquenté les baptistes, et ce n'est pas rien pour un catholique habitué à trouver le pardon aussi facilement que la porte du confessionnal le plus proche. Je déteste ces grandes salles nues que sont leurs églises. J'ai tout encaissé, mais personne ne peut gagner face à ces Marster. On peut lutter contre eux, on peut même leur arracher une victoire temporaire qu'on paiera plus cher qu'eux, mais on ne peut pas gagner. Quand je suis monté chez les Grands, je pensais que j'étais débarrassé d'eux jusqu'à la fin de la saison. Et puis on m'a renvoyé !

Il frappa du pied sur le fond de la barque, et le petit bateau se balança. Il se tenait la tête du côté où il avait reçu le coup.

— Foutue migraine. Le vieux de ta mère m'a foutu la migraine.

— La balle vous a fait mal ! J'en suis sûr !

— Pas autant de mal qu'au casque. Il essayait d'en rire. Peut-être que tu ne comprendras ça que plus tard, ou peut-être jamais si tu as de la chance, mais il vaut toujours mieux être le type qui prend la beigne que celui qui l'envoie.

Puis il chassa d'un geste un nuage de moucherons imaginaires.

— Le passé me tue – il te tuera aussi, si tu ne fais pas attention. Des Marster partout, nom de Dieu, avec leurs petits monuments dans tous les coins de la ville comme un tas de vieux étrons séchés. Un Marster a fait ceci, un Marster a fait ça, il y a une jolie petite concession Marster dont tu auras peut-être ta part si tu meurs avant qu'elle soit complètement occupée. Je vais te dire, Timmy, continua-t-il, je sais où nous devons aller. Un endroit où on n'aura pas besoin de dépenser de l'argent. Un endroit où les gens vivent dans le présent. Ou alors, s'ils vivent dans le passé, leur passé est tellement passé que c'est devenu quelque chose de tout à fait différent.

— C'est où, ça ? Pas l'air de pouvoir exister dans le coin.

— Mais si, Timmy, ça existe ! Une jubilation soudaine avait envahi mon père. J'eus peur qu'il ne commence à sauter sur place en gesticulant et ne nous fasse chavirer dans cette eau fangeuse. Ça s'appelle Callibogee.

— Callibogee ? L'île ? C'est pas de l'autre côté du chenal navigable ? Vous connaissez la profondeur de ce chenal ?

— Pas d'importance, la profondeur, pourvu qu'on reste à la surface. Il y a moyen de se noyer dans une soucoupe de lait. Merde, Timmy, moi non plus je sais pas nager ! Pour la différence que ça ferait, dans ce chenal ! Rien que de te *représenter* la profondeur à laquelle on l'a creusé, tu filerais droit au fond. Les crabes te mangeraient. Alors pendant qu'on traversera, garde ton cul bien collé sur le couvercle de ce bac à appâts, pour que l'océan ne vienne pas se faufiler à travers le fond et nous lécher le derrière.

Il donna au moteur tous les gaz dont il avait besoin et nous passâmes de ce ruisseau anonyme vers des eaux plus dégagées. Cap sur Elba Cut, le chenal navigable et la rive de Caroline.

— Regarde comme c'est beau ! Il engloba tout d'un geste. On ne trouve pas de Marster ici, c'est ça que j'aime. Pas de crachoirs en bronze ni de coupe-cigares. Ils ont la plus belle nature au monde et ils la détestent, jusqu'à la moindre feuille, la moindre tige d'herbe des marais. Ils en ont peur – juste comme ils ont peur des gens de couleur. Si j'avais eu un peu de nature comme ça quand j'étais petit, je serais devenu quelqu'un de tout différent. Même mes balles à effet auraient sans doute été meilleures.

— Alors pourquoi pas rester ici, et renoncer à traverser le chenal ?

— Tu veux devenir chanteur ? Tu veux cette guitare ?

— Euh... oui, sûr.

— Alors tu dois aller là-bas et traverser ce putain de chenal.

Il emballa le moteur et l'avant de la barque se souleva. On approchait du chenal, je m'en rendis compte en sentant l'eau clapoter et le vent fraîchir. Quelle était la profondeur de ce chenal ? Dix mètres, douze mètres, quinze mètres ? Si une maison d'un étage mesurait trois mètres de haut, aurait-on pu plonger là-dedans un immeuble de cinq étages et en voir encore la cheminée ? L'eau devenait verte comme la mer et plus froide, elle sentait l'Atlantique, une odeur hostile. Je fis ce que mon père m'avait dit : gardai mes fesses bien serrées sur le couvercle du bac. Je n'avais pas envie que quoi que ce fût monte des profondeurs dans le bateau.

— Tu as peur, Timmy ? cria-t-il.

— Qu'est-ce que vous croyez ?

Bien sûr que j'avais peur. Et j'étais heureux aussi, parce qu'il m'appelait Timmy et non plus Crapaud, ce surnom idiot. Il nous fallait quinze mètres d'eau au-dessous de nous pour en arriver là !

— Alors chante pour la traversée ! Chante, ou on n'y arrivera jamais !

Et je chantai. *Callibogee*, chantai-je, pour qu'on y arrive. *La. Za. Ret. To.*, pour que ma rivière nous fraie un chemin à travers ces eaux inconnues. *Skid. A. Way.*, parce que je ne possédais pas encore de mots à moi et ne pouvais chanter que des noms de rivières, et bientôt je me trouvai à court. J'imaginais que mon père allait brailler et applaudir et profaner mon chant, mais il n'en fit rien. Sous sa casquette de base-ball, son visage avait un air sombre et intense, et il tenait si serrée la poignée du gouvernail que ses doigts étaient blancs, et je vis qu'il avait peur, lui aussi. Peut-être avait-il encore plus peur que moi, car il savait mieux que moi ce qui se trouve sous quinze mètres d'eau.

— Chante, fiston, chante, implora-t-il d'une voix si basse qu'elle passa sous le chahut du hors-bord pour arriver à mes oreilles.

— Je ne sais plus quoi chanter, dis-je faiblement.

Mais mon père ne m'entendit pas, ou alors il fit semblant de ne pas m'entendre. Je dus me remettre à chanter. Je ne connaissais plus de noms de rivières, alors je chantai des noms de marais et d'îles, mais je ne chantai pas l'Isle of Hope. Je chantai *Half Moon, Runaway Negro, Burnpot, Cabbage Island, Romerly* et *Whitemarsh*. *Bloody Point, Tybee Roads, Thunderbolt, Sandfly, Rose Dhu, Beaulieu* et *Petty Gauke*. Et *Callibogee*, je chantai *Callibogee* si fort et si longtemps que nous finîmes par y arriver réellement. L'île se matérialisa, basse sur l'eau comme une barge trop chargée, avec une longue rangée de chênes qui soulignait sa silhouette devant l'Atlantique. En approchant de l'île, je sus que je venais de traverser des instants du bonheur le plus pur qu'on puisse connaître, un bonheur dépassant toute réflexion.

Je n'avais pas envie d'accoster. Accoster signifiait partager mon père à nouveau. Etre appelé Crapaud au lieu de Timmy. Mais il fallait bien que nous accostions, tôt ou tard. Et je n'avais jamais rien vu de plus pauvre ni de plus moche que l'appontement vers lequel mon père nous dirigeait. Quelques perches enfoncées dans la vase, avec deux ou trois planches ficelées dessus. Un canot de pêche au bar attaché au bout d'une corde. Un vaste pré tout pelé où grattaient des poulets et où des cochons créoles se disputaient une proie que l'un d'eux avait déterrée. De l'autre côté de ce pré, une demi-douzaine de bicoques sur pilotis. Etait-ce ici que le passé était tellement passé qu'il s'était métamorphosé ?

— Callibogee, fit mon père.

Comme il aurait prononcé une formule magique.

Je vis quelqu'un sortir d'une des maisons, traverser le champ et descendre vers l'appontement, et quand sa silhouette se détacha sur le ciel je m'aperçus que c'était une femme. Elle avait un turban enroulé sur la tête et un chapeau de paille par-dessus. Elle paraissait assez grande pour être un homme, assez maigre pour être un saint dans le désert. Elle nous regarda aborder l'appontement. Mon père y mit beaucoup de douceur. Il ne lança pas la barque à moitié sur la terre ferme, comme il le faisait à Hurt's Landing.

Il coupa le moteur et le releva hors de l'eau.

— Mr. Justice, dit la femme d'une voix rocailleuse.

Il sortit de la barque et je grimpai derrière lui.

— Comment vous saviez que c'était moi ? Vous dites toujours que vous voyez rien sans vos lunettes. Comment ça se fait que vous n'ayez pas celles que je vous ai apportées ?

— J'peux p't-être pas voir les visages, mais sûr que j'vois les couleurs. Combien vous croyez qu'y vient de Blancs par ici ?

Il rit fièrement.

— J'ai amené mon gamin, cette fois-ci. Timmy, voilà Mrs. Stafford. Les siens sont autant dire chez eux, sur cette île. Ils n'ont jamais été esclaves. Ils ont eu le bon sens de sauter du bateau avant qu'il entre à Savannah. Et ils ne seront jamais esclaves, non plus, pas comme les nègres de ton grand-père Marster qui viennent traîner la savate à la porte de derrière une fois par an pour leur petit Noël.

Quittant l'appontement, Mrs. Stafford nous précéda à travers les chaumes. Son haut chapeau de paille un peu comique avait quelque chose d'harmonieux, à cet endroit. Une chèvre amicale arriva en bondissant, suivie d'un essaim de mouches intéressées par son train arrière. Son pis se balançait lourdement, elle avait grand besoin qu'on la traie. Mrs. Stafford la cajola, puis lui donna un coup de pied dans le côté et elle s'en alla grignoter des buissons épineux. La dame Stafford était aussi grande que mon père et enveloppée dans une sorte de robe informe qui aurait pu avoir été cousue dans de la toile de sac. Mais j'avais remarqué trois choses – et peut-être y en avait-il d'autres que je n'avais pas remarquées – qui la rendaient belle. Sa couleur, ses mains et son chapeau de paille. Elle était cuivrée, marron, d'une couleur pour laquelle on n'avait pas encore inventé de nom. Et ses mains : aussi rudes que celles d'un pêcheur de crevettes, mais avec des doigts longs et effilés comme des cierges. Des mains de pianiste, aurait-on dit sur l'Isle of Hope. Bien sûr, ici, il ne devait pas y avoir de piano.

Elle cria quelque chose dans la direction de sa maison. Je n'en compris pas un mot. Puis elle se retourna vers nous et nous parla dans une approximation de notre langue.

— Je vais voir dans ma cuisine ce que je peux faire pour vous deux.

Elle s'éloigna, et mon père la suivit des yeux. Je le regardais la regarder, mais sans négliger de regarder aussi pour moi-même. Nous étions comme trois joueurs sur un terrain, dans un jeu dont je ne connaissais pas les règles. Une femme d'un bon mètre quatre-vingts, de la couleur d'un bouclier de cuivre au soleil, coiffée d'un chapeau de paille juché sur un turban, une femme maigre et drue, mais pas sèche à la façon des vieilles filles, ces femmes qu'on voit sur notre île, qui ont renoncé à vivre. Un homme en uniforme de base-ball, avec trois mille deux cents dollars dans la poche de son pantalon, qui se trouve être mon père, en train de se débattre contre un nuage invisible de moucherons agglutinés autour de sa tête. Un homme qui a frappé sa femme et vient d'amener son fils avec lui en un lieu au passé plus que passé, et ce fils c'est moi, créature secrète et hideuse, issue des profondeurs. Secrète, parce qu'on est obligé de l'être, à Hurt's Landing, pour des raisons trop multiples pour que je les énumère. Hideuse – il est plus difficile de dire pourquoi. La hideur est le fait de cet endroit. De la dissimulation, car n'est-il pas dans la manière de notre île de dissimuler – ou plutôt de dissimuler à demi, puis de dévoiler à demi – tout ce qui nous motive et tout ce dont nous avons besoin ? Jusqu'au nom de notre rivière et à l'aspect de ses poissons participent de cette hideur. Rien n'y échappe. Et dans ces conditions, ne vaut-il pas mieux s'en délecter ?

— C'est le paradis, ici, me confia mon père à voix basse, comme s'il craignait que quelqu'un ne plonge pour l'en arracher. Aucun Marster ne connaîtra jamais Callibogee. Ils ont tous trop peur des nègres. Merde, on ne peut pas le leur reprocher. Qui n'aurait pas peur d'une bande de gens tapis au fond des bois, des gens qu'on n'aperçoit que quand on a une corvée à faire exécuter ou qu'ils ont besoin qu'on aille en ville les sortir de prison ? Moi, je te dis : heureusement qu'ils sont là. Chez eux, un homme peut se faire plaisir sans avoir besoin de se cacher ni se sentir honteux parce qu'on le regarde.

Nous marchâmes sans nous presser jusqu'à la cabane de Mrs. Stafford et nous assîmes sur un banc qui paraissait destiné à la surveillance du débarcadère. Le banc se trouvait en plein soleil, et une douce odeur de résine s'élevait du bois.

— Pourtant, il y a toujours quelqu'un qui regarde, dis-je à mon père. Même si vous vous en allez de l'Isle of Hope dans un endroit comme celui-ci.

Il jeta un coup d'œil au ciel clair et vide.

— Bien sûr, il y a toujours quelqu'un qui regarde. Mais *ça*, je m'en accommode.

Ce n'était pas de Dieu que je parlais, ni de la conscience, ni de l'âme, quel que soit le nom qu'on veuille donner à cet hôte encombrant que nous semblons héberger en permanence. C'était de *moi*. Moi, Timmy Justice, poisson-crapaud trop réfléchi et trop studieux.

Au-dessus du pré, des mouches bleues bourdonnaient autour de giclées de crottes de poule. Nous habitâmes le silence pendant un moment. Nous le partagions avec la question de ce qui était arrivé à l'étage de la maison, entre mon père et ma mère. Mais nous étions venus à Callibogee, ce lieu sans passé, dans l'intention expresse de ne pas parler de cet événement.

Mrs. Stafford ressortit de chez elle et nous nous redressâmes tous deux, aussi raides que si nous avions été surpris en train de somnoler à l'église. Elle posa devant nous une grande assiettée de crabes bleus grillés et une antique bouteille de verre vert avec un bouchon de porcelaine. Elle avait mis ses lunettes.

— Ce que vous aimez le mieux, dit-elle à mon père.

— Alors ça, ça vaut la peine de traverser ce chenal vertigineux, commenta-t-il, tu vas voir !

Les crabes étaient brûlants de poivre de Cayenne, et meilleurs que tout ce qu'il m'était jamais arrivé de manger aux fêtes paroissiales sur l'Isle of Hope. Ils donnaient envie de boire quelque chose pour faire passer le goût du poivre, et c'est ce que je fis. Je versai dans une tasse ébréchée un peu de ce qu'il y avait dans la bouteille. C'était doux au premier abord, mais une fois qu'on l'avait avalé, ça devenait amer sur la langue et cette amertume demeurait après que le vin fut descendu dans l'estomac. Je ne pouvais pas imaginer pourquoi quiconque irait boire de son plein gré un truc qui vous joue des tours pareils.

— Muscat de Scuppernong. C'est le meilleur vin de muscat que tu goûteras jamais, m'informa mon père.

Il avala le contenu de sa tasse, et ça parut le faire revivre. Ça, et la présence de Mrs. Stafford. Il me regarda boire une petite gorgée du mien.

— C'est ton tout premier verre de vin, fiston. Qu'est-ce que tu en penses ?

— D'abord c'est doux et puis ça devient amer, lui dis-je.

— C'est bien vrai !

Quand nos assiettes, nos tasses et la bouteille furent vides, mon père demanda à la dame Stafford :

— Vous demandez toujours le même prix pour ce festin ?

— Ça vous coûtera le prix habituel. Un dollar et cinquante cents. Nous essayons de ne pas changer, pour vous.

Il se tâta les poches en quête de monnaie. Il n'en avait pas. Il n'avait que sa liasse.

Il en détacha un billet de cent dollars et le donna à Mrs. Stafford. Elle l'examina comme si c'était un serpent venimeux.

— Vous savez très bien que j'en ai rien à foutre de ce genre de choses à Callibogee, dit-elle avec colère. Ça donne que des ennuis. Plus c'est gros, plus ça donne des ennuis.

— J'ai rien de plus petit en ce moment, dit mon père. Vous savez ce que c'est, bombance ou famine. Ce sont les chevaux qui me l'ont gagné. Comme je vois les choses, même à cent dollars pour un plat de crabes et une bouteille de muscat, ça me revient encore moins cher ici que ce que ça m'aurait coûté en ville.

Mrs. Stafford plia le billet en un petit carré.

— Je vais le mettre de côté pour vous, pour le jour où vous en aurez besoin. Vous en aurez sans doute besoin avant moi. Voyez-vous, j'ai entendu dire qu'il allait venir plein de gros sous dans les parages.

— Ouais ? Quelque chose dont je serais au courant ?

La femme haussa les épaules.

— On dit qu'on va faire une résidence sur Hilton Head.

— Comment pourrait-on faire ça ? C'est rien qu'un marais, cette île !

— Quel idiot ! Ils vont le combler, ce marais. Vont le combler avec des billets comme celui-là. Elle montrait le billet de cent dollars plié au creux de sa paume. L'argent, il fait ce qu'il veut. On ne peut pas dire à l'argent : Va pas sur cette île, tu vas te mouiller les pieds. L'argent, il a qu'à s'acheter une paire de cuissardes neuves.

— Mais ça c'est Hilton Head, fit mon père. En quoi ça vous concerne ?

— Y en a un bout qui m'appartient, expliqua Mrs. Stafford.

— Qui vous… qui vous appartient ?

— Pas tout, dit-elle, modeste. Juste une quinzaine d'hectares.

— Vous êtes propriétaire de quinze hectares sur Hilton Head ?

Mon père était quasiment en train de crier. Moi-même, j'étais plutôt surpris. Des promoteurs yankees venus ici du monde entier se battaient pour savoir ce qui appartiendrait à qui, et combien de clubs de golf ils pourraient y installer. Dans ce coin, bientôt, un billet de cent dollars ne suffirait plus pour se payer à déjeuner.

— Qu'est-ce que vous faites de tout ce terrain ?

— J'ai mon beau-fils là-bas, lui et sa famille. Ils ont un cochon, comme ici, et des poules. Les Blancs veulent mettre un court de tennis à la place du cochon.

— Vous savez combien vaut chacun de ces hectares ?

— Mr. Justice, vous comprenez rien à l'argent ? Vous êtes un Blanc, en principe ! Vous imaginez que ces gens vont nous donner de l'argent, à moi et à ma famille, pour mon pré à cochons et la terre que grattent mes poules ?

Elle montra de nouveau le petit carré de papier vert.

— Voilà tout l'argent que je verrai jamais. Ils nous paieront rien. Ils vont décider que ce terrain vaut tant, parce qu'ils ont l'intention d'y faire un golf, et puis ils fixeront les taxes sur ce que ça vaut pour eux, tant pis si y a rien dessus qu'un cochon. Alors on pourra pas payer ces taxes, puisqu'on n'a pas d'argent et qu'on n'en aura jamais, et on devra vendre le terrain pour les payer. Ils auront le terrain sans se fouler.

— Vous pouvez rien y faire ? implora mon père.

Mrs. Stafford rit.

— Je suppose que je vais récupérer mon beau-fils à Callibogee avec toute sa foutue marmaille.

Elle se leva, ramassa les carapaces de crabe et les jeta dans le jardin en guise d'engrais. C'était difficile de se représenter des terrains de golf et des courts de tennis surgissant là où fouillaient les cochons, là où se dressaient les maisons sur pilotis et la grande muraille verte des chênes. L'argent avait la bougeotte, apparemment. Il s'en allait se dépenser dans les endroits les plus bizarres.

Comme par miracle, du muscat réapparut dans ma tasse. Je commençais à m'habituer au tour pendable, doux-amer, qu'il me jouait. Le jour baissait et le ciel passait d'un flou de plomb fondu à un bleu plus sombre. Mon père se leva, sa tasse à la main, et entra dans la maison. Je sentais la chaleur s'élever du banc et m'envahir le corps, me ramollissant comme goudron au soleil. J'entendis un éclat de rire à l'intérieur, puis Mrs. Stafford fit *chut*, comme pour faire taire un enfant, mais tout cela paraissait trop distant pour que je m'en soucie. Je savais qu'une longue traversée hostile séparait Callibogee de Hurt's Landing, là-bas où il y avait l'électricité et des choses comme ça, et qu'il y avait la question mineure de savoir où nous allions passer la nuit, mais tout cela était devenu sans importance. Ce qui, en soi, était un luxe.

Alors c'est ça, les effets de l'alcool, me dis-je. Et qu'est-ce qui se passe ? Je commence à appartenir aux autres, ainsi qu'Evangéline m'en a averti ? J'invente des matchs de base-ball imaginaires sur les ondes radio que tout le monde peut entendre ? Il existe beaucoup de choses plus honteuses que ça, décidai-je.

Bien sûr, on peut boire avec distinction, polir, façonner et débiter de beaux mots tout au long de la journée, à la façon d'Evangéline. Pour une raison ou une autre, je ne pensais pas que j'irais en ce sens.

VII

En ouvrant les yeux, je vis le pré aux cochons sous un ciel crépusculaire et, à l'autre bout, sur l'embarcadère, mon père en compagnie de deux habitants de Callibogee. J'avais froid, mais ça ne se peut pas, pas au début de mai, dans les terres basses.

Je me levai, fis quelques pas en avant et me pris le pied dans un trou de mulot. Voilà ce que signifie “hébété par l'alcool”. J'avais gaspillé le jour à dormir, perdu de vue l'objet de mon étude. Manqué des choses. Je me sentais floué. Le pire, c'est que je m'étais floué moi-même.

Mon père leva la tête et me vit traverser le pré. Il agita la main et me héla avec son enthousiasme habituel.

— Hé, Crapaud, on va à la chasse !

Il était avec un vieil homme et un garçon de mon âge, peut-être plus jeune. La barque amarrée à côté de la nôtre devait leur appartenir. Je fis quelques pas sur le plancher branlant de l'appontement.

— On va attraper un crocodile alligator. Avec Mr. Otis, que voilà, et ce garçon, Tabby.

— C'est quoi que vous voulez attraper ? Le vieux riait.

Il avait des cheveux d'un blanc pur, et pas une dent. Il était occupé à bricoler le petit hors-bord. Sur le banc, près de lui, se trouvaient quelques longueurs de corde enroulées et un vieux fusil d'aspect menaçant.

— C'est égal, le premier que je verrai, blagua mon père. Je connais pas la différence, de toute façon.

— Y a pas de crocos par ici, fit le garçon.

— On ne rentre pas à la maison ? demandai-je.

Mon père releva la tête. On était à ce moment du crépuscule où le soleil a disparu mais où le ciel est encore plein de lumière. Il semblait évaluer cette lumière, et je crus qu'il allait m'expliquer qu'il était trop tard pour retraverser le chenal et naviguer entre les marais dans une barque avec un moteur de 10 CV pendu par-dessus bord. Il n'en fit rien. Il n'avança aucune excuse.

— Tu pleurniches, bonhomme, me dit-il. Puis : Tu as fait une bonne sieste, là-haut ?

— J'ai manqué quelque chose ?

— Rien que le temps qui passe, fils. Rien que le temps qui passe.

Les deux Noirs dans la barque se mirent à rire, Otis le premier, puis le garçon, pour l'imiter. Le jeune Tabby était en train de fixer une lanterne au bout d'un crochet, à l'avant, tout en s'efforçant de calmer les gémissements d'un chien qui ne paraissait guère apprécier le bateau. Sur le plancher de la barque gisaient toutes sortes de crochets et d'autres rouleaux de corde.

— Dites une prière, fit Mr. Otis.

— Une prière ? répéta mon père.

Mr. Otis tira sur la corde du hors-bord, qui s'anima en toussotant.

— Le pouvoir de la prière, remarqua mon père, quand il eut atteint un régime raisonnable.

Ce moteur ne devait pas être beaucoup plus puissant que celui d'une tondeuse à gazon. C'était sans doute ce qu'il avait été, dans la propriété d'un Blanc quelque part sur le continent, avant de prendre le chemin de Callibogee et de la barque de cet homme. Je compris qu'il fallait que je vienne m'asseoir sur le banc central, à côté de mon père. Tabby nous écarta de l'appontement en poussant à l'aide d'une perche, et on s'en alla.

On remonta la rivière de Hilton Head en direction de la rive continentale de Callibogee. Il y avait là le même fouillis de ruisseaux et de marais que chez nous, le long du Lazaretto, en cent fois plus désert, sans la ville de Savannah pour y déverser pêcheurs, pique-niqueurs et chercheurs de crevettes. Là où la rivière de Hilton Head s'en va vers le continent, dans les terres basses, on prit à gauche, le long de Callibogee, dans un labyrinthe de voies d'eau si marécageuses qu'on n'aurait pas pu passer sans la marée de printemps. Les branches des chênes pendaient bas des deux côtés, on avait perdu le ciel. L'eau était calme et plate. Aucun d'entre nous ne parlait, et je me rendais compte que parler serait une faute. C'était comme si on était à l'église, mais sans personne dans la chaire, personne pour conduire l'office ou prêcher, pas de morale à l'histoire. Mon père sortit de sa poche un quart de whisky et le passa à Mr. Otis, à la barre. Ils burent en silence. Je n'entendis pas les commentaires habituels sur l'alcool et sa façon de brûler les tripes et d'embrouiller la cervelle. Quand la bouteille revint vers mon père, il posa les lèvres là où avaient été les lèvres du Noir, une chose que vous ne verriez jamais faire à Hurt's Landing. L'expression de ses yeux était aussi sombre que l'eau des marais, et quand il leva la petite bouteille au format de poche pour prendre une seconde goulée, je vis un frisson traverser sa main. J'étais terrifié de me trouver là. Terrifié, et fier.

— Un 'gator par ici, l'autre jour, fit Mr. Otis, de la barre, après un bout de temps. Un petit, devrait être facile à attraper, c'est ce qu'il vous faut.

Il coupa le moteur, qui crachota de la fumée noire. On continuait à dériver, portés par la marée. Mon père et Mr. Otis empoignèrent les rames et nous dirigèrent vers le chenal que le vieux avait désigné. Mon père paraissait transfiguré par quelque chose que je n'avais jamais vu. Peur et impatience, un besoin qu'il se passe quelque chose.

Mr. Otis déposa sa rame sur le fond de la barque. Mon père l'imita. Tous deux firent cela sans le moindre bruit.

— Maintenant, Tabby, chuchota le vieux.

Le garçon frotta une allumette et alluma la lanterne au kérosène. Il la suspendit à un crochet placé à l'avant de la barque de telle manière que la lumière se répandait à plat sur l'eau. Cinq secondes plus tard, les mulets commencèrent à sauter de toutes parts vers la lumière, et la moitié d'entre eux atterrissaient à nos pieds. Le chien envoyait des coups de dents au milieu de leurs soubresauts, et mon père en ramassa quelques-uns sur le sol de la barque pour les lancer dehors, à leur place.

Alors le garçon prit le chien sur ses genoux et lui tira les oreilles si violemment que je crus qu'elles allaient se déchirer de son crâne. Le chien couina comme si on lui avait écrasé la queue sous un rocking-chair, puis hurla, un long hurlement triste auquel répondirent toutes sortes de protestations dans le marais. Sans transition, le garçon lui lâcha les oreilles et se mit à le caresser en murmurant son nom pour le calmer.

Quel que fût le truc, il marchait. Dans le silence qui succéda au hurlement du chien, on entendit un son glissant, boueux, et un léger plouf. L'alligator était dans l'eau, en train de nager.

Les poissons arrêtèrent de sauter.

La lanterne chuintait à la surface de l'eau. Au-dessous, l'alligator se rapprochait, invisible. Mr. Otis et Tabby ramassèrent leurs rouleaux de corde, et Mr. Otis apprêta son fusil. C'était le seul objet rassurant dans cette barque à part le moteur pour nous tirer de là, et même ça, on ne pouvait guère compter dessus.

Alors, à deux mètres, juste devant nous, l'alligator fit surface. Ses yeux aussi gros que des demi-dollars rougeoyaient à la lueur de la lanterne. Tabby tira de nouveau sur les oreilles du chien et descendit l'animal jappant et gigotant à l'extérieur du bastingage. L'alligator sortit la tête de l'eau pour tuer, et je me préparai à voir à quoi ressemble un chien de chasse déchiqueté.

Mais cela n'arriva pas. Mr. Otis fit siffler une corde à mon oreille, et le lasso se referma autour de la gueule de l'alligator. Celui-ci se tordit sur lui-même pour mordre la corde, mais cela ne fit que resserrer le nœud coulant. Dans sa lutte, il sortait sa queue de l'eau. Tabby flanqua par terre le chien qui était encore sur ses genoux, lança son lasso et attrapa cette queue. Avec un lasso à chaque bout, lui et le vieux secouèrent la bête et entrecroisèrent leurs cordes jusqu'à ce que le pauvre gaillard se retrouve cambré en demi-cercle, le ventre en dehors, contre le bord de la barque. Enroulé sur lui-même comme s'il voulait se manger la queue. Alors Tabby tendit carrément la main vers lui et je pensai *il est fou ?* et il se mit à flatter ce ventre vert et écailleux. L'alligator se détendit et s'endormit, juste comme ça.

J'étais hypnotisé. J'avais entendu raconter des choses pareilles, mais je n'avais jamais cru qu'elles fussent réelles.

Et je n'oublierai jamais le bruit que produit une main humaine frottant le ventre d'un alligator dans un marais obscur au large de Callibogee. En fait de musique nouvelle, j'étais servi !

Alors Mr. Otis remit le moteur en marche, et on s'en alla du marais avec un passager de plus. Cette nuit-là, j'ai appris qu'il y a des sons sous les sons. Un son ténu peut se frayer un chemin sous ou même à travers un son plus fort, à condition de forcer l'attention. Pendant tout le trajet jusqu'à l'embarcadère de la femme Stafford, j'entendis nettement, sous le vacarme du hors-bord, le raclement sec de la main de Tabby sur le ventre de l'alligator hypnotisé, dans la mesure où un bruit sec est concevable dans cet univers aquatique. La bouteille reprit ses va-et-vient entre mon père et Mr. Otis jusqu'à ce qu'il n'y ait plus rien dedans. Personne ne parlait, pas en présence d'un représentant du monde des dinosaures en suspension temporaire, accroché au flanc de la barque avec ses mâchoires qui n'en feraient qu'une bouchée s'il venait à émerger de son enchantement dans un mauvais état d'esprit. Nous naviguions sans lumière, lanterne éteinte pour économiser le kérosène et éviter que les mulets ne nous sautent à la tête et n'atterrissent sur l'alligator, car un choc contre le grain de sa peau, en brisant la cadence, risquait de le réveiller. La lune était haute, blanche et glaciale, quand on déboucha sur la rivière de Hilton Head. D'une poche de sa veste d'uniforme, mon père sortit un autre quart qu'il offrit à Mr. Otis. Celui-ci le repoussa du geste en frappant un petit coup sur le côté de son crâne. Mon père renfourna la bouteille dans sa poche distendue.

Le vieux poussait le hors-bord à son maximum, et plus le moteur rugissait, plus le raclement devenait insistant. Comme un de ces sifflets pour chiens dont le bruit aigu affole les chiens alors qu'un homme qui se trouve juste à côté n'entend ni ne sent rien.

On arriva en vue de Stafford's Landing. Les lanternes jaunes éclairant les maisons sur pilotis se reflétaient dans l'eau. Du fond de sa gorge, Mr. Otis lança un jappement qui évoquait un chien écorché vif. Ce fut efficace, car un instant plus tard une réponse arriva de l'île. Quelqu'un courait dans l'obscurité à travers le pré à cochons en balançant une lanterne. Une demi-douzaine d'autres lumières sortirent des cabanes. Les gens attachaient leurs lanternes aux crochets rouillés fixés sur l'appontement, afin de nous guider vers la maison. Ou ce qui devrait nous en tenir lieu pour cette nuit.

La barque pointait vers l'appontement tout garni de lumignons, comme des bougies de Noël.

— Qu'est-ce vous avez pris ? cria une voix de femme. C'était Mrs. Stafford.

Mr. Otis répondit des mots que je ne compris pas.

— Tabby, ça va ?

— J'y gratte le ventre, cria Tabby, fièrement.

— Continue à gratter !

Une voix hurla de rire et quelqu'un battit des mains. Les planches de l'appontement branlèrent et les lanternes se balancèrent.

Mon père lança l'amarre et on la fixa. Dans la lumière des lanternes, la peau de l'alligator paraissait craquelée de terre de Sienne, comme un des vieux tableaux du musée Telfair, mais mille fois, dix mille fois plus vieille, puisque l'alligator était un messager des dinosaures.

Sorti de la barque, je dérapai sur l'appontement bancal, fus rattrapé par la main de Mrs. Stafford. Je dus rester accroché à cette main un peu trop longtemps car elle abaissa vers moi un regard ferme et pénétrant. Dieu seul savait ce qu'elle pensait, et encore, même Lui ne le savait sans doute pas, Il ne lit que dans les âmes maigrelettes de petits pécheurs blancs comme moi.

Elle se détourna.

— Gratte, Tabby, fit-elle doucement.

Deux hommes de l'île étaient en train de soulever l'alligator ligoté, cambré dans ses cordes, pour l'amener de la barque sur l'appontement. Mr. Otis lui tenait son fusil calé sur la tête. Tabby était dessous, dans le bateau, imperturbable, continuant à gratter en cadence comme un gars qui jouerait de la batterie sur une plage pendant un ouragan.

— Z' êtes prêts ? demanda-t-il, d'en bas.

Et voici ce qui arriva, bien que je n'y croie toujours pas, alors même que je le raconte. Dès que les hommes eurent déposé l'alligator sur les planches, Tabby cessa de lui gratter le ventre et l'animal bondit dans ses liens, la mâchoire grande ouverte, bien éveillé, prêt à tuer. A cet instant précis, Otis le foudroya d'un coup de fusil à ce point aveugle, entre ses yeux de guetteur, où aurait dû se trouver sa cervelle s'il en avait possédé une.

— 'Gator éveillé pour mourir, résuma Mr. Otis lorsque le bruit de l'explosion se fut apaisé.

Mon père était encore dans la barque. Il entreprit d'en sortir à la suite de Tabby.

— Bien joué, dit-il. La peau sera parfaite.

Les gens de Callibogee s'étaient assemblés en demi-cercle autour de l'animal. Il avait le sommet du crâne éclaté. Une substance couleur glaise en sortait et s'écoulait dans l'eau, entre les planches, pour la plus grande joie des affreux crapauds de mer mangeurs de vase, sans aucun doute. Les gens étaient silencieux, comme s'ils avaient été en train de prier pour son âme, ou de remercier leur étoile parce qu'ils n'étaient pas nés alligators, en tout cas pas celui-ci.

Mon père s'apprêtait à traverser ce demi-cercle.

— Feriez mieux pas. Otis fit signe avec son fusil. L'est pas mort.

Mon père regarda l'alligator.

— Je sais pas. M'a l'air bien mort, à moi.

On ne pouvait que lui donner raison. Un alligator avec le crâne éclaté et le contenu de ce crâne en train de se vider paisiblement à la lumière des lanternes, ça a en effet l'air bien mort.

— L'est pas mort, répéta Tabby.

— J'ai mes superstitions, déclara mon père. Vous avez les vôtres.

Ce fut la dernière déclaration cavalière, désinvolte, insouciante que je l'entendis jamais faire. Il tenait absolument à passer au-dessus de cet alligator mort. Il y réussit presque. Et cette chose était morte, pour autant que quiconque pouvait voir, mais au moment où il passait un pied pardessus, la maudite bête fouetta l'air de sa queue, comme si quelqu'un venait de la brancher dans une prise de courant. Les écailles d'une queue d'alligator sont aussi coupantes que des lames de rasoir, et elles prirent mon père en plein tibia, là où il n'y a presque pas de chair pour protéger l'os.

Il hurla et s'écroula. Mr. Otis prit une cartouche dans sa chemise de bûcheron et rechargea son fusil. Il mit le canon contre l'échine dorsale de l'alligator, en plein milieu du dos, et tira de nouveau.

Le coup déclencha chez les gens de Callibogee des hurlements en accompagnement de ceux de mon père. C'était une très étrange lamentation, comme si j'avais eu les prophètes là sur cet appontement avec moi. En plein milieu des hurlements, j'entendis Mrs. Stafford dire à Otis : "C'était pas sa faute", et je me demandai si elle parlait de l'alligator ou de mon père.

— C'gator est mauvais, lui dit Tabby. L'est jamais mort.

— Chut, gamin. Ne provoque pas les esprits.

Je poussai les gens pour aller près de mon père. Il essayait de se relever, mais je savais que c'était une mauvaise idée. Je m'agenouillai près de lui afin de l'en empêcher. Il avait les yeux fous et tenait la jambe de son pantalon d'uniforme serrée contre la plaie.

— Je suis foutu, se lamentait-il. Crapaud, je pourrai plus jamais lancer, je suis foutu !

Je l'empoignai par les épaules.

— Vous êtes pas foutu. Y a pas de raison que vous soyez foutu.

Mrs. Stafford s'agenouilla de l'autre côté de lui.

— Vous faites pas de soucis, Ezékiel. Tout le monde sait que je suis la meilleure couturière de l'île. Je vais vous raccommoder tellement bien que personne en saura jamais rien.

Mr. Otis découvrit quelque part un couteau de pêche et en glissa la pointe dans le pantalon de mon père, juste sous le genou. Il déchira l'étoffe jusqu'à la cheville. Du sang jaillissait de la plaie et, au fond de celle-ci, je jure que j'aperçus quelque chose de blanc, comme de l'ivoire maculé. Je dois avoir crié, car je sentis sur ma bouche la main de Mrs. Stafford.

— Pas maintenant, mon garçon. Il a besoin de toi, me dit-elle à l'oreille.

Les hommes qui se trouvaient sur l'appontement firent la petite chaise pour porter mon père à travers le pré des cochons jusqu'à la cabane de Mrs. Stafford. Je les rattrapai et lui tins la jambe tendue, afin de l'empêcher de trop saigner.

— Du vin de Scuppernong, gueulait-il, comme un cinglé. Scuppernong, Scuppernong, du muscat de Scuppernong !

Il tournait la tête de droite à gauche avec violence. Le choc lui faisait des yeux écarquillés, mais il les rétrécit quand il me vit courir près de lui avec les hommes de Callibogee en lui tenant la jambe tendue comme une attelle.

— Scupper... Il cligna des yeux une ou deux fois. Oh, Crapaud, tu es là. Il eut un éclair de honte dans le regard, d'être vu dans cet état. C'est rien, rien qu'une petite blessure, juste un tout petit coup de queue de 'gator de rien du tout. Merde, c'est pas comme ça que je voulais que les choses tournent !

— C'est le choc, papa. C'est juste le choc qui vous fait parler comme ça.

— Comme ça ? Comment, comme ça ? demanda-t-il.

Nous envahîmes la maison de Mrs. Stafford.

— Mettez-le sur le grand lit, dit-elle aux hommes.

Ils le transportèrent dans la chambre et l'étendirent sur le gigantesque lit qui s'y trouvait. Il avait un beau chevet en bois sculpté et un pied en fer forgé, avec les initiales de quelqu'un entrelacées dans le métal.

— Du vin de Scuppernong, recommença-t-il à crier, du vin de Scuppernong !

Un des hommes dénicha une bouteille dans l'armoire de la cuisine et la lui fourra dans la main.

— Maintenant buvez, et puis taisez-vous.

Mon père dérangeait ces gens. Les Blancs n'étaient pas censés avoir des mésaventures et devenir cinglés, particulièrement sur cette île où les gens de Callibogee risquaient d'être considérés comme responsables. D'ailleurs, ne l'avaient-ils pas prévenu de ne pas enjamber ce 'gator ?

Mrs. Stafford se penchait au-dessus de lui, armée d'une aiguille enfilée. Elle secoua la tête.

— Trop de sang. Je vois rien.

Alors elle ordonna, s'adressant à tout le monde et à personne :

— Déshabillez-le. Peux pas travailler avec ces loques. Comme ça qu'on attrape du pus et de la fièvre.

Les hommes lui retirèrent ses chaussures de base-ball en les admirant, bien que l'une d'elles soit pleine à tordre de sang. Son pantalon ajusté leur donna du mal, et dans le mouvement son caleçon lui roula jusqu'à mi-cuisses ; son zob apparut, tout petit, l'air peureux, et je me sentis embarrassé pour lui. Il mit la main dessus, soupesa ses couilles et partit d'un grand rire. Les hommes présents dans la pièce rirent avec lui.

Maudit soit celui qui découvre la nudité de son père. Une leçon datant des bénédictins.

Il se remit à crier :

— Recousez-moi. Je suis prêt, femme, alors recousez-moi !

Compatissante, Mrs. Stafford lui prit la bouteille des mains.

— C'est fini, ces manières ? Z' allez vous tenir comme un homme, maintenant ?

Elle versa une goulée de vin de Scuppernong dans la blessure et il hurla. Je serrai les dents, parce que je sais l'effet que fait l'alcool dans une plaie, même si c'est censé faire du bien. Ensuite Mrs. Stafford se tourna vers les hommes de Callibogee en agitant les bras comme pour chasser un troupeau d'oies.

— Sortez d'ici, tout le monde. Qu'est-ce vous regardez ? Z' avez jamais vu un Blanc ? Ils ont tous du sang, eux aussi.

D'un instant à l'autre, un silence d'église régna dans la chambre. Tout le monde sortit à la file.

— Toi aussi, dit-elle à Tabby, qui maintenait la mauvaise jambe de mon père. T'es trop jeune pour être là. D'ailleurs, tu jettes des sorts. On a besoin de guérisseurs ici, pas de jeteurs de sort. Gratteur de ventres !

Tabby passa près de moi et fila.

Mrs. Stafford s'assit sur le pied de mon père de manière à lui immobiliser la jambe. Elle aspergea la blessure avec l'eau d'un broc qui se trouvait près du lit mélangée à son vin.

— Voilà. Tuer les microbes. Ne regardez plus maintenant, Ezékiel, chuchota-t-elle. D'abord je fais mal et puis je guéris. Si t'aimes pas couper, tu peux pas coudre, qu'elle disait ma maman.

En chantonnant pour elle-même : *Coupe et couds, coupe et couds, aiguille et fil,* elle s'appliqua à rapprocher les lèvres de la plaie et à la refermer d'une suture. Cinq minutes et ce fut terminé. Elle enroula quelques bandes de toile de coton autour de la jambe de mon père en guise de pansement, puis baissa la flamme de la lanterne placée au chevet du lit. La chambre sembla rétrécir.

— Voulez voir votre gamin, maintenant ? lui demanda-t-elle.

Il dut faire signe que oui. Elle vint vers moi, qui étais resté appuyé au montant de la porte à l'autre bout de la chambre. Son ombre planait, grande et sombre.

— Va près de lui, me dit-elle. Il a besoin de toi. L' a fait sa petite crise de folie, mais ça va mieux, maintenant. Il est fatigué. Il a besoin de toi.

Je m'approchai du lit de mon père. Elle avait raison. Ce qui l'avait rendu fou s'était retiré. Il en était débarrassé. Vidé de tout. Son visage était gris.

— Timmy, fit-il.

— Oui.

— Ma faute. J'aurais pas dû prendre ce raccourci par-dessus le 'gator. Ces vieilles choses mortes peuvent vraiment se relever pour vous tuer.

— Juste comme vous me l'aviez dit en venant ici.

Il eut un sourire en coin.

— Tu te souviens de tout, hein ? Tu ne devrais pas, tu sais.

— J'y peux rien. Les gens parlent. J'écoute, forcément.

— Une malédiction, admit-il.

Je sentis sur mon épaule les longs doigts de Mrs. Stafford qui me poussaient hors de la chambre. Faut pas fatiguer le malade, faisaient-ils.

— Tu vas dormir ici, me dit-elle lorsque nous fûmes dans la grande pièce. Sa voix était pleine de compassion et de bonté, je n'avais encore jamais entendu ça chez une femme. Je te donne le meilleur lit. Dors ici. Tu seras pas dérangé par les fantômes. Je les connais tous par leurs noms. Je dis leurs noms et ils filent. Demain, tu seras rentré chez toi.

Elevant sa lanterne, elle éclaira une paillasse sur une planche. C'était le lit. Puis elle prit ma main et me fit tâter une couverture soigneusement pliée au pied du matelas. Elle était aussi rugueuse qu'une couverture de cheval, et assez épaisse pour une nuit d'hiver.

— Tu as ça, si tu as froid. Mais je crois que tu risques pas. Maintenant je veux que tu penses à des choses agréables. C'est un endroit paisible, ici, la plupart du temps.

Je m'allongeai tout habillé sur le lit. Le matelas était bourré d'algues. Ça sentait comme la rive océane de Callibogee, celle où il y a de l'air, de la lumière et du vent frais. Je me tournai face contre lui, dans ses odeurs marines, et tâchai de penser à des choses agréables, ainsi que Mrs. Stafford me l'avait recommandé. Les gens étaient sans cesse en train de me dire d'avoir de bonnes pensées, ou pas de pensées du tout. Mais le devoir qui m'avait été imposé consistait à réfléchir. Pensées agréables et réflexion ne se baladaient pas main dans la main.

De toute façon, il n'y avait guère de pensées agréables dans cette nuit, pourquoi y en aurait-il eu ? Je me remis sur le dos, les mains derrière la tête, et attendis l'apparition des fantômes de Mrs. Stafford. Allez-y, dame de cuivre, appelez-les par leurs noms, effrayez-les, chassez-les si ça vous fait plaisir. Parce que ce sont vos fantômes, voyez-vous, pas les miens. On ne trouve pas mon genre de fantômes sur une île comme la vôtre. Dommage ; votre bienveillante médecine ne me sera d'aucun secours.

C'est un fantôme qui dut me réveiller. Un esprit pervers, fureteur, découvreur. C'était au plus creux de la nuit, là où on a le moins envie de s'éveiller. J'entendais la mer. La respiration de la mer, tout près. Je me laissai descendre du lit et me dirigeai vers la tache plus claire que dessinait dans l'obscurité la porte grillagée. La lune s'éloignait vers l'ouest et les étoiles étaient revenues au-dessus de l'océan. Je ne me sentis pas tenté de sortir dans la nuit de Callibogee.

Mais la mer, pensais-je. La mer est trop loin, en bas du pré des cochons, tout au bout de la rivière, pour que je l'entende aussi bien.

Je me retournai vers l'intérieur de la maison de Mrs. Stafford. Une lampe était allumée dans une des chambres.

La mer soupirait tout à côté, maintenant. J'approchai de la porte. Elle était ouverte, comme toutes les portes dans cette maison. Dans la chambre je vis, interminablement long et nu, le dos cuivré de Mrs. Stafford. Accroupie sur mon père, elle roucoulait comme un oiseau en chantonnant doucement, ainsi qu'elle l'avait fait en cousant. *Qu'est-ce qu'elle chante bien !* pensai-je, et je fermai les yeux pour écouter son chant, et quand je les rouvris j'aperçus derrière elle le visage de mon père, incliné sur le côté. Il avait les yeux fermés et sa jambe n'était plus surélevée comme elle aurait dû l'être, mais il n'avait pas l'air de souffrir. Un petit filet de salive lui coulait du coin de la bouche, dont il semblait n'avoir ni conscience ni souci. Et puis je me rendis compte qu'ils paraissaient soudés ensemble au milieu.

Alors c'est ça, l'amour.

On oublia d'avoir peur en retraversant le chenal navigable le lendemain matin, pour rentrer chez nous. On franchit le dédale des marais dans le silence qu'imposait l'Evinrude. Dans le grand virage du Lazaretto, en arrivant à Hurt's Landing et à notre appontement, mon père me dit :

— Timmy, ta mère sera furieuse qu'on ne soit pas rentrés hier soir. Si elle te pose des questions, raconte-lui exactement ce qui s'est passé. Dis-lui tout : qu'on est allés à la chasse à l'alligator, que j'ai été blessé, qu'on n'a pas pu revenir.

Je regardai notre appontement, ce doigt accusateur pointé dans le Lazaretto.

— D'accord, m'sieu, promis-je.

— Merde, j'ai même ces points pour le prouver. Pourquoi je m'en fais ?

Des raisons de s'en faire, on n'en manquait pas. Mon père avait la peau vert alligator et suppurante. Moi j'étais le garçon qui en savait trop. Quelle paire nous faisions ! Pendant la traversée, au retour, entre un ciel brumeux et une eau qui clapotait ferme, il avait fait un sort à toute une bouteille du vin de Scuppernong de Mrs. Stafford avant même que nous soyons passés du côté géorgien. "Ce foutu truc n'a aucun corps !" avait-il grogné en jetant la bouteille vide dans le courant.

Vous auriez dû y mettre un message, d'abord, aurais-je aimé lui dire.

A Hurt's Landing, il se hissa en boitant sur l'escalier qui reliait le dock flottant à la partie fixe de l'appontement ; il était encore en tenue d'*Indian*, mais avec une jambe du pantalon coupée au genou et l'autre pleine de sang, et le reste de son uniforme puait. J'amarrai la barque et fis toutes ces choses qu'on doit faire quand on est sorti en bateau pendant les dernières vingt-quatre heures. Je les fis avec un soin extrême, minutieusement, en prenant tout mon temps.

Ce qui ne m'épargna pas de me faire intercepter sur le seuil par Evangéline quand je finis par remonter du dock et traverser la route vers la maison. Elle ne devait pas être arrivée à grand-chose avec mon père. Mais il y avait toujours Timmy, cette bonne pâte. Elle s'était plantée devant la porte et, en montant les marches du perron, je levai les yeux vers elle. Puis les détournai. Elle arborait un coquart sous l'œil gauche. Le moment ou jamais de faire la moue Marster. Je m'absorbai dans l'étude des craquelures dans la peinture du plancher.

— Et alors ? demanda-t-elle. Peur de regarder ta mère en face ?

— Je vous ai regardée, répondis-je. Je l'ai vu. Maintenant vous êtes amochés tous les deux, O.K. ?

Tel un ours savant, je récitai mon histoire : la chasse. Le coup de queue de l'alligator mort. Les points. Je lui racontai tout ce que je crus pouvoir me permettre de lui raconter.

— On a dû passer la nuit là-bas, à Callibogee. Mais ça y est, on est revenus.

Je devenais expert dans l'étude de ce qui se trouve par terre. Le sol des perrons, médiocrement peints par des mercenaires. Les appontements, suant le goudron et la créosote par les fentes du bois. Le dessus de mes chaussures. Toutes choses fascinantes. Mon gant était resté où je l'avais laissé, à côté de celui de mon père, sous la balancelle du perron. Me poussant de côté comme un crabe, je me penchai et le ramassai. Avec un peu de chance, ma balle m'attendait encore dans le forsythia du voisin.

Je réussis à atteindre la première marche.

— Timmy Justice, cria ma mère.

D'accord, fis-je pour moi-même. *Je vais vous regarder.*

Et je la regardai, carrément. Je vis toute la situation.

— J'suis pas votre bonhomme, lui criai-je à mon tour.

Puis je filai de là, en bas de l'escalier et sur la route, aussi vite que je pouvais.

VIII

Je partis en traînant les pieds dans la poussière sur la route du Lazaretto, le long des terrains de sport déserts. Vers l'ouest, des nuages d'orage s'assemblaient, se suturaient ensemble, préparant la tempête. Il était encore tôt pour un grain.

Les inconvénients liés à une période de réflexion étaient multiples. D'abord, la réflexion vous séparait des autres. Personne ne se livrait à une telle pratique, du moins pas dans nos parages. Je suppose que c'était la principale raison pour laquelle le père Dooley m'y avait condamné. Une punition sociable n'était pas une punition. Mais déjà je me rendais compte qu'elle ne donnerait pas les résultats escomptés. Ces nuits et ces jours de réflexion ne faisaient que m'enfoncer. Je devenais de moins en moins digne de l'enseignement des bons pères.

Je suivis la route jusqu'à Shell Point. Tous les gens que je rencontrais allaient quelque part avec beaucoup de conviction, ou alors ils me regardaient de travers parce que je n'allais manifestement nulle part avec la moindre conviction. J'arrivai au virage où la route s'écarte du Lazaretto et, prenant le nom de Wormslow, s'en va vers l'intérieur des terres, en direction de Sandfly Crossing et du continent.

Au bout de Shell Point, il y a la marina de Bud Bandy. Je pris l'allée de gravier où étaient garés toutes sortes de voitures et de camions pick-up, deux, aurait-on dit, pour chaque personne qui travaillait là.

Chez Bud Bandy, ce n'était pas un lieu de réflexion. C'était un lieu de bavardage, bruyant le plus souvent. Je dis bien bavardage, et non parole. Ça me convenait tout à fait. En ce morose après-midi, à dire vrai, j'avais envie de tout sauf de réfléchir.

Dans la cour de Bud Bandy se trouvaient des embarcations sorties de l'eau pour être réparées et des caravanes inoccupées, et quelques engins effilés, ultra-rapides, dansaient sur l'eau à l'autre bout de la marina. Ces bateaux représentaient de l'argent. Du vrai argent, pas de l'argent Marster, qui n'était que le souvenir d'en avoir un jour possédé. A côté de ces bateaux de course, Bandy louait une demi-douzaine de barques munies de petits moteurs.

J'entrai dans le bureau. Quand la porte grillagée se referma derrière moi, Bud Bandy leva la tête.

— Eh, Timmy ! T'as pas amené ton paternel ?

— Non, m'sieu.

Il m'examina.

— Il va bien ?

— Ouais. Euh, non, pas vraiment. On est allés chasser l'alligator et il a été coupé à la jambe.

— Il a la jambe coupée ?

— Juste une coupure à la jambe, Bud. Pas la jambe coupée.

— Ah, bon, c'est bien, ça. Il sera bientôt sur pied, tu peux me croire. Les *Indians* ont trop besoin de lui. Merde alors, Timmy, qu'est-ce que j'aimerais avoir un gamin qui s'en fiche pas si je suis blessé ou non.

Le bureau de Bud Bandy ne ressemblait pas tout à fait à ce qu'aurait été un vrai bureau, en ville. Sa table de travail était placée près de la fenêtre, d'où il pouvait surveiller le travail en cours sur ses bateaux, les allées et venues des marées, et autres choses importantes. Dans la pièce à côté, il avait installé quelques hauts tabourets le long d'une planche qui tenait lieu de bar, ainsi qu'un frigo, et il servait de la bière en bouteilles. C'était un club semi-privé. Une sorte de *Bo-Peep's* de quartier.

Je traînassai dans son bureau en le regardant pianoter sur sa machine à calculer. Ma présence finit par l'énerver, et il me dit :

— Pourquoi tu vas pas derrière ? Y a des gens que tu connais par là.

Derrière, il y avait les sœurs Bandy, perchées sur des tabourets, en train de boire de la Colt 45 au goulot, avec leurs chemises ouvertes sur des bikinis qui ressemblaient à des dessous. Les sœurs Bandy n'avaient pas grand-chose d'autre à faire dans la vie que de passer leur temps chez leur frère aîné et de s'amuser du vieux bonhomme tout desséché qu'elles appelaient Stick, le type chargé de l'entretien des barques qu'on louait pour la pêche, chose plutôt rare en semaine. Par conséquent, tout le monde parut content de me voir.

— Timmy, mais quelle surprise ! s'écria Madge Bandy. Viens t'asseoir ici. Dis donc, tu serais pas censé te trouver dans ton espèce d'école militaire ?

— M'ont renvoyé, lui dis-je.

— Oh, ça c'est dommage !

Elle tapota le tabouret voisin du sien et je m'assis.

Sa sœur Midge intervint :

— Tu veux dire que tu ne seras pas soldat, finalement ? Alors *ça*, c'est dommage !

Madge dit :

— Cette Midge, elle aime tout ce qui porte l'uniforme. Même le type qui lui a collé une contredanse, en ville, la semaine dernière.

— Tu peux parler, répliqua sa sœur.

Madge se mit à se tortiller sur son tabouret comme si elle avait une fourmi à l'intérieur de son blue-jean. Elle sentait fort. Je coulai quelques longs regards sur les bords de son haut de bikini. Elle avait les aisselles toutes saupoudrées de talc, et des gouttes de sueur y avaient tracé de petits sentiers.

— Et pourquoi qu'on t'a remballé de ta super-école ? s'enquit Madge au bout d'un moment.

— J'aimais pas les sermons sur les feux de l'enfer, alors je me suis caché sous l'église pendant le prêche.

Madge poussa de hauts cris.

— Ben ça alors, le prêcheur veut t'envoyer en enfer, et toi t'es déjà à moitié chemin !

— Vous avez saisi, miss Bandy.

— Eh ben écoute, Timmy. Commence pas à prendre ce que racontent les prêcheurs pour la vérité vraie. Ils appellent ce genre de trucs des paraboles. Ils te racontent une histoire, mais ça ne veut pas dire ce que ça dit, en réalité c'est supposé représenter autre chose. C'est comme ça qu'ils s'y prennent, c'est complications et compagnie. Pareil pour tout ce cirque à propos du péché. Ils pensent pas vraiment tout ce qu'ils disent, pas vraiment. Tu comprends ?

— J'y réfléchirai, promis-je. Seulement, comment on sait s'ils pensent ce qu'ils disent ou si c'est qu'une parabole ?

Madge haussa les épaules.

— Faut choisir.

A ce moment-là, Stick s'amena en douce près de Madge.

— Ces histoires de péché, ça me met hors de moi ! déclara-t-il.

Et il lui fila un bon coup sur les fesses, puis poussa un cri d'hyène parce que Madge était dégringolée de son tabouret. Midge attrapa le vieux par-derrière, Madge lui sauta dessus par-devant, et le tabouret tomba sur tous les trois. Ils se mirent à se tortiller sur le sol comme des chiots, les sœurs Bandy essayant de glisser la main par les côtés de la salopette de Stick pour lui rendre son coup là où ça fait mal.

Avant longtemps, Bud Bandy passa la tête par la porte.

— Qu'est-ce vous foutez, les filles ? Z' êtes vachement excitées, c'est toute cette bière ? Puis il m'aperçut, assis comme un idiot sur mon tabouret de bar. J'peux pas vous laisser contribuer au dévergondage de ce mineur.

— Merde, c'est le gamin de Zeke Justice. On contribue à rien du tout, fit Madge en riant.

Les sœurs Bandy et Stick se ramassèrent. Stick tenta encore un geste vers le cul de Madge, mais elle l'arrêta d'un revers du bras en pleine figure. Il hurla de rire bien qu'elle vînt de lui déchirer la lèvre.

— Gaffe à ce que tu dis, petite sœur, fit Bud. C'est du père de ce jeune homme que tu parles.

— C'est peut-être un père, mais c'est aussi un homme, répliqua-t-elle.

— Madge ! fit encore Bud.

— Ouais, faites gaffe, répétai-je. Je la fermerais, moi, si je puais autant que vous.

Madge leva la main comme pour me gifler. Mais sa main demeura suspendue en l'air. Elle était peut-être trop étonnée pour la rabattre. D'ailleurs, le bras en l'air, comme ça, elle devait sentir nettement à quel point elle puait. Elle me regarda fixement, la bouche ouverte et les yeux exorbités, jusqu'à ce que sa main se mette à trembler.

Bud Bandy gloussa et s'interposa entre sa sœur et moi. Il leva le nez et renifla un bon grand coup à la manière d'un chien de chasse.

— T'as p't-être raison, fils, t'as p't-être bien raison. Mais c'est pas le genre de choses qu'on dit à une dame. Souviens-toi de ça quand t'iras courir la gueuse.

Pendant ce temps, Madge avait laissé retomber sa main. Je lui dis que j'étais désolé.

Elle hocha la tête en tortillant du cul.

— T'es juste jaloux parce que c'est pas pour toi.

— C'est sûrement ça, lui dis-je.

— C'est mieux, fils, approuva Bud Bandy. C'est comme ça qu'il faut leur parler.

Il alla se chercher une Colt 45.

— J'ai entendu dire que ce vieux Zeke avait touché le jackpot au *Bo-Peep's*.

— Je croyais que c'était les mauvaises nouvelles qui circulaient vite, pas les bonnes.

— Eh bien, ces choses-là se savent. Ton père et moi, on est pas exactement des inconnus.

— C'est *lui* qui vous l'a raconté ?

— Pas vraiment, fit-il, embarrassé.

— Eh bien, je vais vous en raconter un autre, de secret : moi aussi, j'ai gagné. Trente-deux dollars. Mon père avait parié pour moi.

— C'est vrai ? T'es riche, alors. Qu'est-ce que tu vas acheter avec tout cet argent ?

— Je sais pas. Un bateau, ou un truc comme ça.

Je ris de moi-même avant qu'aucun d'eux ne puisse le faire. Avec trente-deux dollars, on ne pouvait acheter que dalle. Mais Bud Bandy me prit au sérieux.

— Quand tu auras ton bateau, je t'aiderai à t'en occuper, promit-il.

Dehors, un éclair sauta de nuage en nuage. L'orage allait sans doute faire long feu, comme d'habitude quand l'après-midi n'était pas plus avancé, mais je pris le mauvais temps comme prétexte pour m'en aller.

— Pas envie de me faire tremper, expliquai-je à Bud Bandy. Merci pour la proposition.

Je repartis à pas rapides le long du Lazaretto. Sous les nuages, devant moi, la pluie tordait ses rideaux gris. Elle tombait sur la rivière de Channington, ce qui signifiait qu'elle gagnerait le large en évitant l'Isle of Hope. Je repensai à ce que m'avait dit mon père à propos de la guerre perdue contre les Marster, contre le Sud en général. Ça paraissait vrai, à le voir balancer, en équilibre instable, à la limite de l'acceptation. Tout le monde l'aimait bien, ici, même s'ils attendaient sa chute. Il était propriété publique, comme un bon commérage. Juste aussi bon que son dernier match.

Quand je rentrai de chez Bud Bandy, cet après-midi-là, les herbes des marais s'agitaient furieusement dans un bruit de lames qu'on aiguise, et notre maison sur la route du Lazaretto résonnait de glapissements et de jurons. La magie de Mrs. Stafford devait avoir mal tourné pour mon père. Je l'entendais de la route. Il criait et gémissait, faisait autant de tapage que les justes et les élus dans la tente des prédicateurs ambulants à Sandfly Crossing.

Je ne vis pas Evangéline, mais je la sentais quelque part dans la maison, prête à se matérialiser derrière une porte à demi fermée ou une réflexion à demi formulée. Je montai, regardai dans la chambre, puis trouvai mon père dans la pièce où il gardait ses livres et ses souvenirs de base-ball, un bureau et un divan. Dans le plancher de bois étaient incrustées les quatre couleurs du jeu de cartes, les mêmes signes de chance que dans l'établissement de Bo-Peep. Mon père était couché sur le divan, enroulé dans une épaisse couverture, les mains croisées sur la poitrine comme celles d'un mort. Il frissonnait, sa peau était d'un vert d'alligator et il avait le front et la lèvre supérieure inondés de sueur. Quelque chose ne sentait pas très bon.

Il se calma un peu en me voyant entrer.

— Merde, Timmy, où t'étais ?

— Nulle part. J'ai marché. Suis allé chez Bandy.

— Ne va pas là. Pourquoi t'es allé là ?

— Savais pas où aller. Je faisais que tuer le temps, vous savez. Bud a entendu dire que vous aviez gagné votre pari.

Mon père tournait la tête de côté et d'autre. De droite à gauche, de gauche à droite, se débattant, cherchant à s'ajuster. Il gémit.

— Ça c'est Peep qui bavarde, qui raconte ma bonne fortune à tous les vents.

— Vous avez encore l'argent ? demandai-je.

Il tapota la poche droite de son pantalon d'uniforme.

— Ouais. Il est là. C'est ma planche de salut. Je me séparerai jamais de ce pantalon. C'est un pantalon porte-guigne, mais la poche qui est dedans porte chance. Qu'est-ce que tu piges à ça ?

Il recommença à agiter la tête, puis il pensa à quelque chose.

— Merde, ta mère a appelé un docteur. Il va couper ce pantalon pour me l'enlever. Il va couper mes poches. Je veux pas voir ce docteur.

A cet instant précis, la sonnette retentit en bas et la porte grillagée s'ouvrit et se referma. On entendit dans l'escalier le pas massif et imbu de son importance du Dr. Fairchild, le médecin de famille.

— Vous en faites pas, papa, c'est jamais que pour votre jambe, murmurai-je tandis que Fairchild montait l'escalier. Je sentis une bouffée plus forte de cette odeur : c'était la chair de mon père qui se gâtait sous la couverture.

En haut des marches, je croisai le Dr. Fairchild qui s'avançait, suivi de ma mère tout agitée. Il ne fit pas attention à moi. Je descendis dans la cuisine, m'assis à la table, et me rongeai les ongles un moment.

Quelques minutes plus tard, Evangéline me rejoignit. Elle s'assit près de moi, son coquart de mon côté : exhibant sa douleur. Je me félicitai de posséder la moue Marster. Baissant le nez, j'examinai les miettes sur le sol, les bouts de fil sur mon pantalon, tout sauf ce que mon père avait fait à ma mère. Dans la maison silencieuse, nous écoutions ses plaintes et ses cris, et le Dr. Fairchild en train de lui dire comment il devait encaisser.

Peu de temps après, le médecin redescendit en frappant sa sacoche contre ses jambes. Il était entouré d'un nuage d'odeur de désinfectant. Il alla droit à l'évier, ouvrit le robinet d'eau chaude et commença à se récurer comme s'il venait d'échanger une poignée de main avec un lépreux. Quand il eut fini, il tendit l'essuie-mains à ma mère avec la mine qu'il aurait eue s'il s'était agi d'un rat crevé.

— Vous feriez mieux de mettre ça à la lessive, madame. Tout de suite.

— Laissez-le dans l'évier, Dr. Fairchild. Je m'en occuperai, fit Evangéline, laconique.

Le Dr. Fairchild vint s'asseoir à la table.

— Je n'ai jamais rien vu de pareil ! Une plaie recousue avec des cheveux humains. Pas étonnant qu'elle se soit infectée.

— Des cheveux d'homme ou de femme ? interrogea ma mère.

— Euh… Eh bien… je ne sais pas au juste, balbutia le Dr. Fairchild. Ils étaient assez longs pour faire les points. Remarquez, il y en avait plus d'un là-dedans. Je ne pourrais pas dire.

Le docteur surprit mon regard posé sur lui.

— Que sais-tu de tout ça, mon garçon ? Allons, réponds-moi. Ton père s'est trouvé en grand danger.

Je fis la moue Marster, mais avec des mots.

— Y a des gens de là-bas qui nous ont aidés. J'ai pas vraiment vu ce qu'ils faisaient, ils étaient tous autour de lui. Leur homme-médecine l'a soigné. On n'a pas eu tellement le temps de se poser des questions.

Le Dr. Fairchild revint à sa science.

— J'ai percé l'abcès et je lui ai fait une injection antitétanos, annonça-t-il. Et un antidouleur. Il devrait dormir, maintenant.

Il refusa le thé glacé que lui proposait ma mère. Il posa enfin les yeux sur son coquart. Il lui avait fallu tout ce temps pour le remarquer. Pour un médecin, il n'était guère observateur. Il le regarda fixement, puis se détourna deux fois plus fixement, et on voyait bien qu'il était en train de se demander quel rapport pouvait exister entre un coup de queue d'alligator et un œil au beurre noir chez une femme blanche respectable.

Il se leva. Il devait avoir décidé qu'il était temps de s'en aller avant de découvrir quel était ce rapport, sans aucun doute une chose dont il préférait ne rien savoir, pas plus que de blessures recousues avec des cheveux.

IX

Une sangsue est une chose noire, luisante et gluante, qui vit dans les eaux mortes des marais, et qui vous sucera tout votre sang si vous lui en donnez l'occasion. Vous le comprendrez donc, je ne savais pas ce qu'une sangsue allait avoir à faire dans ma maison, avec sa clôture de bois, son balcon et sa balancelle sur le perron, mais je supposai que je le découvrirais bien assez tôt. J'attendrais et la réponse se présenterait, que je le veuille ou non. J'étais sur une île, et il n'y a pas grand-chose d'autre à faire pour quelqu'un qui vit sur une île et n'a pas les moyens de s'en tirer que d'attendre et d'ouvrir l'œil.

Après le départ du Dr. Fairchild, ma mère monta s'assurer que la piqûre antidouleur avait produit son effet. Assis sur les marches du perron, je regardai l'orage s'éloigner sur l'océan. La barque de mon père, amarrée à notre dock flottant, là où je l'avais laissée le matin même, un ou deux ans auparavant, était descendue avec les eaux du Lazaretto, aspirées par la marée basse. Je contemplais ce petit bateau en rêvant d'évasion.

Evangéline apparut sur le perron et referma la porte à mouches derrière elle, soigneusement.

— A ton avis, puis-je aller comme ça faire les courses de ménage ?

— M'dame ?

— Ne prends pas tout le temps cet air ahuri. Est-ce qu'à ton avis je peux aller me balader dans

Broughton Street en plein jour avec cet œil au beurre noir ?

— Je pense pas, m'dame.

— Il va falloir que je te demande d'aller avec quelqu'un que je connais, Mr. Calvin Fleetwood, chez cette moricaude qui élève des sangsues.

— Il faut deux personnes pour transporter une sangsue en automobile, m'dame ? demandai-je.

— Fais attention à ce que tu dis, mon garçon.

— Excusez-moi, je pensais tout haut.

Elle rentra dans la maison. Je comprenais deux choses. Que nous attendions Mr. Fleetwood, et qu'aller chercher la sangsue représentait ma punition pour avoir passé la nuit à Callibogee. Je récupérai une des balles qui étaient restées sous la balancelle et me mis à la frotter, bien qu'elle n'en eût pas besoin. Je m'entraînais à enfoncer mes ongles dans les coutures. J'entendis nettement, dans le salon, le grincement de la porte de l'armoire à remontants qu'on ouvrait et qu'on refermait. Je méditai sur ce grincement. Pourquoi ne huilait-on pas cette porte, de manière à pouvoir accéder aux remontants sans que toute la maison le sache ? Bien qu'il ne fût pas interdit de lever le coude, ce n'était pas non plus une chose qui avait besoin de publicité, surtout en plein milieu de journée. Or c'est ça que faisait cette porte grinçante. De la publicité.

Après un certain temps que je passai en de telles réflexions, dont aucune ne me rouvrirait les portes de mon école, Mr. Fleetwood s'amena. Il préféra ne pas entrer dans la maison. Mr. Fleetwood était un homme prudent, trapu, au teint rubicond, de la même nuance de brique brûlée que Jefferson Marster. Mais il n'y avait pas dans la voix de Mr. Fleetwood la moindre goutte de ce beau ton de lamentation qui coulait dans le sang Marster. Sans doute était-ce là ce qui faisait de lui le candidat idéal pour une expédition à la recherche de sangsues.

— J'espère que Mr. Justice se sent mieux, dit-il à ma mère en se tordant les mains, comme de désespoir.

— Il est toujours le même, assura-t-elle. Il dort encore.

Nous étions tous trois plantés sur le perron. Mr. Calvin Fleetwood semblait éprouver autant d'intérêt que moi pour les planchers. Pendant qu'il étudiait celui du perron, j'eus l'occasion de l'étudier, lui. Il ne paraissait pas plus pressé de jeter un œil sur le coquart de ma mère que je ne l'avais été. Pauvre Evangéline, elle avait si grande envie de l'arborer, et tout le monde était trop poli pour ne pas regarder ailleurs. Elle dominait Mr. Fleetwood de son œil au beurre noir. Entre elle et lui, c'était à elle qu'appartenait l'autorité. Pour quelle autre raison un homme irait-il chercher une sangsue pour une femme ornée d'un coquart que lui a mis un autre homme, lequel se trouve être son mari ?

— L'orage s'éloigne, n'est-ce pas ? Pensez qu'il va revenir ? Ça arrive parfois, conjectura-t-il sans cesser de se tordre les mains.

Ni Evangéline ni moi n'avions d'opinion sur le sujet. Tout pouvait survenir d'un ciel comme celui-là, y compris des sangsues.

— Eh bien, mon garçon, on dirait qu'il faut y aller. Nous avons une tâche à remplir.

Le croiriez-vous ? Calvin possédait une Cadillac Fleetwood. Je me demandai s'il avait adopté le nom de sa voiture. Sa Caddy n'était pas neuve, mais elle sentait la voiture neuve. Il devait avoir une pleine bombe de cette odeur et en pulvériser à l'intérieur chaque fois qu'il venait voir Evangéline. Il remonta les vitres au moyen de la commande à distance et nous partîmes en longeant la rivière puis par Wormslow Road, pour quitter l'île du côté de Sandfly Crossing, là où se trouvait le marchand de spiritueux. Le climatiseur soufflait un froid glacial.

— Des bons à rien, ces nègres, fit Mr. Fleetwood sur un ton plutôt plaisant, en accélérant pour dépasser une bande de Noirs qui longeaient la route de Sandfly en file désordonnée.

Je contemplais le paysage. Après un moment, on longea le parc de l'institution méthodiste pour garçons. Des barrières bien entretenues, un portail en pierre, des vaches grasses paissant dans les prés. Au bout de l'allée bordée de chênes se trouvait le home où vivaient les orphelins. Je me les imaginai en train de regarder par les fenêtres cette voiture de riche qui passait avec un homme et un garçon à l'intérieur, et de penser qu'ils aimeraient avoir une famille normale, comme celle qu'ils se figuraient que nous avions.

Je me sentais tenté de leur proposer un échange.

Mr. Fleetwood conduisait, serein, articulant les paroles d'une chanson country que jouait la radio et mâchant son chewing-gum en cadence. Au bout de quelque temps, il ralentit et, quittant la route pavée de Chatham County, engagea sa Cadillac dans un chemin de terre rouge. Nous traversâmes une demi-douzaine de pistes qui s'enfonçaient sans indication dans les bois et les broussailles.

— Personne ne vient ici à part les nègres, dit-il d'un air ravi.

C'est comme ça qu'ils sont, ces durs à cuire du Sud. Tous, ils détestent les Noirs, mais si par hasard ils se trouvent avoir une raison quelconque de s'égarer sur leur territoire, ils en sont tout excités. C'est la grande aventure, pour eux.

— Personne, à part eux et les Blancs qui trafiquent avec eux, fis-je.

Cette remarque blessa Mr. Fleetwood.

— Dis donc, toi. Je rends service à ta mère, et donc à toi aussi. Tu crois que j'ai rien d'autre à faire que de foutre en l'air mon pot d'échappement sur ces vieux chemins de terre, juste pour aller chercher une sangsue ?

Haussant les épaules, je me replongeai dans la contemplation du paysage. Ici et là, on apercevait de grossières cahutes à moitié cachées entre les pins, les unes sur des soubassements de briques rouges, d'autres plantées à même le sol. Chacune était entourée d'un champ de débris et d'objets inutilisables qu'on pourrait peut-être rendre utilisables à nouveau, à condition de disposer, pour les réparer, de l'ingéniosité du diable et de l'éternité de Dieu.

Alors le ciel s'ouvrit. Une pluie grise et lourde se mit à tomber tout droit comme d'un robinet. Il n'y avait pas un souffle de vent pour infléchir les lignes d'eau. J'éternuai une ou deux fois puis, en dépit du climatiseur, appuyai sur le bouton servant à baisser la vitre. Mr. Fleetwood saisit l'allusion et coupa le ventilateur. La pluie faisait lever du sol une odeur de pourriture mi-végétale, mi-animale, une odeur lasse et pesante que ne diluait pas la brise soufflant de l'eau sur Hurt's Landing.

— Beau temps pour les sangsues, commentai-je à l'intention de Mr. Fleetwood.

— Tu es étrange, répondit-il. Mais faut bien dire que tu as raison. Si j'étais une sangsue, je suppose que j'aimerais ce genre de temps, moi aussi.

La voiture s'affala dans un nid de poules. Une averse de boue liquide d'un jaune rougeâtre, couleur de diarrhée, éclaboussa le pare-brise. Mr. Fleetwood poussa quelques jurons inoffensifs. Quelques minutes plus tard, il se rangeait sur le bord du chemin.

— Bon, nous y voilà. Beau temps pour les sangsues, mais pas pour nous. Va falloir qu'on attende.

La pluie tombait si raide et si dru que je pouvais garder ma vitre baissée sans craindre d'éclaboussures sur les garnitures intérieures de Mr. Fleetwood. Nous étions garés au bord d'un bosquet : quelques pins et des arbres amateurs d'eau, tels que des saules et des peupliers, un endroit où un lapin aurait pu vouloir se terrer.

Ou un poisson-crapaud dans mon genre, tant qu'on y était. Remarquez, les bois de pins n'étaient pas mon élément, à vrai dire. On y trouvait trop de nature. Pour moi, la nature n'était qu'un moyen de communication, une possibilité de fuite, l'eau autour de mon île. J'évitais la nature ; pour réfléchir, je préférais la proximité des structures humaines et des dispositifs de la foi. Les chapelles, par exemple, surtout celles sur pilotis. Merde. Si j'avais prévu que j'aboutirais dans cette version banale, mesquine et motorisée de l'enfer, en compagnie d'un collecteur de sangsues, pourvoyeur de ma mère, j'aurais trouvé un autre moyen de mener mes investigations théologiques, un moyen qui aurait échappé à toute détection.

J'avais le loisir de considérer mes crimes. Comme tout pécheur digne de ce nom, je demeurais impénitent. J'étais même convaincu en secret de mériter des louanges et non un châtiment pour ma station sous la Pax Chapel. J'étais descendu là, plaidais-je devant un arbitre invisible, afin d'examiner le sujet de ma foi. Parce que j'*étais* croyant, croyez-le ou non, parce que je prenais au sérieux les paroles du père Dooley. Littéralement. Ce qui faisait de moi un croyant de la pire espèce, un fondamentaliste. Sans cette foi, je serais resté là-haut, sur le plancher de chêne, avec les autres jeunes soldats bénédictins, pour qui les visions du père Dooley n'importaient pas plus qu'un peu d'eau sur le dos d'un poisson-crapaud.

Un pécheur impénitent. Un pécheur convaincu de la supériorité de son péché. Car pour atteindre à la foi, je n'avais nul besoin d'illusions efficaces ni de lieux de culte splendides. La foi se trouve, littéralement, dans chaque tour de phrase que j'utilise. Elle informe et forme mes mots. La foi est une excroissance naturelle de mon péché d'orgueil, ou de vanité. Je croirai comme il me plaira et adorerai de la façon la plus perverse si ma foi l'exige. Vous autres, tous les autres, vous pouvez rester dans vos stalles gravées à vos initiales, drapés dans vos robes malodorantes ! J'affronterai seul la terreur de la foi littérale.

Est-ce bien réfléchi, ça, père Damian Dooley ? pensais-je en regardant la pluie qui se calmait. Vous avez demandé un rapport écrit ? Vous l'aurez, d'une manière ou d'une autre. Je vais réfléchir au point de vous dépouiller de vos habits ecclésiastiques. Je vais réfléchir comme le ciel réfléchit toute l'amertume de Hurt's Landing. Je vais réfléchir comme un miroir réfléchit le soleil – en vous aveuglant d'une illumination brutale !

Alors, tel un signe du Seigneur, à croire qu'Il me récompensait de ma révolte, la pluie cessa, la route et les broussailles s'illuminèrent sous un soleil de plomb. Dans l'air vaporeux, des mouches vinrent se poser en masse sur les pare-chocs chromés de la Cadillac pour prendre la chaleur. Je me tirai de la voiture de Mr. Fleetwood une ou deux secondes avant de suffoquer dans cette atmosphère imprégnée de pets, de chewing-gum, de country music et de climatiseur.

Nous nous retrouvâmes au bord de la route, et il regarda ses mocassins d'un air piteux. Ils étaient déjà maculés de glaise liquide. Il n'était vraiment pas habillé pour une expédition de chasse aux sangsues.

— Le sentier est quelque part par là, dit-il en indiquant un fouillis de peupliers.

Il paraissait bien connaître le chemin. Il avait dû venir souvent voir la dame aux sangsues. Pour le compte de quels yeux au beurre noir ? me demandais-je. Nous partîmes, lui en tête.

— Sûr que t'as pas peur ?

— Non, m'sieu.

— Ne m'appelle pas monsieur. Appelle-moi Cal.

Mon pote Cal. J'avais horreur de ces façons d'amitié instantanée. Comme si nous étions deux boy-scouts en train de crapahuter dans les bois pour gagner des badges en collectionnant des invertébrés. Je m'autorisai un sourire en voyant ses mocassins couverts de boue couleur chiasse de bébé.

Puis la cahute apparut entre les arbres, à la façon locale, sans autre indication ni avertissement du fait qu'un être humain pouvait habiter dans les parages. Il n'y avait pas de voitures rouillées autour de celle-ci. Pas de route pour les amener.

Mr. Fleetwood s'arrêta net.

— Hé, moricaude ! Hé, Theresa ! cria-t-il. J'ai une commande pour toi. Sors de là et viens nous parler !

On n'entendait pas un son humain dans ces bois. Juste quelques oiseaux qui se carapataient à travers les branches pour fuir la voix nasillarde de Mr. Fleetwood. Et le vent dans les pins qui soupirait, solitaire. Je ne sais pas pourquoi des gens se construisent leur maison dans ces bois de pins où le vent souffle même les jours les plus calmes avec un bruit rappelant les voix des chers disparus.

— Pourquoi vous allez pas frapper à la porte ?

Mr. Fleetwood secoua la tête en un rare moment d'humilité.

— On ne peut pas faire ça, ici.

Ce ne fut pas nécessaire. La porte à mouches de la cabane claqua et même à distance je pus voir combien la fille aux sangsues était belle. Mille fois plus belle, sinon plus idéale, que la statue blanchâtre de la *Pudentia* nue au musée Telfair. Elle était vêtue d'une robe de cotonnade. Elle s'avança jusqu'en haut des marches du perron en traînant la jambe. La polio. Quelqu'un n'avait pas pris garde. On avait laissé s'atrophier la jambe de cette beauté.

Elle s'appuya contre un des montants du perron et pointa sa canne vers Calvin Fleetwood.

— Avancez-vous.

Nous traversâmes la clairière vers sa maison.

— Elle sait évoquer les fantômes et jeter des sorts, chuchota bruyamment Fleetwood à mon intention. Mais tu dois pas t'en faire, du moment que tu es avec moi.

Peut-être aurait-elle pu jeter un sort à Mr. Calvin Fleetwood et le faire disparaître, que je puisse avoir cette fille pour moi seul. Nous montâmes les marches du perron, qui ployèrent sous notre poids. Theresa me dévisageait ouvertement et cette fois je ne me sentis pas l'envie de pratiquer la moue Marster. Je lui rendis son regard. Quand je fus satisfait, je parcourus des yeux sa jambe invalide puis les planches du perron et, devant la cabane déglinguée, la bassine de tôle galvanisée dans laquelle un morceau d'une viande quelconque trempait dans une eau noire.

Une beauté avec une jambe invalide qui élève des sangsues dans une bassine sur le perron délabré de sa cabane. *Voilà* ce que ma mère avait voulu que je contemple. Le châtiment qu'elle m'avait inventé. Un point pour l'éducation Marster !

Theresa se détourna et s'approcha de la bassine, du côté ombragé du perron. Nous la suivîmes. Je jetai un coup d'œil à cette soupe noirâtre. Les sangsues étaient accrochées à la viande comme des porcelets à une truie.

— Ça que vous voulez ? demanda Theresa à Mr. Fleetwood.

— Ouais.

— Voulez en cueillir une vous-même ?

— Petite impudente, tu…

— Alors je vais vous en cueillir une.

Elle abandonna sa canne debout sans point d'appui, et si je ne l'avais pas attrapée la canne serait tombée dans l'élevage de sangsues. Theresa prit une boîte d'allumettes dans une des poches épinglées sur sa robe et se pencha. Sa robe se releva derrière dans le mouvement et j'eus amplement le temps de contempler cette peau sans défaut, couleur de miel sombre, par-dessus les muscles atrophiés. Une vision digne d'être adorée. Mais que toute mon adoration ne corrigerait jamais. Elle détacha une sangsue du bloc de je ne sais quelle viande et la glissa dans la boîte. Puis la boîte passa dans la main de Mr. Fleetwood.

— Je vous en ai choisi une bien assoiffée, lui dit-elle.

— C'est très aimable à toi. Il sortit son portefeuille. Qu'est-ce que je peux t'en donner ?

Theresa se redressa et reprit sa canne. Elle la pointa vers moi.

— Je le prendrai, lui.

Je le jure, mon cœur tomba raide dans ma poitrine, tel un type pendu à un arbre lors d'un lynchage. Je sais que ce n'est que superstition de l'espèce la plus primitive, mais cette canne me paraissait soudain débordante de magie. Je fis un pas vers Theresa.

Alors j'entendis Calvin Fleetwood émettre un petit rire épais, graisseux, haïssable.

— Oh, il reviendra ici en douce pour te voir et salir ses chaussures, comme tous les autres ! Mais pas aujourd'hui, fillette. Si je le laisse ici avec toi, sa maman ne me le pardonnera jamais. Et ça, ça ne se peut pas.

Theresa hocha la tête. Elle avait tout compris.

— Voilà pour qui est la sangsue, constata-t-elle.

Mr. Fleetwood répondit avec un billet roulé. Je ne pus pas lire le chiffre qui y figurait.

L'argent lui répondit, mais ne la fit pas taire.

— Vous n'aviez pas le droit de l'amener ici, vous autres. Il n'a fait de mal à personne. C'est pas lui qui a causé le mal, je le sais.

Ensuite elle me toucha avec sa canne, au creux de l'estomac. Sans un mot. Ses yeux étaient pleins de gravité et de compréhension. Ce geste était magique, censé soulager la peine. Mais il eut l'effet contraire. C'était le toucher de la connaissance, et avec lui vint plus de peine encore.

Sur la route du Lazaretto, ma mère fit autant de cinéma pour accepter la boîte d'allumettes de Calvin Fleetwood que si elle avait contenu une bague ornée d'un diamant et non un parasite invertébré suceur de sang. Mr. Fleetwood s'agita, se tordit les mains, s'enquit de l'état de mon père, puis s'en retourna vers sa voiture éclaboussée de boue.

Cette nuit-là, dans ma petite maison de bois blanche et propre, je fermai les yeux et vis Theresa sur son perron branlant. Son visage finement sculpté, ses yeux en amande, sa peau de miel, son élevage de sangsues dans l'eau noire de la bassine. Evangéline, déclarai-je à l'adresse de ma mère, sous prétexte de m'administrer une leçon de morale, vous m'avez envoyé là-bas. Vous avez pris un risque fou, de m'exposer à tant de beauté. Non que vous puissiez jamais la voir ainsi ; ni que vous ayez jamais mis les pieds là-bas de votre vie. Mais j'y suis allé, moi, et maintenant que je sais ce que je sais, maintenant que je la veux, il n'y aura plus moyen de ne pas le savoir.

X

La journée du lendemain débuta dans les drames publics et privés. Les *Savannah Indians* mirent mon père pour quinze jours sur la liste des incapacités temporaires. Un accident de chasse, rapportaient les pages sportives. Le drame privé, ce fut qu'après avoir passé la soirée précédente dans sa chambre avec le contenu de la boîte d'allumettes, ma mère redescendit sans son coquart, aspiré, pompé, réduit à une ombre, et, après m'avoir annoncé qu'elle allait à Broughton Street faire des courses, fila en voiture par la route du Lazaretto à travers les ondes de chaleur. Je montai dans l'intention de pisser et que croyez-vous que je découvris ? Une sangsue flottait dans la cuvette, aussi grosse qu'un ballon. Enfin, peut-être pas tout à fait aussi grosse, mais beaucoup plus considérable qu'elle ne l'était quand Theresa l'avait glissée dans la main de Cadillac Calvin Fleetwood. Sangsue dans cuvette. A qui cette démonstration pouvait-elle être destinée, me demandai-je, à mon père ou à moi ? A ce dernier élève, aurais-je parié. L'éducation Marster empruntait de nouvelles méthodes, imaginatives et désespérées.

Je tirai la chasse et renonçai à pisser. Je pouvais me retenir encore un peu. J'irais sans doute faire ça dehors, de l'appontement, dans le Lazaretto.

Je traversai le corridor, frappai à la porte de mon père.

— J'ai entendu dire qu'on vous avait mis sur la liste des incapacités temporaires.

— Empoisonnement par alligator.

Il rit. Le traitement du Dr. Fairchild semblait lui avoir fait du bien. Il paraissait presque joyeux, quoique encore un peu fiévreux.

Il hocha la tête.

— C'était pas très marrant, je peux te le dire. J'ose pas penser à ce que j'ai pu dire. Merde, est-ce que je dois être tenu pour responsable de tout ? J'avais l'impression que ma cervelle allait s'envoler par le trou de mon crâne.

— Vous parliez tout le temps de la plaque de but.

Il fronça les sourcils. Puis repoussa les draps d'un coup de pied en disant du ton de qui veut changer de sujet :

— Je vais te montrer mes glorieuses cicatrices.

Les cheveux de Mrs. Stafford avaient été remplacés par du fil médical standard. La jambe était toujours livide, mais du moins avait-elle retrouvé une apparence de chair humaine. Je le lui dis, puis je parcourus du regard sa chambre de malade. Un paquet de cartes traînait en éventail sur le plancher, des livres étaient empilés sur la table de chevet.

— Pas grand-chose à faire, ici, fis-je avec sympathie.

— Plus que tu ne crois. Je lis l'histoire de la Guerre civile*. J'ai depuis toujours les livres de ce gentleman Caton. Maintenant j'ai le temps de les lire.

— Qu'est-ce qu'ils racontent ?

Mon père haussa les épaules.

— Pas encore fini. Ni les livres ni la guerre.

Il rit, exhibant ses dents abîmées de mangeur de sucre.

— Les guerres civiles, c'est ce qu'il y a de mieux, ajouta-t-il. Ça fait économiser le temps des voyages.

* Que nous appelons la guerre de Sécession. Bruce Caton est un auteur populaire de livres d'histoire. *(N.d.T.)*

— Vous pouvez rire. Mais ce n'est pas drôle, et vous le savez.

— Je suis désolé, Crapaud. Je sais que tu observes tout et que tu te sens frustré parce que tu ne peux rien y faire.

— Je suppose que ça irait mieux si je pouvais me sentir responsable de certaines choses, lui dis-je, recourant à la logique maternelle. Comme ça, au moins, je pourrais en partager la gloire.

— Je suis certain que tu te sens bien assez responsable. C'est le cas de tous les enfants innocents.

Il ramena le drap sur sa mauvaise jambe.

— Je vois que tu as écouté ta mère. Je ne vais pas perdre mon temps à essayer de réparer les dégâts qu'elle provoque. D'ailleurs je n'ai pas le temps de faire ce genre de choses, et pas envie non plus, pour être honnête. Tu es en âge de juger par toi-même. Et en fait, j'ai des choses à te dire, moi aussi. Es-tu disposé à m'écouter ?

— Oui, m'sieu.

— Vois-tu, Timmy, par moments, j'ai peur de passer sur la liste des incapacités permanentes. Au cas où ça m'arriverait, je voudrais qu'un certain nombre de choses soient claires entre nous. D'abord, je voudrais te donner ma barque.

— Oh, merci, m'sieu.

— Pourrais-tu, s'il te plaît, m'épargner cette foutue moue Marster ! tonna-t-il. Je suis en train d'essayer de formuler mes dernières volontés, mon testament, de te donner les moyens de te débrouiller, et tout ce que tu trouves comme réaction c'est de me faire des politesses. Tu as envie de cette barque oui on non ?

— Oui, bien sûr.

— Maintenant, je suppose que tu ne sais pas d'où vient le nom de mon bateau ?

— Je me le suis demandé.

— Tu te l'es demandé en silence. Alors écoute ma petite histoire. Elle n'est peut-être pas vraie à cent pour cent, mais ça n'a pas d'importance.

Ne laisse jamais la vérité se mettre en travers d'une bonne histoire. Ma famille vient du Canada, ça, je sais que tu ne le sais pas. C'était qu'une bande de petits fermiers français qui élevaient leurs cochons près de Sainte-Perpétue, au Québec, la sainte perpétuelle comme je disais quand j'étais gosse, et ils étaient aussi pauvres et aussi sales que la soupe qu'ils donnaient à manger à leurs porcs. Et quand il n'y a plus eu le moindre boulot à trouver dans tout le Canada français, ils sont descendus dans le Massachusetts et ont vendu à une quelconque usine leurs foutues âmes de catholiques fidèles à Jésus et à Marie. Bon, tout le monde connaît cette histoire, hein ? Les gens sont toujours en route. Surtout les Français, dans cette partie du monde. Si tu grattes la surface d'un tas de mots d'ici, et d'un tas de noms de personnes ou de villes, tu trouves du français. Mais la moitié du temps on ne s'en aperçoit plus, vu la façon dont on les prononce.

— Dites-moi quelque chose en français, lui demandai-je.

— Oh non, je pourrais pas. J'ai oublié depuis longtemps. J'ai dû me donner du mal pour l'oublier, et je ne suis pas près de recommencer à m'en souvenir. Je crois que j'ai réussi. Pas la peine de se souvenir de ça si on veut être un Américain normal. Bon, qu'est-ce que je disais ?

Il se déplaça d'un côté sur l'autre, essayant de trouver une position confortable pour sa tête sur les oreillers. Mais les oreillers paraissaient bourrés de pierres.

— Imagine, dans le Massachusetts, une usine yankee à l'ombre de laquelle je suis né, moi, Elzéar Lajustice, Elzéar le Juste, et ainsi baptisé, amen, nom de Dieu. Dans le Massachusetts, je voulais être un vrai Américain. Pour mes parents il était trop tard. Pas beaucoup de chances de devenir américain si tu parles à peine anglais. Moi je voulais être un Américain du Massachusetts, et j'étais doué pour imiter les Américains qui m'entouraient, et donc je suis bientôt devenu l'un d'eux. Et cet Américain s'est fait appeler Zeke Justice, du nom que tu me connais. Et voilà, merde, Crapaud, j'aurais dû en rester là. Ç'avait déjà été dur de devenir quelqu'un. Devenir un autre est absolument épuisant. Mais je n'en suis pas resté là. Je suis venu par ici jouer au base-ball, j'ai rencontré Evangéline et je t'ai aussitôt mis en route. La famille de ta mère a la peau aussi épaisse que le *Merrimac**, et j'ai dû me battre pour me frayer un chemin à travers cette armure et me faire un peu accepter, j'ai dû me transformer en homme du Sud. Eh bien, j'ai découvert qu'il est beaucoup plus difficile de se transformer en homme du Sud qu'en Américain du Massachusetts, d'autant que j'étais plus âgé, à ce moment-là. Quand on est jeune, un gamin, comme toi, on est plus souple. J'ai échoué. J'ai perdu la Guerre civile. J'ai été vaincu à Callibogee par un alligator mort. Alors si tu veux ma barque, je te demanderai de lui garder son nom, l'*Elzéar*, jusqu'à ce qu'elle finisse quelque part au fond d'une voie d'eau.

— Une fois qu'un bateau est baptisé, son nom est son nom, promis-je.

— Juste comme une personne. Il eut un rire amer. Alors tu me le jures ?

— Je vous le jure. Vous êtes sûr que vous vous sentez bien ?

— Non. Mais est-ce que ça rend ton serment moins solennel ?

— Non. Au contraire.

— Bien. Au moins tu comprends ça. Maintenant, fils, vaut mieux que tu t'en ailles ; laisse-moi.

Je fis ce qu'on me disait. Je me fis rare. Je descendis et, debout sur le perron, contemplai la rivière. *Tout ça t'appartient.* J'entendais la voix. Comme si l'histoire Marster ne suffisait pas, voici

* C'est le nom du premier bateau "cuirassé" des Etats du Sud. *(N.d.T.)*

maintenant les errances d'Elzéar Lajustice. Ce n'est pas le genre de choses qu'on peut refuser poliment, quand on vous les offre. *Non, merci, ce passé ne me plaît pas. J'en préférerais un autre ou, si possible, pas de passé du tout.*

Au moins, avec le passé de mon père, j'avais reçu un bateau.

Je descendis sur le dock flottant, puis sur l'*Elzéar*. J'allais devoir prononcer ça autrement, dorénavant, d'après le nouveau nom de cet homme. Pas son nouveau nom, en fait ; son nom d'origine. Pas Elzîîr*. El-zé-âr.

Mais quel que fût le nom de la barque, l'essentiel était d'y monter et de foutre le camp de Hurt's Landing. Je fis le plein avec le gros bidon qui se trouvait dans l'abri à bateaux et vérifiai le niveau d'huile. Il me fallut plusieurs tentatives pour faire démarrer l'Evinrude. Ce moteur était comme une vieille jument. Il avait besoin de reconnaître votre main avant de coopérer.

Et ce n'est pas avant de m'être retourné pour voir diminuer et s'éloigner les maisons de Hurt's Landing que j'appréciai le saut que je venais de faire. J'avais toujours été en possession d'une île lourde, dense, étouffée par la mousse parasite du passé. Désormais, j'avais un bateau pour m'en aller de cette île.

Au milieu de mes alléluias et actions de grâce, je faillis me prendre dans un piège à crabes flottant. Quand je m'en fus dégagé et pus de nouveau regarder derrière moi, je ne vis plus rien. Plus rien que le flot vert noirâtre du Lazaretto et, sur chaque rive, des arbres et des roseaux. Hurt's Landing avait disparu. Une fois le hors-bord lancé à plein régime dans un vacarme infernal, je commençai à émettre toutes sortes de jappements et de hurlements, juste pour m'exercer la voix car il y avait un bout de temps que je n'avais plus

* Faut-il rappeler que Timmy Justice, étant anglophone, prononce la diphtongue *ea* comme un *i* long ? *(N.d.T.)*

chanté. Après un moment, je me sentis un peu insatisfait de ne produire que du bruit, mais qu'y pouvais-je ? je ne disposais pas encore de mots à moi. Cette fois, ça n'avait pas d'importance. Ce qui comptait, c'est que nul ne pouvait m'entendre, là-bas dans les rivières et les marais.

La nouvelle devise de Hurt's Landing : à chacun son refuge !

Le lendemain, je passai le temps, dans le salon, à lire les écrits de ce monsieur Caton sur la guerre de Sécession. En pleine bataille de Shiloh, Rags Scoggin frappa à la porte. Il avait avec lui toute l'équipe des *Savannah Indians.* Ils entrèrent à la queue leu leu, tous en uniforme sauf Rags, qui était vêtu comme un pêcheur de crevettes et en avait aussi l'odeur. Ils avaient l'air de venir pour un pique-nique. Rags s'était muni de sa glacière, qu'il portait sous son bras avec autant d'aisance qu'une miche de pain.

— On est la claque pour remonter le moral à ton père, m'expliqua-t-il. L'autre jour, chez Pinky, je prenais un rafraîchissement avec l'entraîneur des *Indians*, en ronchonnant à cause de mes genoux, comme d'habitude. L'entraîneur me confie que notre Zeke donne des signes d'apathie. Moi, l'apathie, je sais pas ce que c'est, mais je sais que ça ne peut rien valoir de bon si un professionnel m'en parle sur ce ton médical qu'ils ont tendance à prendre. Puisque Zeke peut pas venir voir l'équipe, je décide d'amener l'équipe chez lui. Enfin, tous ceux que je peux rassembler. Ils sont venus, et ils ont apporté leur déjeuner.

L'air un peu hésitant, les joueurs inspectaient l'escalier de chêne et tous les objets Marster qui pesaient de tout leur poids dans le salon. Certains des *Indians* pouvaient avoir une dizaine d'années de moins que mon père, et ils jetaient autour d'eux des regards aussi pleins de révérence que s'ils s'étaient trouvés à Cooperstown*. A en juger par les arômes, le contenu de leurs boîtes à pique-nique semblait provenir de chez Johnny Harris.

— Il me semble que je ne vois pas Mr. Justice, ici, dit Rags, après avoir fait mine de chercher dans toute la pièce.

Je pointai un doigt vers l'étage.

— Il est dans son bureau.

Rags se tourna vers les joueurs.

— Son bureau, répéta-t-il d'une voix chargée de signification, comme si le mot expliquait à lui seul certains éléments du cas d'apathie de Zeke Justice.

Leur troupe prit l'escalier d'assaut, Rags en tête avec sa glacière haut levée comme une offrande, et les joueurs avec leurs boîtes à barbecue Johnny Harris en équilibre sur leurs paumes à la façon des serveurs de pizzas italiens. A mi-hauteur, ils entonnèrent ce vieux chant :

Take me out to the ball game
Take me out to the crowd
Buy me some peanuts and Cracker Jack
*I don't care if I never come back***.

Jamais ce chant ne m'avait paru de si mauvais augure qu'en ce moment où j'attendais, en bas, que cet homme simple au teint rose crevette, qui aimait mon père, tente une guérison dans laquelle intervenaient la fraternité des joueurs de base-ball, des portions de barbecue et le contenu d'un frigo à bière. J'attendais, désœuvré, en parcourant ces pages où Mr. Caton expliquait qui avait gagné et pourquoi, et en quoi la vision de Mr. Lincoln était la plus brillante de toutes, ce qui justifiait sa victoire. En haut, derrière la porte fermée du bureau, je devinais abondance de coups de coude

* Ville où se trouve le Temple de la Renommée, consacré au base-ball. *(N.d.T.)*

** Chant traditionnel qu'on entend à tous les matchs de base-ball : "Emmène-moi au match / Emmène-moi dans la foule / Achète-moi des cacahuètes et du pop-corn / Ça m'est égal si je n'en reviens jamais." *(N.d.T.)*

et de claques dans le dos, et j'entendais fonctionner les ouvre-bouteilles, mais je n'aurais pas pu dire qui envoyait des bourrades à qui, ni avec quel résultat. Je priais et priais qu'ils restent là-haut tout l'après-midi. Je priais – prenez-en note, père Dooley, vieil incroyant en moi. Je priais que l'équipe au complet redescende à cinq heures pour un match prévu à six, trop bourrée pour jouer, et que mon père donne un exemple héroïque en avalant une ou deux tasses d'un café noir brûlant capable de dissoudre la vapeur de malt qui flottait ce soir-là sur les terres basses telle une brume marine, puis en s'installant sur la butte du stade Grayson pour mener les *Indians* à une victoire inattendue. *Justice poétique*, écriraient les commentateurs sportifs. *Triomphe de Justice sur Queue d'Alligator*. Justice du Lazaretto se défaisant publiquement de ses bandages et réapparaissant sur la butte. Et, en vérité, bien que puant et raccommodé avec un fil qui ne ressemble à rien tant qu'à du poil pubien, il est sauvé, amen.

Bercé par ma rêverie optimiste, associée au ronron de ce monsieur Caton et à la chaleur, je dus m'endormir. Une lourde cavalcade dans l'escalier me réveilla. Rags Scoggin remmenait les *Indians*, moins leurs boîtes à pique-nique, et à le voir porter sa glacière d'une seule main, on se doutait qu'elle avait été soulagée d'une bonne partie de son contenu.

Mais Rags Scoggin avait l'air préoccupé.

— J'y comprends rien, Timmy, me confia-t-il au bas de l'escalier. Il a même pas envie de boire un coup. C'est mauvais signe, ça, pour un type du genre de ton père – pardonne-moi l'expression.

— Qu'est-ce qu'il a dit ?

Rags plissa les yeux en se balançant d'un pied sur l'autre.

— Dit ? Je sais pas au juste... Des trucs de cinglé, j'y pige rien... A propos de la guerre de Sécession. Tu sais que je suis pas ce qu'on appelle un homme instruit.

Rags faisait la bête. Quelque chose de sinistre avait transpiré là-haut. Ça se remarquait à l'impatience des joueurs de se retrouver au grand air.

— Mr. Scoggin, lui dis-je, vous devez faire quelque chose.

— Je vais revenir, assura-t-il. Besoin de réfléchir. J'ai pas l'habitude de ce genre de choses, tu sais.

— Revenez vite, fis-je. *Je vous en prie.*

Rags promit. En le voyant refermer la porte à mouches derrière lui, doucement, comme au sortir d'une chambre d'hôpital, je sentis l'inutilité des bonnes intentions.

En l'absence d'Evangéline, qui compensait sa convalescence en achetant tout Broughton Street, et des *Indians*, repartis vers le stade, je restai assis en silence dans la maison, route du Lazaretto ; je la sentais de plus en plus pleine des désordres de mon père. Il me semblait que la pression allait devenir si forte que les murs éclateraient, tel le crâne d'un plongeur en eau profonde. Je n'avais jamais pensé qu'une maison pouvait être si vide et, néanmoins, si habitée.

Il était six heures. Je le savais parce qu'une grande horloge Marster venait de sonner. Je montai, frappai à la porte de mon père et entendis un son étouffé. Je l'interprétai comme une invitation.

La mission caritative de Rags avait laissé la chambre dans un beau désordre. Une douzaine de boîtes de Colt 45, dont certaines dans la corbeille à papier, d'autres non. Une pile de cartons-repas à emporter de chez Johnny Harris, dont la sauce brune douceâtre intéressait les mouches. Et au milieu, mon père, dans son lit, les couvertures remontées jusqu'au menton par trente degrés à l'ombre.

— Je fais la moue Marster derrière votre porte depuis le départ de Rags, avouai-je. On s'en lasse, après un temps. J'ai décidé d'arrêter et de venir vous rendre visite.

Les volumes de Caton gisaient sur le sol, tous ouverts à une page différente. Au-dessous d'eux, on apercevait les signes porte-chance incrustés dans le plancher.

— Comment va cet empoisonnement ?

— Ce n'est plus seulement la jambe. Il se donna un petit coup sur le côté de la tête. J'ai l'impression que ça a gagné la plaque.

Je crus qu'il parlait de base-ball. Merde, qu'aurais-je pu imaginer d'autre ? Je n'étais pas plus instruit en cette matière que Rags Scoggin.

— Votre contrôle a toujours été bon, lui dis-je. Vous n'avez jamais loupé la plaque. Vous n'avez jamais eu de problème de ce côté-là, ni ici ni chez les Grands.

— Du moment que t'as des problèmes de plaque, tu perds ton contrôle. Personne veut me croire. Je fais que leur répéter.

Je n'avais aucune idée de ce dont il parlait. Comment appelle-t-on les gens quand on ne comprend rien à ce qu'ils racontent ? Cinglés. Fous. Zeke Justice, mon père, était fou. Il avait la voix morte, atone. Disparue, toute cette belle vitalité qui avait fait de lui un si brillant causeur et joyeux bambocheur. Et avec elle, ma vie à Hurt's Landing s'en allait. Je n'étais plus le fils d'un héros des *Savannah Indians*. J'étais le fils d'un fou. Je perdais mon héritage. Je perdais ce qui m'appartenait : le sentiment de mon appartenance.

Je fis le compte de mes pertes. Le privilège de réfléchir à mon aise en compagnie de mon camarade de jeu, le Lazaretto. Une occasionnelle expédition au Telfair, destinée à former mon appréciation de la beauté idéale sous la houlette de mon grand-père Jefferson Marster, aux yeux de qui je me situais à peine un cran au-dessus d'un bâtard : rejeton d'une star de terrain vague yankee, dernier bout effiloché de la lignée Marster. Le douloureux enseignement sur le balcon, avec un professeur plus tenté encore que son élève de faire l'école buissonnière.

Des cadeaux empoisonnés, tout ça. Au mieux, un héritage douteux. Mais ils avaient fait de moi ce que j'étais, et je n'avais pas envie de les perdre avant de savoir qui j'allais devenir.

— On y va, dis-je à mon père avec tant d'énergie qu'il sursauta. Levez-vous, il faut vous entraîner. Faut que vous gardiez la forme. Vous lancerez quelques balles. Je vous recevrai.

— Tu ne peux pas me recevoir.

— J'ai un gant, je peux vous recevoir. Venez dehors.

J'allai à la tête de son lit et repoussai la table de nuit. Une liasse de feuilles de papier et un stylo tombèrent sur le plancher. Je vis ce qui y était écrit : des lignes et des lignes de calligraphie avec courbes et ornements. Répétition inutile, fruit d'un cerveau triste et nostalgique, enlisé dans une école religieuse datant d'un autre temps. Il était lourd et inerte, sans plus de ressort que de la pierre.

— Je peux pas rester comme ça, protesta-t-il en pinçant son uniforme. Ce sorcier de Fairchild m'a tout déchiré. Regarde dans le placard.

Une équipe entière de tenues propres pendait à une tringle dans le placard. Son sac était par terre, et dedans son gant Rawlings et quelques balles neuves. J'étalai un uniforme sur le lit.

— Mettez-vous debout, pour voir.

— Je suis pas sûr d'y arriver. Y a un moment que j'ai plus essayé.

Il rejeta le drap et la couverture, et je ne pus que contempler ce que ces quelques jours avaient fait de lui. Pourquoi les habitants de cette maison insistent-ils toujours pour que je voie tout ? Pourquoi ne peuvent-ils défaire leurs pansements ni se débarrasser de leurs sangsues dans l'intimité de leur propre existence ? Mon père avait horriblement maigri, sa peau avait un reflet verdâtre et ses cheveux lui collaient au crâne à la suite de ce séjour prolongé dans son lit. Je ne crois pas qu'il avait mangé depuis les crabes grillés de Callibogee.

Ce qui était certain, c'est qu'il ne s'était pas changé. La jambe gauche de son pantalon avait été coupée au pli de l'aine et son zob chiffonné passait le bout du nez. La jambe droite lui descendait à la cheville, mais le bas en était tout effrangé, comme si des poissons prédateurs s'y étaient attaqués. Il fouilla dans ce qui lui restait de pantalon et brandit une poignée de billets froissés.

— L'argent. Vaudrait mieux que tu t'en charges. Considère que c'est ton héritage.

— C'est à vous. J'ai gardé mes gains, gardez les vôtres. Mettez ça dans la poche de votre pantalon propre. Vous en aurez peut-être besoin un jour.

Le laissant s'habiller, ses billets serrés dans son poing, je descendis. Dehors, je dessinai une plaque de but dans la terre sablonneuse devant le garage. S'il lançait hors cible, la porte du garage arrêterait ses balles. Je m'éloignai sur le chemin à une distance que j'évaluai à soixante pieds et demi et posai une brique sur le sol incrusté d'écailles d'huîtres, en guise de butée du lanceur. Après quoi je l'entourai d'un cercle tracé du bout du pied.

La porte à mouches claqua et mon père arriva en longeant la maison d'une démarche mal assurée ; il boitait et paraissait étourdi par le soleil. Sa tenue d'*Indian* était si propre et si blanche qu'elle reflétait la lumière comme un miroir. Il avait mis sa casquette avec la visière relevée et je voyais bien son visage, crispé dans une grimace de concentration. Il marcha jusqu'à la butte que je lui avais fabriquée.

Il fit basculer la brique du pied, derrière lui, et fronça les sourcils.

— C'est pas formidable comme butée, concédai-je, à soixante pieds six pouces de distance. Mais c'est juste pour l'entraînement.

— Juste pour l'entraînement. Il hocha la tête.

Il rabaissa sa visière. Secoua la tête une demi-douzaine de fois, pour chasser les mouches. Puis se mit à l'ouvrage.

Il balança le bras pour prendre son élan, leva la jambe gauche, sa main droite, qui tenait la balle, allait passer devant lui comme une fusée au moment de l'envoi, *balle à effet*, pensai-je en me préparant à m'ajuster à ces petits sauts et à ces changements de direction que vous font de telles balles juste quand on croit savoir où elles vont. J'avais des fourmis au bout des doigts et je sentais vivre ma peau, parce qu'il s'agissait ici du vrai jeu, du seul jeu, et que j'y jouais avec mon père.

Alors il s'arrêta. Il s'arrêta pile, sur place, et je me rendis compte de l'effort qu'il faut pour s'arrêter en plein mouvement. Il n'y eut pas de balle. A la dernière minute, son bras droit retomba et il la lâcha. Elle roula sur les écailles d'huîtres et puis sur l'herbe.

Je frappai du poing dans mon gant.

— Allez, montrez-moi ce que vous savez faire !

Mon père regardait fixement la balle. Se pencha pour la ramasser, mais la manqua.

— J'y arrive pas, hurla-t-il du bout du chemin.

— Vous en faites pas pour l'élan. Commencez par vous détendre.

— D'accord, patron.

Il remonta sur ma butte imaginaire. Fit quelques pas. Egalisa la terre imaginaire. Fit tourner ses deux bras pour commencer son geste, mais je voyais bien que son équilibre était mauvais. Il ne bougea même pas la jambe. Il tenait cette foutue balle dans la mauvaise main.

Il contempla sa main droite d'un air incrédule et s'aperçut qu'elle était vide. La balle était dans son gant, pas dans la main supposée lancer. Il devait avoir fait tous ces gestes cent mille fois sans jamais commettre cette erreur.

— Laissez tomber l'élan, criai-je pour l'encourager, mais tout encouragement semblait futile à soixante pieds de distance. La défense a fait une erreur, on a un coureur en première base. Lancez sans élan !

Il marcha sur la butte, agita la tête de gauche à droite pour se débarrasser des mouches invisibles. Il se remit en place. Il allait réessayer. Je ne pouvais rien demander de plus. Qu'il n'abandonne pas. Il acceptait ma suggestion. Il allait lancer sans élan. Il rassembla ses mains à hauteur de sa ceinture. La balle était dans sa main droite. Il s'immobilisa et cligna des yeux. Il repère ce coureur imaginaire, me dis-je. Mais son immobilité se transforma en paralysie. Je voyais tout, comme sur une photographie prise d'en haut : mon père au milieu du chemin, aussi raide qu'une statue, tendu à se rompre, les mains crispées à la ceinture, les coudes en dehors, le regard fixé sur moi en quête d'un signe, et le visage ruisselant de larmes.

Alors il lança cette maudite balle. Une balle sans style particulier. Dès qu'il l'eut lâchée, je me rendis compte qu'elle irait n'importe où. Elle vola d'abord vers moi, s'éleva, s'éleva, et je sautai pour l'attraper dans le rembourrage de mon gant avant qu'elle ne file au-dessus du toit du garage.

Je me dirigeai vers lui au petit trot, ainsi que le font les receveurs qui veulent réconforter leur lanceur. Quand je fus à mi-chemin, il se mit à geindre.

— J'y arrive pas ! Je trouve pas la plaque ! Je sais plus quoi faire de mes mains !

Je m'apprêtai à lui renvoyer la balle.

— Je veux pas de ce truc de merde.

Combien de temps faut-il pour parcourir soixante pieds et six pouces quand votre père, debout sur une butte imaginaire que vous avez dessinée pour lui, pleure désespérément sous sa casquette de base-ball par une calme soirée d'été ? L'éternité, je crois.

— Allez, venez, jouons simplement à rattraper. Vous occupez pas de la technique, jetez-moi la balle, c'est tout. Essayez de vous détendre.

— J'ai perdu la plaque, gémit-il.

— Vous devez essayer. Juste *essayer* !

Je jetai la balle au creux de son gant, et son gant tomba. Il resta planté là, les deux mains nues.

— Essayez, suppliai-je.

— Je suis désolé, Crapaud. Je vois ce qui se passe, clair comme le jour, et je voudrais que ce soit différent. Mais vouloir n'a pas l'air de servir à grand-chose, dans mon cas.

Alors il me sourit. Un sourire penaud, qui avait quelque chose de pourri, à la fois honteux et ne cherchant pas à s'excuser, plein de complaisance et d'acceptation de soi. J'en avais assez.

Je flanquai mon gant par terre, sur le sien.

— J'en veux pas, de vos explications. Tout ce que je veux c'est que vous lanciez cette balle. Vous comprenez rien ?

Passant à côté de lui, je courus jusqu'au bout du chemin puis m'arrêtai net sous les chênes. Tout autour de moi, Hurt's Landing se disloquait comme un appontement sous un ouragan. Je le jure, s'il fallait que je me mette à materner Zeke Justice, mon propre père, j'étais bien décidé à prendre quelque chose en échange. Personne dans cette maison n'allait plus me réduire en esclavage, ni avec leurs comédies ni au nom de leurs bonnes manières. Je traversai la route du Lazaretto et descendis à la rivière. Sous les arbres, il faisait frais, c'était presque le soir, mais le soleil brillait encore sur les marais de l'autre rive. Il restait assez de lumière pour aller quelque part.

Je revins en courant à la maison et montai dans ma chambre. Lampe de poche, piles de rechange, un couteau, un sac de couchage, un blouson. Quelques fruits dans le bol sur la table de la salle à manger. Je pouvais acheter des provisions n'importe où et pêcher pour le reste. Sur le canapé du salon, un volume au dos brisé de l'histoire de ce monsieur Caton. Et une feuille de papier avec un crayon, afin de commencer mon rapport pour le père Dooley.

Je ne pus m'empêcher de rire en rangeant soigneusement ce papier dans mon sac.

Les marais sont là pour l'évasion, pas pour la réflexion. Mais quelle que soit leur raison d'être, merde, je préférais tenter ma chance avec les revenants et les esprits des morts dans l'obscurité de la rivière plutôt qu'avec les vivants, ici, à Hurt's Landing.

XI

A peine avais-je dépassé la courbe nonchalante du Lazaretto et perdu de vue la dernière habitation humaine que je me traitais de tous les noms pour avoir tant exigé d'un malade. Si son mal empirait, n'en serais-je pas responsable ? Vrai, je lui avais bel et bien demandé de sortir de lui-même, ne fût-ce que le temps de lancer une balle. Mais c'était afin de le guérir, pas de lui infliger la torture de sa propre impuissance.

Or c'était là sans doute tout ce que j'avais réussi à faire.

Burnpot Island apparut à ma gauche. Burnpot n'est jamais qu'un marais avec, au centre, une légère élévation qui permet aux gens de l'appeler une île. Il n'y a aucune possibilité d'ancrage. La marée haute en engloutit la moitié et si, à marée basse, on débarquait sur ses berges, on s'enfoncerait dans la vase jusqu'aux genoux.

Dans ces parages, on n'est en sécurité que sur l'eau. Mais ce jour-là, même sur le Lazaretto, je ne me sentais pas assez loin, pas avec la marina de Bud Bandy que je devinais au fond de sa crique, en avant et sur ma droite. Port d'attache du sourire complice de Bud Bandy et de la puanteur complice de Midge et de Madge. De quoi m'inspirer l'envie de m'en aller au diable.

Je n'aurais pourtant pas protesté, je suppose, si Midge avait surgi du Lazaretto telle une des beautés du Telfair, Vénus sur sa coquille, sauf que comme il s'agissait du Lazaretto et non d'une écume idéale provenant d'un tableau dans un musée, elle se présenterait à moi couverte d'algues et de roseaux, avec des guirlandes de crapauds de mer et un collier de bernicles autour du cou, les seins sanglés dans son haut de bikini. Midge sur les eaux, offerte, et nous ferions ça sur les rives fangeuses dégagées par la marée basse, ou cul par-dessus tête au fond de l'*Elzéar*, bien en vue de la création de Dieu tout entière, et ensuite elle dirait : *Tu es meilleur que ton père, gamin.* Et moi je répliquerais : *Je n'ai pas envie d'être reconnu.* Alors Bud Bandy arriverait à la voile, mâchouillant une chique de Red Man et crachant de petits bouts de tabac que goberaient les poissons, et il me dirait : *C'est peut-être ce que tu penses, et tu as peut-être raison, fiston, mais c'est pas le genre de choses qu'on dit à une dame, pas si tu espères encore baiser.*

Du fait de ces réflexions comiques – qui a dit que la réflexion devait être solennelle ? – je faillis manquer le passage vers le *Runaway Negro Creek* et les marais intérieurs calmes et odorants, propices à la rédaction d'un rapport pour les pères bénédictins. Je baissai le régime du hors-bord et m'avançai dans le chenal avec une lenteur prudente, guettant ce bruit dégoûtant que fait l'hélice lorsqu'elle touche le fond vaseux. Je me maintenais au milieu de l'eau glauque et opaque et finalement, frousse ou sagesse, je coupai le moteur et le relevai. Il y avait à peine assez de fond pour ramer, et je me retrouvai bientôt debout dans le bateau, me propulsant à la gaffe.

Sous la brise du soir, les herbes des marais chuchotaient avec leur bruissement de couteaux qu'on aiguise. De mon ton le plus biblique, je proférai : Oyez la voix des sauterelles, père Damian Dooley, oyez le bruit des lames que les anciens apprêtent pour le sacrifice. Pauvre père Dooley, votre état de prêtre vous confine au rôle mesquin d'observateur du sacrifice des jeunes, qui est ici, dans les îles, notre façon de servir le fléau. Si vous aviez été plus sage, c'est la fuite que vous m'auriez conseillée, non la réflexion. D'ailleurs, tout au fond de moi, je crois que je suis un Hébreu trouvé par mes parents, flottant dans les roseaux sur le *Runaway Negro Creek*, un dimanche qu'ils étaient allés à la pêche aux crabes avec quelques lignes et un sac plein de cous de poulet avariés. Après tout, je n'aime pas beaucoup les saints. Je ne suis pas ému par la miséricorde de Jésus. Tous ces apôtres qui couraient en tous sens de par le monde connu à leur époque, tels des poulets décapités – ils manquent de grandeur. Je préfère en secret le plus ancien des livres saints, celui qui fut composé du temps où Dieu était cruel et ne s'en cachait pas. Parlez-moi de l'église primitive, de la terreur de la foi nue. Parce que, voyez-vous, c'est de là que vient le nom de notre débarcadère. Pas d'un Mr. Hurt. Il n'y a jamais eu de Mr. Hurt. Hurt's Landing est ainsi nommé en l'honneur de la douleur qui habite en nous aussi sûr que les marées dans les eaux. Et puisque Dieu est un maître en fait de douleur, je dis, moi : Dieu, suis mon exemple et envoie Hurt's Landing au diable !

J'arrivais droit sur leur nid quand des aigrettes blanches explosèrent dans les airs, pratiquement de dessous moi, et, je le jure, je sentis au passage leurs plumes sur mes joues. Quel châtiment ! Le blasphème récompensé par un essaim d'oiseaux blancs comme neige. Je les regardai tourner en rond au-dessus de moi en poussant leurs cris aigus, signaux d'alarme et marque de leur territoire. Je poursuivis mon chemin le long du *Runaway Negro Creek* et les aigrettes, assurées que je n'étais pas un prédateur, redescendirent derrière moi. Partout alentour, le marais hululait, crépitait, craquetait. Dans ce monde intouché par les bouderies humaines, je connus ce qu'on pourrait appeler un instant de paix. Notez bien ceci, Damian Dooley, Grand Inquisiteur de mon âme de crapaud de mer : le blasphème peut être suivi de paix.

Ainsi méditant, je dérivais de chenal en chenal à travers le marais en me servant des rames pour éviter de m'échouer dans les herbes. Des échassiers penchaient la tête pour m'observer au passage. Je pris une pêche dans mon sac, entamai la peau avec mes incisives et la mangeai. Ensuite je suçai les filaments attachés au noyau et lançai celui-ci par-dessus bord. Alléchés, des bars effleurèrent la surface de l'eau et disparurent. Si je pouvais avoir une femme ici, loin des regards inquisiteurs, ce ne serait pas une de ces sœurs Bandy blanches et poudrées, qui n'étaient jamais que des versions vulgaires de la *Pudentia*. Ce serait Theresa. Theresa qui, du bout de son bâton de hickory, avait retourné la pierre de nos secrets de famille.

Malheureusement, je ne pouvais pas aller chez elle avec l'*Elzéar*. J'avais décroché le bateau ; obtiendrais-je aussi l'automobile ? C'était ça, ou demander à Calvin Fleetwood de me conduire en Cadillac à sa cabane et de m'attendre dans sa voiture réfrigérée pendant que j'entrerais chez elle, et le sentir là, tout le temps, assis avec ses deux mains jointes, inertes, sur son bas-ventre, comme s'il venait de se masturber, puis retrouver ses plaisanteries joviales sur les chattes de couleur et le fait que peu importe la teinte extérieure, puisque l'intérieur est rose, de toute façon. Calvin Fleetwood, pourvoyeur familial, sangsue en plus d'un sens !

Il me fallut quelques minutes de contemplation devant l'infernale uniformité du marais pour me rendre compte que j'étais complètement perdu. Je m'étais un peu trop bien échappé de Hurt's Landing. J'avais quitté le *Runaway Negro Creek* quelque temps auparavant, ou lui m'avait quitté. Je supposais que je me trouvais dans les *Cabbage Marshes*, un endroit dont je connaissais la réputation de labyrinthe, où tous les chenaux, toutes les voies d'eau se ressemblent, et où tous sauf un conduisent à un cul-de-sac.

Voilà où ça mène, de philosopher dans un marais.

Remarquez, dans un marais, n'importe qui peut tourner en rond. Tourner en rond et paniquer. C'est à ça que servent les marais ; le monde fait ses délices d'endroits pareils. La brise du soir fraîchissait et les herbes reprirent leur crissement de sauterelles, capable de vous réduire les nerfs à l'état de points minuscules et transparents. Ne te laisse pas aller, mon garçon, m'exhortai-je. Pense au soleil, il t'indiquera la direction. Il se couche à l'ouest, même dans ce coin.

Je remis l'Evinrude en marche et le lançai à plein régime. Il ne devait même pas y avoir assez de fond pour un remorqueur miniature dans cette partie du chenal, mais je replongeai l'hélice et entrepris de me tirer de là, à une allure bien trop rapide pour l'eau qui me portait. Et alors ? Forcer le destin, le rendre responsable si j'échouais l'*Elzéar* et brisais son hélice. Comme ils font tous en pareil cas, je hausserais les épaules en disant ben alors, merde, j'avançais sans problème, comment je l'aurais vu, ce banc de sable, et d'un coup v'là qu'on y rentre dedans et tout le bazar vole cul par-dessus tête. Vous parlez d'une chierie !

Et, nom de Dieu, est-ce que je ne débouchai pas soudain de ce petit chenal dans le Lazaretto, pas loin du tout de l'embouchure du *Runaway Negro Creek* ? Je devais avoir décrit un cercle, être revenu à mon point de départ, c'est ce qui arrive toujours quand on est perdu. Dans ces parages, fuir n'est pas aussi aisé qu'on le croirait au premier abord. Il faut étudier et combiner son coup si on veut y parvenir.

Je restai cette fois sur le Lazaretto et passai devant Shell Island et son manoir, où a vécu jadis, dit-on, le constructeur du pont de Brooklyn. Le manoir se dresse tout seul sur l'île, dont le débarcadère emporté par les eaux n'a jamais été remplacé. Son propriétaire a laissé un piètre souvenir, à ce qu'on raconte. Il fut un temps où son île était toute garnie de lanternes et où ses gosses faisaient des tours dans la cour à dos de poney, comme à la foire. Et quand les gosses et les poneys ne lui ont plus suffi, il a fait venir une barge chargée de vaches blanches qui devaient paître sur son île, comme ça il n'aurait plus besoin de boire du lait venant d'ailleurs. La barge se trouvait en plein dans la grande courbe en face de l'Isle of Hope. Il y avait des chasseurs dans le marais, ou des braconniers qui traquaient le cerf sur Wormslow, en tout cas des coups de fusil ont effrayé les vaches et, dans leur panique, elles se sont toutes précipitées du même côté de la barge. Celle-ci s'est retournée sur les pauvres bêtes et, à marée haute, en plein milieu du courant, sans guide, elles n'avaient aucune chance d'atteindre le rivage. Ces eaux font partie de l'*Intracoastal Waterway** et des ingénieurs de l'armée sont donc venus draguer et repêcher les cadavres. Mais ils en ont laissé échapper, et quelques jours plus tard, en aval, d'énormes carcasses raides et gonflées de gaz sont remontées à la surface pour se chauffer au soleil.

Ce fut la fin des soirées aux lampions au manoir de Shell Island.

Le Lazaretto prenait la direction du détroit de Wassaw et de l'océan. La place d'une barque du genre de l'*Elzéar* n'est pas sur les vastes flots de l'Atlantique. Je repiquai vers l'intérieur, vers Jones Narrow et les Branches.

Les Branches, ce sont cinq voies d'eau qui passent derrière l'ancienne plantation de Wormslow, où, en automne, les braconniers guettent les cerfs au petit jour. Je pris le milieu du chenal afin de ne pas déranger deux Noirs de l'âge de mon père qui pêchaient dans l'eau peu profonde. Ils levèrent la tête à mon passage mais ne me saluèrent pas, comme le recommandent les

* Canal de navigation pratiqué tout au long de la côte est des Etats-Unis. *(N.d.T.)*

règles de courtoisie sur la rivière. Pour eux, il n'y avait aucune raison de prendre le risque de faire signe à un Blanc inconnu. "Ces nègres ne nous ont même pas salués", aurait commenté Jefferson Marster s'il s'était trouvé dans ce bateau. Les Noirs étaient, sur l'Isle of Hope, l'occasion d'interminables et bruyantes discussions, de la rupture de liens d'amitié ou familiaux. Lorsque des membres de la famille ou des visiteurs se mettaient à déblatérer contre "ces foutus négros", mon père se hâtait de les interrompre : "Holà, je ne veux pas entendre ce genre de choses. Qu'on leur donne une barque pour aller à la pêche et un bout de terrain pour cultiver leurs légumes, et vous n'aurez plus de problèmes avec eux jusqu'à la fin de vos jours." Et celui des assistants qui représentait l'île grommelait en hochant la tête : "Tu ne vis pas ici depuis assez longtemps pour comprendre", ce qui, à la manière polie de ces gens-là, signifiait : *Ta gueule, Yankee.* Parce que l'idée que des Noirs puissent attraper leur poisson et cultiver leurs légumes sans devoir continuellement quémander la magnanime charité Marster dépassait l'imagination de ces Blancs.

Alors mon père, poussant un peu plus loin, disait à son contradicteur local : "Merde, je déteste pas, moi, sortir avec certains de ces gars-là sur la rivière et partager une bouteille avec eux, du moment qu'ils m'indiquent où ça mord." Et tout autour de la pièce, chacun se mordait les lèvres et tortillait ses fesses sur son siège à l'évocation d'un homme blanc buvant à la même bouteille qu'un Noir. Un ancien du clan Marster me lançait un coup d'œil, comme pour dire : "Tu n'es pas d'accord avec ça, toi, hein ?" Mais le regard que je lui adressais en retour était aveugle.

Quel était mon sentiment vis-à-vis de ces gens qui vivaient tout autour de nous, mais jamais avec nous ? J'avais peur d'eux. Je ne les aimais pas. Pas à cause de leur couleur, ni de leur accent, ni de leur odeur. A cause de la façon dont mon père se servait d'eux. Parce qu'il pensait que ces gens étaient un peuple sans passé, comme ceux de Callibogee. Parce qu'il pensait que, chez eux, on peut prendre son plaisir sans avoir besoin de se cacher. Parce qu'il croyait qu'ils ne faisaient pas attention. Mais ce n'était pas plus vrai que l'idée qu'un alligator mort ne bouge pas.

Dans les Branches, le soleil était presque couché et l'eau devenait opaque, mais je savais que j'avais au moins un mètre cinquante de fond sous moi. D'un côté s'étendaient les bois de Wormslow, touffus mais bien entretenus. Au milieu de l'eau s'élevait une île pareille au dos bossu d'un dauphin. Une petite colline, surprenante dans ce pays plat, nettoyée de toute broussaille, où ne restaient que les arbres les plus dignes, des saules et des chênes, avec une petite crique où des pierres de taille avaient été disposées en guise de débarcadère. C'était Bonaventure Island, l'île-cimetière où se trouvait la concession de la famille Marster. Je compris qu'elle avait été dès le début ma destination. J'engageai doucement l'*Elzéar* dans la crique.

Ma mère et moi étions un jour venus ici en pèlerinage, à des fins d'éducation, lorsque que mon père se trouvait dans le Nord. Elle apportait des fleurs, et nous avions été amenés en bateau par Freeman Prince, un des semi-serviteurs de Jefferson Marster. Une excursion mémorable. Non que les morts Marster se fussent dressés pour nous accueillir avec des paroles de consolation, mais parce que, à l'en croire, je l'avais *désavouée.* Après avoir débarqué, ainsi que je m'apprêtais à le faire à nouveau, nous avions solennellement escaladé l'éminence qui maintient les pieds des défunts hors de portée de l'eau. En haut, nous nous étions arrêtés devant la tombe du grand-père d'Evangéline, un homme que je n'avais pas connu. Elle semblait en transe. J'avais risqué un coup d'œil vers elle sans crainte d'être vu. Son visage avait une expression mauvaise. Elle avait un regard évaluateur, le genre de regard qu'ont des hommes sur le point de se bagarrer dans une taverne, un air de défi, comme si elle invitait l'occupant de la tombe à surgir, les poings levés, tel un Lazare pugiliste, pour lui montrer ce qu'il avait dans le ventre. Ça m'avait choqué. Où était passée la révérence envers le passé Marster ? Choqué et ravi, en secret, de me rendre compte qu'elle aussi était en guerre avec les Marster, et qu'elle leur vouait une haine assez forte pour eux tous, vivants et morts ensemble. Simplement, ce Marster-ci, du fait qu'il n'était qu'un pauvre cadavre sans défense, était beaucoup plus facile et moins douloureux à haïr que son père.

Après un moment, elle s'était souvenue de ma présence. Sur ce ton édifiant qu'elle affectionnait, elle m'avait dit :

— Tu ne dois pas avoir peur du cimetière. Ce ne serait que de la superstition.

Nous sommes une famille de base-ball, avais-je remarqué en silence. Le base-ball n'a d'autre fondement que la superstition. Alors ne me dites pas de ne pas être superstitieux.

— Il ne faut pas haïr cet endroit, avait-elle poursuivi. On peut y trouver une sorte de réconfort étrange. Bonaventure a toujours été pour moi un réconfort. Vois comme l'île se dresse au-dessus de l'eau. Jamais elle n'a été inondée. Comment cela se pourrait-il ? Ce serait une abomination, les morts enfouis sous l'eau. Tu le comprends ?

Que je le comprisse ou non, peu importait à Evangéline. Je n'étais qu'une oreille attentive. Me détournant du visage maternel, j'avais regardé, en bas de la pente, la barque où Mr. Freeman Prince attendait que les Blancs en aient terminé avec leurs histoires de cimetières, qu'il puisse les ramener. Tandis que je le regardais, il avait tiré de sa chemise une de ces discrètes petites bouteilles d'un quart de litre et en avait bu une bonne goulée. Voyant que je l'observais, il avait fait mine de glisser la bouteille dans sa chemise, puis s'était ravisé. Il m'avait adressé un énorme clin d'œil et un sourire furtif, comme si nous étions deux gamins en train de faire une blague à la maîtresse de maison.

Pendant un instant, j'avais eu désespérément envie de boire un coup à cette bouteille. L'envie d'avoir en main quelque chose de réel sur cette île habitée par les esprits, au sens où j'imaginais que serait réelle une bouteille tiédie sous la veste d'un homme par une journée de la fin du printemps.

Tout en observant cet homme en train d'apaiser sa soif, et aussi son ennui, sans aucun doute, j'écoutais ma mère bourdonner à sa façon grandiose et douloureuse.

— Les morts nous instruisent, en vérité, me disait-elle. Ils nous instruisent mieux que les vivants.

Etait-ce d'avoir vu boire Mr. Prince qui m'avait délié la langue, comme si j'avais été celui qui tétait la bouteille ? J'avais interpellé ma mère :

— Vous pensez pas que ça leur manque, à ces morts, de se trouver là-dessus avec les vivants ?

Evangéline s'était tournée vers moi. J'avais brisé le charme bénéfique que cet endroit jetait sur elle.

— Tu me *désavoues* ! Tu désavoues tous ceux qui reposent sur cette île ! Enfin, j'imagine que je ne dois pas trop attendre de toi, avec ton ascendance mêlée.

Je fixais le sol, si richement fertilisé par les défunts Marster. Ce n'était plus qu'une question de minutes avant qu'elle en arrive à me reprocher de prendre le parti de mon père et, bien entendu, c'est ce qu'elle avait fait.

J'avais marmonné des excuses, sans effet. Mais mon seul regret, c'était de l'avoir lancée dans une tirade sur une île, un endroit d'où je ne pouvais m'en aller.

Et je me retrouvais à présent occupé d'amarrer l'*Elzéar* dans la crique sablonneuse où Freeman

Prince avait attendu en compagnie de sa bouteille. Je l'amarrai solidement, car on n'a pas envie de se retrouver bloqué dans un cimetière. Tout ce qui était demeuré sous la surface en cet après-midi de pèlerinage apparaissait en pleine lumière. Il n'y avait que moi, cette fois, pour le service des morts. Et je n'étais pas venu leur rendre hommage.

Une fois la barque bien attachée, je gravis la pente en tirant mon sac derrière moi vers les tombes des Marster, ces grands détaillants. *Alors, fantômes,* déclarai-je aux pierres, *qu'avez-vous à m'enseigner aujourd'hui ?*

On n'a rien pour rien en ce monde, m'a-t-on dit, même quand on a affaire aux chers disparus. Il faut donner quelque chose aux morts avant qu'ils nous accordent le bénéfice de leur science vermoulue. Je n'avais pas de fleurs, et je ne pensais pas que les pêches, dans mon sac, leur seraient d'une grande utilité, bien que toutes les images que j'avais vues montrent des morts en possession de toutes leurs dents, à défaut d'autre chose. J'avais mes os, mais aucune intention de les étaler là.

Restait ma voix. Je chantai.

Marster be dead, Timmy be quick
*Timmy jump over the Marster pit**.

Puis je lus leurs noms :
Pharris
MacKinley
Dewey
Jeremiah
Waller
Jefferson
Evangéline
Elzéar
Timmy
Ça y est !

* "Marster sois mort, Timmy sois rapide / Timmy saute par-dessus la fosse Marster", parodie d'une comptine connue. *(N.d.T.)*

Alors je l'entendis. Un hurlement aigu et rauque, issu de l'autre flanc de la colline. Je promis de ne plus jamais invoquer en vain le nom des défunts. Encore un hurlement. J'écoutai : trop hystérique, trop dépourvu de dignité pour les morts. Quelqu'un d'autre se servait de l'île Bonaventure à des fins particulières de réflexion.

Et puis je l'aperçus. *Vieille sorcière*, jurai-je sous cape, mais lorsqu'elle fut plus près je me rendis compte qu'elle n'était guère plus âgée que ma mère. Surgie au bord de l'île bossue, elle se frayait un chemin dans les hautes herbes entre les tombes. Une robe de femme de ménage et de longs cheveux raides qui pendaient. Une Blanche, qui avait l'air de vivre la plupart du temps dans les intempéries. Je perçus une odeur animale émanant d'elle à son approche.

Je savais qui c'était. La folle qui vivait sur les terres de la plantation Wormslow. On l'y gardait pour effrayer les gosses, les braconniers et les couples qui venaient s'étendre là.

J'ignore pourquoi, cette fois, je n'avais pas peur d'elle. J'avais déjà vu un fou ce jour-là, et ç'avait été bien pis que ceci. En fait de peur, j'avais eu mon compte. Il n'y avait plus de place pour la peur dans mon âme. Quand elle estima qu'elle était assez près, elle poussa de nouveau son cri de folle. Je demeurai sur place, immobile, et la laissai venir.

— Vous ne me faites pas peur, m'dame.

— C'est toi qui chantais ? fit-elle d'un air accusateur. Elle paraissait plus effrayée que je ne l'avais été. A quoi tu penses, de faire un raffut pareil ?

Je souris. J'avais évoqué un fantôme, juste comme Mrs. Stafford prétendait pouvoir le faire. Pas mal, pour ma première sortie sur l'eau.

— Cette île est à moi. Vous êtes dans mon cimetière.

— Tu es vivant, petit. Les cimetières appartiennent aux morts.

— Ce n'est pas ce que dit ma mère.

La folle éleva une main crochue comme une serre.

— Ta mère, dit-elle. J'eus le sentiment vague qu'elle connaissait Evangéline, et me demandai quel grief elle avait contre elle. Qu'elle aille se faire foutre, ta mère.

Ces mots provoquèrent en moi une forte sensation de joie et de liberté. Je les essayai pour moi-même, et mon exultation s'affirma. Folle pas si folle que ça, après tout.

Je fis un pas vers elle.

— De toute façon, qu'est-ce que vous faites ici ? dis-je pour l'embêter. Vous êtes censée être là-bas, dans les bois de Wormslow.

Elle poussa encore un cri en me montrant sa serre numéro deux. Elle n'avait sans doute pas envie qu'on l'approche de trop près. Je reculai, mais sans crainte. Rien d'effrayant dans le fait qu'une folle ait un comportement de folle.

Elle montra du doigt une des pierres tombales.

— Ce sont aussi mes morts.

— Ah, ouais ?

Ça ressemblait à un jeu de mômes, sauf qu'ici, c'était pour un tas de cadavres retombés en poussière que nous étions en train de nous battre. Evangéline eût été fière de moi.

— Comment vous appelez-vous ? demandai-je.

— McQuithy.

— Je ne vois aucun McQuithy par ici.

— On est parents par mariage, plaida-t-elle.

— Ah, eh bien, qui sait ? On est peut-être parents aussi, vous et moi. A ce qu'on dit, c'est qu'une grande famille ici.

C'était une plaisanterie, mais elle ne rit pas. C'est le problème avec les fous : ils n'ont pas le sens de l'humour.

Elle m'écarta d'un geste.

— J'ai pas de famille.

— Quelqu'un qui n'a pas de famille ne rôde pas dans les vieux cimetières et ne communique pas avec les morts, fis-je remarquer.

Ma logique si durement acquise resta sans effet. Et puis, Dieu soit béni, les quelques miettes qui m'en restaient après la raclée qu'elle venait de prendre disparurent quand je sentis une bonne bouffée de l'odeur animale qui se dégageait de dessous cette robe de femme de ménage. L'odeur des bois, une odeur de fourrure feutrée. Les parfums de la perdition avaient toujours été de cuir, de bourbon et de fumée de cigare, et aussi la senteur verte de l'argent frais et des tables de billard du *Bo-Peep's.* L'odeur de la McQuithy était nouvelle, dans ce catalogue ; et pourtant familière, en un sens. Je l'avais rencontrée sous la chapelle, tandis que le père Dooley tonnait au-dessus de moi, dans des circonstances qui avaient provoqué mon lancement sur ma voie actuelle. Côtes de lapin. Termites vaquant à leur éternel labeur, moisissure et pourriture, la bonne terre animale.

Dieu soit béni, blasphémai-je joyeusement pour la seconde fois, car je m'étais aperçu que la robe de la McQuithy béait au milieu comme le vêtement d'un innocent, là où manquaient quelques boutons. Je voyais un de ses tétons pointé vers moi, et aussi que sa peau n'était pas du tout aussi tannée là que sur le reste de son corps. La femme de mes rêves était quelqu'un comme Theresa ou la folle dame McQuithy, une cinglée ou une infirme, pas quelqu'un du genre Shell Island, ces tueurs de vaches. Et gloria alléluia pour cela aussi.

Je restais immobile, la flairant et la dévisageant et oubliant complètement de parler, ainsi que les humains pensent devoir le faire lorsqu'ils se trouvent face à face dans un endroit comme celui-ci. La McQuithy en eut marre de se sentir ignorée.

— Gamin ! me cria-t-elle.

Elle fit demi-tour et s'en alla, disparut de l'autre côté de l'île. Juste aussi vaniteuse et susceptible que n'importe quelle femme. Pas folle du tout, en réalité. C'était un peu décevant.

Je regardai le ciel et constatai que je m'étais échoué pour la nuit sur l'île Bonaventure.

Je descendis au bord de l'eau et tirai sur les amarres de l'*Elzéar* afin de m'assurer que la barque était solidement attachée. *Sois là demain matin*, implorai-je, puis je m'occupai de trouver un endroit où étendre mon sac de couchage. Pour me protéger de la rosée, j'avais le choix entre une demi-douzaine de chênes et autant de saules, et je tâtai le sol au-dessous de chacun d'entre eux pour sentir s'il y avait des rochers, en contournant les tombes comme je l'avais appris. Ne jamais marcher sur la terre sous laquelle les morts sont ensevelis. Ils n'aiment pas ça.

Manifestement, la McQuithy était repartie. A la nage, à travers les Branches, ou envolée sur son balai. Je ramassai du bois mort tombé aux alentours, suffisamment sec pour faire un feu.

Bonaventure, ce n'était pas vraiment du camping sauvage. L'île n'avait rien à voir avec la nature ; les Marster l'avaient volée à la nature. Construite, nettoyée et sculptée, transformée en monument. Une nuit dans les bois de Callibogee aurait suscité d'autres fantômes, de l'espèce Stafford. Sur Bonaventure, les morts étaient civilisés. On pouvait les étudier comme les pages d'un livre. J'étais au courant de leurs besoins, de leurs faiblesses et de leurs raisonnements. Si, sur le coup de minuit, les tombes de cette île-cimetière s'ouvraient soudain et si les anciens Marster surgissaient à pas pesants, je n'aurais pas peur et, assurément, je ne serais pas à court de mots. *Pourquoi ?* leur demanderais-je. *Pourquoi avez-vous fait un tel gâchis ? Et pourquoi m'avez-vous fait, moi ?*

Ça les renverrait en toute hâte dans leurs trous ! On verrait bien qui aurait peur de qui !

J'allumai un feu, qui réchauffa dans l'humidité un cercle d'air sec. Je dînai de trois pêches et d'une barre de chocolat, puis jetai les noyaux dans les Branches à l'intention des truites, des bars et, bien sûr, des fidèles crapauds de mer. Je considérai mon univers en cet instant. Là-dessous, les Marster inquiets se décomposaient dans leurs tombes. A Hurt's Landing, mon père, debout au milieu de la maison vide, dans sa tenue d'*Indian*, propre et blanche à part les taches de transpiration qui s'étendaient sous ses bras, avec trente-deux billets de cent dollars dans sa poche, travaillait son élan devant un miroir en refusant de prendre un verre. Evangéline était encore en train de faire des courses dans Broughton Street, en dépit du fait que les magasins étaient fermés depuis longtemps. Dans les bois de Wormslow, une folle connaissait mon existence.

Il était hors de ma portée de rien changer à tout cela. Mais pour le moment, je me trouvais au fond de mon sac de couchage sur l'île Bonaventure, en suspens et hors d'atteinte.

J'ouvris les yeux dans l'obscurité. J'avais le visage et les cheveux trempés. Un de ces brouillards rampants des terres basses, épais comme de la soupe, s'était étalé pendant que je dormais. Dans ce brouillard, il me semblait deviner du mouvement.

Me faufilant hors de mon sac de couchage, je tendis la main vers ma lampe de poche, puis je me ravisai. Dans un brouillard aussi dense, une lumière ne pourrait que se réfléchir. Je me dirigeai à tâtons vers le chêne le plus proche mais son tronc était trop gros pour que je puisse l'entourer de mes bras et il n'avait pas de branches basses. Je courus, plié en deux comme un homme sous le feu. L'arbre suivant était un jeune saule avec une fourche accessible. Je commençai à grimper. A deux mètres du sol, le brouillard devint lumineux, comme s'il y avait des bougies plantées dedans. Je suivis le tronc vers le haut, grimpant avec aisance vers la lumière. Encore un peu et j'en étais sorti.

Là-haut, dans le ciel clair, une demi-lune éclairait d'une lueur pâle le tapis blanc étendu au-dessous. Ici, au-dessus, l'air paraissait plus chaud. Je contemplai les frondaisons sans racines de

Bonaventure, ancrées dans les nuages. L'atmosphère était immobile et creuse, comme souvent aux petites heures. Dans cette tiédeur relative, je m'installai confortablement à l'enfourchure de la plus grosse branche du saule pour surveiller la nuit. La tête de la nuit, dépassant de la brume. Les pieds, les troncs et les parties tendres se trouvaient audessous, bordés dans un drap de brouillard.

Un rapace nocturne surgit du couvert, une musaraigne protestant stupidement dans son bec.

Puis je rêvai : je me trouvais de nouveau au stade Grayson, en train d'assister à un match. Zeke Justice lançait. Le batteur expédiait une balle hors jeu et les joueurs convergeaient pour la rattraper, y compris Zeke. Les avant-champs se rassemblaient près de la barrière, leurs gants levés, et leurs visages étaient figés et cireux. Je me rendais compte alors que c'étaient des morts, et que tous avaient le visage de mon père. Mon père faisait mine de les pousser hors de son chemin pour ramasser la balle mais ils ne bougeaient pas, ils semblaient aussi lourds que de la pierre. Soudain j'avais pour tâche de l'aider à éviter que la balle ne touche terre, car cette chute signifierait sa mort. Je me penchais par-dessus la balustrade afin de la saisir au vol, puis je dus me ressaisir au moment où j'allais basculer de ma branche de saule, à travers le brouillard, sur les tombes, là, tout en bas, sur l'île Bonaventure.

Je redescendis le long du tronc en maudissant l'obstination de notre cerveau à rêver. Je replongeai dans le brouillard, il y faisait moins effrayant que dans cet arbre à cauchemars. Peut-on dormir pour oublier un rêve ? Je n'en sais rien, mais c'est ce que je fis pendant le reste de la nuit. Je ne rêvai plus. Je n'en avais plus besoin. J'avais bien reçu le message la première fois.

Quand je me réveillai, le plus gros du brouillard s'était levé. La McQuithy était assise près de moi au soleil, les bras autour des genoux, sa robe étalée sur l'herbe à côté d'elle. Je m'assis dans mon sac de couchage. La fermeture à glissière était ouverte sur toute la longueur. Je ne pensais pas avoir dormi comme ça.

Elle posa une main sur mon bras pour m'empêcher de parler. Puis s'allongea sur le sol mouillé à côté de moi, et je compris de quoi il s'agissait. Ses tétons avec leurs larges aréoles couleur noisette, son ventre rond et une bonne touffe de fourrure brune en plein milieu. Elle n'avait plus cette bouche crispée, tordue, sa bouche de folle. La sorcière était devenue glorieuse. Sa bouche était tendre, elle avait les yeux fermés et je pouvais regarder tant que je voulais. Elle était belle, j'en avais douloureusement conscience.

C'était ça, la gloire. C'était pour ça que des gens mouraient.

Je ne sais pas ce qui me prit. Je bondis hors de mon sac de couchage et me précipitai en bas de la pente jusqu'à la crique sablonneuse où j'avais amarré l'*Elzéar*. La barque était là, elle flottait, légère, intacte. Un martin-pêcheur était perché sur le bac à appâts. Je regardai fixement cette foutue barque, si bien attachée, puis me retournai vers le haut de la colline. *Imbécile. Gamin stupide*, m'invectivai-je.

Quand j'arrivai, elle était partie, évidemment. Je courus jusqu'au sommet de Bonaventure et l'aperçus qui descendait vers l'eau du côté de Wormslow. Nue, sa robe à la main. Son corps était redevenu noueux et disgracieux. Le corps de la folle McQuithy. Voilà ce que j'avais fait. Je piquai un sprint.

Elle entra dans l'eau des Branches. Je criais :

— Non, arrêtez ! J'ai un bateau. Je peux vous conduire !

Elle plongea maladroitement, trébucha, reprit pied. L'eau d'un noir verdâtre écumait autour de sa fourrure.

Elle se retourna pour me lancer :

— Je n'ai pas besoin de tes bontés tardives, petit !

Puis elle replongea, battit des pieds et partit à la nage vers la rive opposée. Sa robe flottait derrière elle, on aurait dit la silhouette d'une femme en train de se noyer. Elle grimpa sur la berge de Wormslow et s'enfonça dans les broussailles comme un animal affolé, ce qui était complètement faux, car c'était moi l'animal affolé, pas elle, mais il était trop tard pour le lui expliquer.

— Tu as l'air d'un nègre de brousse.

Ainsi m'accueillit ma mère à Hurt's Landing, plus tard, ce matin-là, lorsque après avoir amarré l'*Elzéar* je traversai la route du Lazaretto, mon sac à la main.

Je compris qu'il était arrivé quelque chose à mon père. Il n'aurait jamais toléré qu'elle dise "nègre" à la maison, même quand il n'était pas là.

— Où diable es-tu allé ?

— A Bonaventure. Vous m'avez un jour dit qu'on pouvait beaucoup apprendre dans un cimetière. C'était vrai.

Il était manifeste que ce pèlerinage ne me valait en rien ses bonnes grâces. Derrière elle, je remarquai notre Chrysler New Yorker blanche, l'arrière tourné vers la maison et la malle grande ouverte. Mr. Fleetwood, chasseur de sangsues et homme à tout faire de la famille Marster, arrivait chargé de lourdes valises. La malle de la New Yorker béait comme une tombe. Enfournez donc ces cercueils, Mr. Cadillac Fleetwood.

— On dirait que quelqu'un s'en va, commentai-je.

— Nous ne pouvons plus rester ici.

— Et papa, qu'est-ce qu'il en dit ?

— On a emmené ton père hier soir, pendant que tu te baladais sur la rivière.

— On l'a emmené ? Où ?

— Dans une institution. Dans une maison où on accueille les gens qui ont perdu leur lucidité.

C'était un choc, pas une surprise. Le sourire complaisant de mon père, son affectation d'impuissance m'y avaient généreusement préparé.

— Ce n'est pas sa lucidité qu'il a perdue, dis-je à ma mère, c'est sa volonté.

— Si tu trouves un réconfort dans la philosophie en un moment pareil, quand ton père vient d'être emmené à l'asile de fous, eh bien, puisses-tu en être plus fort.

Elle sortit une Viceroy du paquet qu'elle tenait au creux de sa main.

— Maintenant, monte vérifier que je n'ai rien oublié. Pendant que tu y es, lave-toi. Tu pues. Je préfère ne pas savoir quoi.

J'entrai. Le salon était encore habité par le mobilier Marster, plus pesant et plus hostile que jamais, mais ce qu'il y avait de personnel avait été balayé : les tableaux, les photos, les plaques et les trophées. La maison avait perdu tout caractère, tel un appartement meublé offert en location avec, pour condition, que l'endroit soit dépouillé de personnalité. Je montai à l'étage. Ma chambre avait subi le même sort. Les meubles à leur place exacte, mais tiroirs et placard avaient été vidés dans ces valises que j'avais vu Calvin Fleetwood se coltiner.

J'écoutai le silence sur le palier. Puis j'entrai dans le bureau-chambre de malade de mon père.

La pièce n'avait pas été emballée. Dérangée, mais pas nettoyée. On voyait des traces de lutte. Les boîtes écrasées de Colt 45 jetées dans un coin, les cartons-repas de Johnny Harris éparpillés, les volumes de Caton sur la guerre de Sécession abandonnés sur le sol avec leurs dos brisés. Je regardai dans le placard. Tout était parti. Le sac d'équipement, les uniformes, les gants, les chaussures. Tout ce qui disait *base-ball*.

Je voulais conserver un souvenir de la bataille de Hurt's Landing. J'aurais aimé son gant, ou peut-être un uniforme, quelque chose pour faire mon entrée à moi dans les vestibules de la gloire. Mais tout avait été pillé, emballé, empaqueté, débarrassé. Alors je vis l'objet. Une plaque de granit bleu supportant une balle de base-ball en granit, parfaitement ronde, sans coutures. Comment avait-on pu négliger une chose pareille ? Je ramassai la plaque pour lire ce qui y était gravé : *Au Blanc le plus gentil de Savannah.* Conscient de ne pas pouvoir sauver à la fois la plaque et la balle, elles étaient trop lourdes, je choisis la balle. Je la sentais bien dans ma main. Etrange, insaisissable, dépourvue de coutures. On n'a aucun contrôle sur une balle sans coutures. Il faudrait qu'elle remplace mon père jusqu'à ce que je rattrape l'original.

Je ne me souciai pas de ma chambre, ni de me laver, d'ailleurs. Il n'y avait rien à laver. Je redescendis avec la balle de granit dans mon sac de gym et, du perron, je vis Calvin Fleetwood qui s'affairait à contrôler l'huile de la New Yorker et à tirer sur les courroies du ventilateur. Debout à côté de lui, Evangéline le surveillait d'un œil critique. Dans le silence, tandis que Fleetwood dévisageait la sonde, je notai le joyeux cliquetis de la glace dans le remontant à la couleur ambrée auquel ma mère se cramponnait. La glace fait un bruit spécial dans un verre, dans l'air d'ici, disait toujours mon père, mais il n'a jamais précisé ce qu'était ce bruit. Il laissait ça à l'imagination.

Ting-ting, faisait le verre. Le glas minuscule et glacé de Hurt's Landing.

— Qu'est-ce qui s'est passé, ici ? demandai-je à Evangéline.

— Une honte, répondit-elle. Et puis : Nous aurons tout le temps d'en parler.

Calvin Fleetwood lui donna un chaste baiser de paix sur le front, comme un curé de merde. Elle monta dans la New Yorker et s'installa cérémonieusement au volant, contrôla ses rétroviseurs et son rouge à lèvres, noua son écharpe. Je compris que mon tour était venu d'embarquer.

Je m'assis sur le siège à côté d'elle. Un dernier coup d'œil, mon garçon, me dis-je pour m'encourager. C'est ton droit, ça t'appartient. Je me retournai et vis Calvin Fleetwood qui nous regardait partir, se tordant les mains à hauteur du bas-ventre.

Je vis la façade blanche de notre ancienne maison. Et au-delà, rangée dans l'ombre au bord de la route, la Buick couleur crème de Jefferson Marster, dont le pare-brise teinté faisait écran devant le visage du conducteur

Je connaissais le chemin. Suivre la route du Lazaretto, contourner Wormslow, passer le pont qui amarre l'Isle of Hope au continent américain. A Sandfly Crossing, nous en prîmes un nouveau, droit vers l'ouest, pour gagner l'autoroute vers Atlanta.

Et, je le jure, je ne fus pas très étonné quand Evangéline annonça que nous nous dirigions vers la Californie.

— Et mon rapport pour le père Dooley ?

— Tu peux l'écrire si tu en ressens le besoin. Mais je doute qu'il le voie jamais.

Deuxième partie

LES VOIX DU DÉSERT

XII

— Qu'est-ce qu'il y a en Californie ? demandai-je à Evangéline lorsque nous fûmes sur le continent, roulant vers l'ouest à travers l'Etat de Géorgie.

— La Californie, m'apprit-elle, est l'endroit rêvé pour les gens qui sont restés partout ailleurs plus longtemps qu'ils n'y étaient désirés.

Nous passions à une allure de fusée dans une ville carrefour où quelques vieux bonshommes se berçaient dans une balancelle devant le magasin général. Dans le rétroviseur, je vis l'un d'eux diriger vers notre confortable automobile un jet brun de jus de tabac.

— Comment peut-on rester plus longtemps qu'on n'y est désiré là où on a toujours vécu ?

Mais mon raisonnement n'avait pas plus de chances de l'inciter à parler que n'en avait ce vieux bonhomme d'atteindre notre voiture au vol avec son jus de chique.

— Nous aurons largement le temps de discuter de ce genre de choses, me dit-elle. Tu m'excuseras, je ne suis pas d'humeur à philosopher pour l'instant. C'est pareil avec ta prétendue réflexion : tu ne fais que jouer avec les mots, si tu veux mon avis. C'est ce que disait ce prêtre, Dooley. “Péché d'orgueil, gloriole langagière” – je dois reconnaître néanmoins que tu y ajoutes ta propre touche. Maintenant, ne m'importune plus, je conduis.

Nom de Dieu, pensai-je. Quand je chante, ils appellent ça du bruit. Quand je réfléchis, ils appellent ça jouer avec les mots, orgueil et gloriole. Où suis-je censé reprendre mon souffle, là-dedans ?

Evangéline plaqua ses mains sur le volant, se cala contre son siège et ramena son attention sur la fastidieuse besogne de conduire. L'image de la concentration, avec ses lunettes sombres et son écharpe. Sous le petit trait dur que dessinait sa bouche, elle grinçait des dents. Je constatai que je n'obtiendrais pas d'elle en ce moment plus de réponses à propos de mon père que du mannequin de cire de l'illusionniste à la foire de Chatham County. Elle aurait pu être une statue, à en juger par l'animation dont elle fit preuve pendant les heures qui suivirent. De temps à autre, ses doigts se crispaient puis se détendaient sur le volant, et ses articulations devenaient blanches, puis de nouveau rouges. C'était tout. A part ça, elle aurait aussi bien pu s'être pétrifiée, transformée en pierre juste à côté de moi.

Une fois, pourtant, au milieu des bruits de route qui tenaient lieu de silence, elle déclara soudain :

— J'ai de la famille, là-bas.

J'enfouis une main dans mon sac de gym, qui contenait tous mes effets personnels pour l'avenir prévisible, et entourai de mes doigts la balle de granit. Etrange de trouver du réconfort dans une pierre, mais telle était la situation, ce matin-là. Je jetai un coup d'œil de côté à Evangéline pour voir si elle m'observait ; son visage était aussi expressif que celui d'un sphynx. Dieu seul sait ce qu'elle aurait fait si elle m'avait découvert en train de caresser la balle de base-ball en granit qui avait appartenu à mon père. Elle m'aurait accusé d'édification d'autel, d'idolâtrie, de parti pris et d'attachement morbide à un homme dont nous étions en train de nous éloigner à la vitesse de cent miles à l'heure*.

Et, qui sait ? elle aurait peut-être eu raison. Vu de son point de vue. Mon père s'aventure sur des eaux dangereuses à des fins de péché, il en revient

* Environ cent soixante kilomètres à l'heure. *(N.d.T.)*

blessé et moi, rentré à la maison le lendemain matin avec des poils de la couverture de Mrs. Stafford collés à mon jean, je couvre ses mensonges en racontant, moi aussi, des mensonges. Ensuite, quand Evangéline souffre à son tour, j'applique à sa souffrance tout le poids, toute l'impudence de mon esprit inquisiteur. Je refuse même de considérer son œil au beurre noir. Pendant un instant, je souhaitai pouvoir oublier l'expédition à la cahute de Theresa et la sangsue enflée dans la cuvette des cabinets. Je résolus d'aimer ma mère, de simplement l'aimer, pas seulement de l'étudier.

On s'enfonçait dans les terres. La température montait. L'air, le peu d'air que le climatiseur laissait filtrer dans la voiture, était irrespirable. Nous traversâmes des hectares de pinèdes, puis des champs de coton, puis des forêts où les arbres avaient les pieds enfoncés dans une eau noire étincelante sous le soleil de plomb. Savannah n'est pas le Sud, répétait volontiers ma mère, impliquant que nous étions d'une manière ou d'une autre supérieurs à tous ces cul-terreux arriérés qui cultivaient les aliments que nous mangions. J'étais forcé maintenant de lui donner raison. Ni sur les places dignement entichées de leur passé de nos villes, ni sur nos débarcadères tachés de sel où rien ne bouge que les marées, rien de ce que j'avais vu ne m'avait préparé à ce paysage. Je sentais son hostilité envers nous, deux créatures fragiles et désespérées dans une voiture rapide, comme si j'avais vraiment reçu en pleine figure le crachat de jus de tabac de ce vieux bonhomme. Et tout cela nous arrivait dessus à une vitesse terrifiante, les objets qui paraissaient les plus éloignés se jetaient sur le pare-brise comme pour dire : Voilà, c'est ça, l'univers, c'est ainsi qu'il se présente à vous.

Je regardai la carte étalée sur mes genoux. Evangéline disait vrai. Nous aurions largement le temps de discuter des problèmes qui nous occupaient. Le pays nous le donnerait. Après avoir roulé à un train d'enfer toute la matinée, nous avions à peine entamé l'Etat de Géorgie. Sans parler du Sud. Sans parler des Etats-Unis.

Je laissai la balle de granit retomber au fond de mon sac et me mis à somnoler. Je priai pour être dispensé de rêves dans lesquels mon père me serait offert dans toute la cruauté de sa situation, et ma prière fut écoutée. Autre chose le remplaça dans mes pensées vagabondes : la folle McQuithy. Elle devait s'être faufilée dans ma conscience, mais je ne m'en rendis compte qu'en sentant le bâton dur qui reposait contre ma jambe. Souviens-toi au moins de ça, me dis-je à moi-même. La prochaine fois qu'une folle a envie de se coucher près de toi, ne te soucie pas de savoir si ta barque est bien attachée.

Ces vaines réflexions furent interrompues par le hurlement d'une sirène derrière nous. Je me retournai. La sirène appartenait à la police routière de Géorgie.

— Et voilà ! fit Evangéline. Encore une des petites misères de l'existence.

Une minute plus tard un gendarme de l'Etat de Géorgie au cou fraîchement marqué par le rasoir passait la tête par la portière de la voiture. Avec sa tête, une bouffée d'air torride arriva de la route comme d'un four, accompagnée d'une puanteur de térébenthine provenant d'une distillerie, quelque part dans la pinède.

— Vous êtes pressée, madame ? demanda-t-il d'une voix nasillarde.

Evangéline se tourna vers le tableau de bord pour enfoncer l'allume-cigare.

— Vous dépassiez la limite d'au moins trente miles à l'heure, poursuivit-il, sermonneur. Et encore, ça c'est en étant généreux.

Evangéline ne lui fit pas l'honneur d'une réponse. Docile, l'allume-cigare sauta et elle alluma une Viceroy.

— Vous risquez de prendre une sacrée amende pour une vitesse comme ça. Le gendarme contempla notre longue automobile. Ouais, une sacrée amende. Payable au juge de paix du comté de McClintock, sur-le-champ, ici quelque part dans les bois.

Il désigna, dans le lointain, un point indéterminé.

Ma mère inhala la fumée de sa Viceroy sans la souffler ensuite. Je n'ai jamais su où cette fumée était passée. Je suppose qu'elle s'est fondue en elle.

— Jeune homme, dit-elle enfin au gendarme. Hier soir, j'ai dû faire interner mon mari dans un asile de fous. J'éprouve en ce moment une grande détresse. J'espère que vous en tiendrez compte en rédigeant la contravention que vous avez certainement l'intention de m'infliger.

Le pauvre homme dévisagea ce masque de femme, avec son écharpe démodée sur les cheveux pour les garder en place et les lunettes de soleil qu'elle ne retirait pas, en train de fumer une cigarette dont le bout filtre était aussi aplati qu'une bête écrasée sur la chaussée. Il s'écarta d'un pas de la voiture en essuyant la sueur de son front. Evangéline s'était sacrifiée, elle avait gagné.

Il regarda de nouveau la voiture, avec d'autres yeux.

— Dans un grand bac comme ça, on sent pas la route, je suppose. Mais vous feriez bien de garder un œil sur le compteur. Le prochain officier que vous rencontrerez sur la route aura peut-être pas si bon cœur que moi.

Evangéline demeura les deux mains sur le volant et le regard perdu droit devant elle, même après la disparition de la voiture de police dans la brume de chaleur où finissait la route.

— Bien joué, lui dis-je.

Elle se tourna vers moi.

— Bien joué ? Qu'est-ce qui est bien joué ?

— La façon dont vous vous êtes débarrassée de ce policier.

— Le fait que nous nous trouvions sur la route, en automobile, dans cette situation délicate, ne signifie pas que tu es libre de me parler sur n'importe quel ton.

Un ou deux camions passèrent en trombe, faisant tanguer notre voiture arrêtée sur le bas-côté. Evangéline nous lança sur la route dans leur sillage et, peu après, nous roulions de nouveau à cent à l'heure.

— Qu'est-ce qu'il a fait de si terrible, de toute façon ?

— Qui ?

— Mon père, qui d'autre ?

— Si tu tiens à le savoir, ton cher père s'est planté au carrefour de Bull et de Broughton Street, en faisant semblant de lancer une balle de baseball et en baragouinant un langage dont personne ne comprenait le premier mot ! Ça ne te suffit pas, comme folie ? Ou aurais-tu préféré qu'il nous découpe tous en morceaux avec une hache pour nous donner à manger aux poissons ?

— Il devait parler français.

— Ça m'est égal quelle langue il parlait, s'écria Evangéline, et la voiture fit une embardée à cause d'un coup de volant intempestif. Il aurait aussi bien pu parler sous influence du Saint-Esprit, pour ce que ça compte ! Faire le pitre au coin de Bull et de Broughton !

— Mais tout le monde savait qui c'était, plaidai-je. On n'aurait pas pu être un peu indulgent ? Quelqu'un n'aurait pas pu l'emmener de la rue dans un endroit tranquille où il ne se serait pas donné en spectacle ?

— Quelqu'un aurait pu, sans doute. Je ne sais pas qui. Mais en tout cas ce quelqu'un ne se trouvait pas au coin de Bull et de Broughton quand ton père a commencé son cirque. Et, oui, en effet, tout le monde savait qui c'était. C'est un élément du problème, tu ne comprends pas ?

Encore une minute, encore deux ou trois kilomètres.

— Pendant ce temps, ajouta Evangéline, tu avais la chance d'être parti sur l'eau.

Je savais ce qui était arrivé à mon père. Pourquoi il s'était mis à parler français. Il était comme un juke-box qui a reçu un coup lors d'une bagarre dans un bar, et qui se met à jouer de vieux airs que personne ne savait qu'il contenait, et continue à les répéter sans fin. Et parce que personne n'a envie d'entendre ces vieux airs, quelqu'un envoie un second coup de pied à la machine afin qu'elle se taise et qu'on puisse revenir à l'affaire en cours.

Ce coup de pied s'appelle les hommes en blanc. Au coin de Bull et de Broughton.

Et, oui, j'avais bien de la chance de m'être trouvé sur la rivière pendant ce temps, chère mère. Le regretter n'aurait aucun sens, alors qu'on est en train de fuir le lieu du regret à la vitesse de cent miles à l'heure.

La chaleur et la route doivent m'avoir bercé, sans compter le manque de sommeil de la nuit précédente. Je dormis tout l'après-midi et me réveillai devant un soleil oblique, dans l'Etat d'Alabama. Je lançai un coup d'œil à Evangéline. Rien ne bougeait de ce côté. Notre vitesse était retombée à une allure presque légale.

— J'ai l'impression qu'on n'avance plus.

— Je vois que tu as fini par te décider à m'accompagner dans ce voyage. Elle se frotta les tempes. Ce soleil m'a donné une affreuse migraine. Je crois qu'on va devoir s'arrêter bientôt.

Elle retira un instant ses lunettes noires pour se masser les yeux et je vis ce que son visage était devenu après une journée au volant. Elle avait les yeux rouges et, entre les yeux, une ride verticale, comme si un prétendant nommé M. Souci était venu en douce pendant mon sommeil la marquer avec un stylet.

On ralentit en abordant la ville suivante. Je vis passer un marchand de grains, un revendeur de voitures d'occasion et un local de l'Eglise du Saint-Vignoble. Et un motel consistant en une poignée de maisonnettes éparpillées autour d'une pelouse avec une balançoire. Evangéline effleura la pédale du frein, jeta au motel un regard évaluateur, puis remit ses lunettes noires.

— Il faudra qu'on s'arrête quelque part, tôt ou tard, m'avertit-elle en accélérant à la sortie de la ville.

— Quelque part, m'dame, fis-je. J'étais d'accord. Mais pas ici, et pas maintenant.

— On ne peut pas rouler à travers tout le pays.

— Non. Il a l'air trop grand.

Nous savions tous les deux ce qui nous attendait, et nous n'en avions envie ni l'un ni l'autre. Une seule chambre dans un motel bas, style blockhaus, ou dans une maisonnette exiguë, avec deux lits mous d'une proximité indécente. Le genre de logement que nous allions nous permettre. Non que nous n'eussions les moyens de nous offrir mieux. Mais puisque, de toute façon, il allait à l'encontre du code Marster de la dignité et des convenances de courir les routes en automobile sans destination plus précise qu'un point sur une boussole, à la recherche du genre de logements qu'on peut s'attendre à trouver au milieu des champs de coton et des bois de pins de l'Alabama, alors, tant qu'on y est, payons le moins cher possible pour la chambre la plus moche, la plus lamentable. Punissons-nous d'être ce que et où nous sommes – même si nous protestons que ce voyage nous a été imposé.

Cette logique Marster est imbattable !

Dîner au *Skeeter's Big Biscuit*.

— Alors c'est ça que les gens mangent, commenta Evangéline quand on déposa devant elle, sur la table en formica couleur moutarde, l'assiette couleur crème où une sorte de pain mal levé nageait dans la sauce avec des bouts de saucisse.

— C'est vous qui avez voulu aller chez Skeeter, lui rappelai-je.

— J'en avais entendu parler. J'étais curieuse.

Elle attaqua le biscuit à la fourchette puis entreprit d'écraser les grumeaux de la sauce grumeleuse. Sa fourchette heurta l'assiette avec un bruit inquiétant. Les grumeaux qu'elle persécutait étaient des morceaux de saucisse et refusaient de se laisser aplatir. Moi, ils ne me dérangeaient pas. J'avais dîné la veille au soir de trois pêches, d'une barre de chocolat et d'une ration de fantômes, et je n'avais rien mangé de la journée. J'avais faim, et aucune intention d'imiter sa sensiblerie. J'engouffrai tout mon biscuit, puis une bonne partie du sien. D'ailleurs, ce n'était pas si mauvais.

Je repoussai mon assiette.

— Et si la Californie est comme ça ? fis-je, pour la taquiner.

— Comme quoi ?

— Pleine de biscuits pâteux et de sauce grumeleuse. Nous ne savons rien de la Californie, sauf l'endroit où elle se trouve sur la carte. S'il n'y a que des trucs comme ça à manger ? Je désignai le quart de biscuit qui gisait dans son assiette, noyé dans un jus brunâtre. On fait demi-tour et on rentre ?

— Rien, répliqua Evangéline de son air le plus noble, le plus blessé, ne me fera jamais retourner à l'Isle of Hope.

La serveuse à l'uniforme amidonné d'éclaboussures de sauce nous apporta notre note, et nous ressortîmes du restaurant violemment climatisé. Il y avait encore une large bande de lumière à l'ouest et, au-dessus de nous, le ciel s'éclairait d'une lueur crépusculaire, tiède et moite. Pendant quelques instants, immobiles, nous regardâmes le petit bosquet de pins à l'autre bout du parking, où un nuage d'oiseaux chanteurs s'élevait et se reposait à grand bruit avant de s'installer pour la nuit. Voilà ce que le monde va nous accorder de paix, me dis-je. Quelques minutes entre *Skeeter's Big Biscuit* et l'autoroute transcontinentale. Pour la mériter, il faut se tenir en un lieu dépourvu de points d'appui : une bande d'asphalte, une ville anonyme, un nuage d'oiseaux annonçant la nuit. Et, auprès de vous, une inconnue terrifiée, qui vous a engendré.

Quand je voulus soulever les pieds pour les traîner jusqu'à la New Yorker, je m'aperçus qu'ils s'étaient enfoncés dans le sol ramolli par la chaleur. C'est ça qui est arrivé aux tigres à dents de sabre qui vivaient jadis en Californie. Ils se sont embourbés dans les puits de goudron, où ils n'étaient plus que des proies faciles. Sortis de *Skeeter's Big Biscuit* le ventre plein de saucisses en sauce et, bang ! fossilisation instantanée. Juste comme Evangéline et moi. Une paire de fossiles en provenance du musée de l'Isle of Hope.

Lorsque j'arrivai à la voiture, je me retrouvai seul. Evangéline était encore debout au milieu du parking, en contemplation devant la voiture comme devant un cercueil.

— Je suppose qu'il ne doit pas y avoir un motel convenable dans cette ville de mangeurs de biscuit.

— Je suppose que non. Mais je peux toujours conduire.

Elle y réfléchit.

— Tu n'as pas le permis, me dit-elle.

— Pas besoin d'un permis pour savoir conduire.

— J'imagine que tu sais ?

— Conduit très souvent.

— Je vois.

Elle considéra le ciel en train de s'assombrir et la bande lumineuse à l'ouest qui devenait plus pâle. Et la route qui s'étendait du parking de Skeeter, tout du long, jusqu'au Pacifique.

— Où as-tu conduit si souvent ?

— Ramené papa à la maison, de la plage, par exemple.

— Ça, c'était à la maison, répliqua-t-elle. Quand le monde était indulgent. Ce n'est plus le cas, maintenant.

— Il aurait pu se montrer beaucoup plus indulgent. S'il l'avait fait, nous ne serions pas où nous sommes.

Ensemble, nous regardions le restaurant, anonyme sous ses lumières brillantes, et la route.

— Sans doute, reconnut-elle. Mais enfin, on ne peut pas puiser éternellement au puits de l'indulgence. Même sur l'Isle of Hope.

— Surtout sur l'Isle of Hope.

Elle plongea la main dans son sac et me tendit les clefs, ainsi que nous savions tous deux qu'elle allait le faire. Je les pris et m'installai au volant sous l'œil attentif de ma mère. Suffit de viser, me rappelai-je. D'aller où va la route.

— Souviens-toi que ce machin a besoin d'essence pour fonctionner. Tu auras intérêt à t'arrêter bientôt.

Dans la petite ville suivante, il y avait moins de lumières que sur le tableau de bord de la New Yorker. Je parcourus lentement la grand-rue, en guettant le panneau d'une station-service. L'endroit paraissait encore mille fois plus sinistre que Sandfly Crossing, ce qui n'est pas peu dire. Accroupis sous l'éclairage de la devanture d'une salle de billard, des hommes, blancs et noirs ensemble, comme si la ville était trop déprimée pour tenir compte de telles divisions, crachaient sur le trottoir dans l'attente de rien, ou de quelque chose, une bagarre, peut-être, ou une fille court-vêtue. Mon père aurait apprécié ce patelin ; on n'avait pas l'impression qu'il fallait s'y cacher pour pécher. Suffisait de se montrer disponible, et le péché venait à vous.

Il y avait une station au bout de la grand-rue, au-delà des derniers réverbères. Je m'arrêtai devant la pompe de super et attendis. C'était le genre de station où les gens habitent à l'arrière, à en juger par les apparences, avec une boutique installée dans le living.

Au bout de quelques minutes, un gamin arriva, en short, sans chemise et pieds nus, un chiffon à la main.

— M'sieu ? fit-il d'un ton anxieux en se grattant la tête, qui paraissait rasée de frais.

J'aperçus sa famille debout sur le seuil de la cabane. C'était une station noire, et leurs yeux m'en informaient. Chez nous, je n'avais jamais eu besoin de me préoccuper de telles choses. Les Noirs y savaient tout naturellement que mon père était le Blanc le plus gentil de Savannah.

— Tu me fais le plein de super ?

Le gamin me dévisagea de haut en bas, pour s'assurer que j'étais blanc. Une fois certain, il me dévisagea encore un peu, comme s'il avait de la peine à me croire disposé à mettre de l'essence noire dans mon automobile blanche.

Evangéline émergea de la voiture tandis que le gamin commençait à remplir le réservoir. Elle considéra la famille qui nous épiait à travers la moustiquaire à la lueur bleutée de l'enseigne au néon d'une marque de bière.

— Comme disait ton pauvre papa, y a pas un négro qui soit plus négro que moi. Je reviens tout de suite.

Elle marcha sur la boutique. La famille s'égailla, la reconnaissant pour une de ces Blanches qui n'acceptent pas les règles, et peuvent causer les pires misères aux gens respectueux des règles, quelle que soit leur couleur, s'ils ne font pas attention. Quelques minutes plus tard elle ressortait de la cabane, un sac de papier tintinnabulant sous son bras. Elle paya le gamin pour l'essence et lui laissa un pourboire appréciable. Lorsque nous fûmes sortis des limites de la ville, elle attrapa son sac de nuit sur le siège arrière et en tira un petit verre à apéritif emballé avec soin dans une serviette en papier.

— J'ai demandé à ce monsieur de me donner tout ce qu'il pouvait avoir de caché derrière son comptoir. Et tu sais quoi ? C'est ce qu'il a fait. Je pensais me retrouver avec une bouteille à lait pleine d'alcool de contrebande, mais regarde – ces charmantes petites miniatures. J'ai pris toutes ses réserves.

Sa voix exprimait ce ravissement enfantin dont sont capables les alcooliques quand ils mettent la main sur une bouteille. Elle entrouvrit son sac tintinnabulant et j'aperçus une bonne douzaine de mini-bouteilles de brandy *Christian Brothers*, de vrais jouets. Dans quelle mesure ce brandy était chrétien, je n'aurais pu le dire. Mais encore, les bénédictins aussi étaient renommés pour leur liqueur. Peut-être y avait-il même un rapport avec le processus de réflexion décrit par le père Dooley.

Evangéline fit sauter la capsule d'une ou deux de ces miniatures.

— Maintenant, si jamais je m'endors, et si tu vois un motel convenable pour la nuit, n'oublie pas de t'arrêter. Je n'ai pas l'intention de passer la nuit sur le siège de cette vieille voiture.

Dans l'obscurité de l'automobile, j'entendis couler le brandy dans le verre de ma mère. Elle jeta les bouteilles vides au fond du compartiment à cartes de sa portière, et construisit pour son verre une petite plate-forme à l'aide d'une carte des Etats du Sud. Le geste équilibrant du buveur. Des vapeurs de *Christian Brothers* flottèrent vers mon côté de la voiture.

— Médicament, fit-elle en prenant une gorgée. Cordial et consolation post-biscuit-en-sauce.

— J'ai entendu dire que ça fait appartenir à autrui.

— Ta mémoire est à la hauteur de ton impudence, me dit-elle, mêlant réprimande et compliments. Mais, puisque tu le demandes, je n'appartiens qu'à moi-même. Tout entière, affirma-t-elle, jusqu'à ce que j'en décide autrement.

Manifestement, elle était d'humeur à parler. A instruire. Ça semblait survenir avec la première gorgée de gnôle figurant au menu, quelle qu'elle fût. Qui étais-je pour la priver de ce plaisir, surtout avec une longue nuit devant elle ?

— Quand vous décidez de ne plus vous appartenir, demandai-je, à qui appartenez-vous ?

— Les bras de Morphée, déclara-t-elle en tendant la main pour actionner le levier servant à incliner son siège.

— Morphée ?

— Le sommeil, précisa-t-elle. C'est un petit mot que j'ai appris de ton père, catholique qu'il était, et versé en toutes sortes de trucs grecs et latins qui ne servent à rien mais sonnent plaisamment à l'oreille. Ce doit être de là que tu tiens cette langue qui occupe tant de place dans ta tête, ta… comment disait ce pauvre prêtre ?

— Gloriole langagière, complétai-je.

— Ah, oui, le péché d'orgueil.

Elle eut un rire bref et but encore un peu. Puis agita une main en l'air d'un geste désinvolte, comme pour résumer d'un trait rapide et méprisant le péché d'orgueil, suggérer qu'il ne méritait qu'à peine ce nom glorieux de péché. A voir ce geste, j'aurais juré que c'était le vieux Jefferson Marster en personne qui était assis sur ce siège à côté de moi, et je m'émerveillai, compte tenu des différences imposées par le sexe, qu'une fille pût imiter son père si impeccablement, et cependant le détester.

— Morphée. Je me souviens du jour où ton père s'est mis à parler des bras de Morphée. Ça devait être du temps où nous nous parlions encore. J'étais sur le point de piquer une crise de jalousie à cause de ce Morphée quand il a pris un de ses vieux bouquins poussiéreux et m'a montré une illustration où on voyait qui c'était.

Elle ouvrit la bouche et rit d'un rire long et dur.

— Vous parliez ensemble comme ça ?

— Oh oui ! Quand nous nous aimions. Avant de nous apercevoir que nous aimions tant parler que nous avions cessé de nous écouter l'un l'autre.

Il n'y eut pas de rire cette fois. Rien que deux nouvelles mini-bouteilles décapsulées, puis rejoignant leurs compagnes dans le compartiment à cartes. Après qu'elle eut fixé la ligne blanche pendant un certain temps, sa voix, rêveuse maintenant, interrompit le bruit monotone du vent et de la route.

— C'est très étrange de m'entendre parler de cette façon. On dirait tellement Zeke, tout ça. Comme si, ton père étant parti, je devais parler à sa place. Il faut que je dise toutes ces choses que je ne pouvais jamais dire quand il était là, du fait qu'il les disait pour moi. Pour moi et pour tout le monde, d'ailleurs.

— Faudrait un langage tout neuf, alors, lui dis-je. Mais enfin, il n'est pas vraiment parti, n'est-ce pas ?

Evangéline inclina son verre et avala.

— Nous aurons le temps de discuter de ça, fit-elle, raidie.

Je ne sais pas combien de *Christian Brothers* il aurait fallu avant qu'elle perde sa résistance à mes impudentes et fouineuses questions de crapaud de mer. Mais elle était encore loin de la quantité nécessaire. Elle tendit un bras vers son sac de nuit et en ramena une délicate petite boîte bleue qui aurait pu contenir une paire de boucles d'oreilles ou une alliance. Ce n'était pas ça. Elle contenait des boules Quies, qu'elle se glissa dans les oreilles. Puis elle tira de son sac un bandeau pour les yeux complété par un élastique. Elle l'ajusta sur son visage comme un masque de carnaval et se tourna vers sa portière.

La séance était ajournée. Parlez-moi de forcer la main à Morphée ! Avec une stratégie pareille, il ne pouvait qu'obtempérer !

Remarquez, il n'y avait pas pénurie de motels, d'auberges, ni de haltes pour voyageurs en tout genre ce soir-là, sur la route traversant les Etats d'Alabama et du Mississippi. La nuit n'était pas si avancée que la plupart de ces endroits n'eussent encore leurs enseignes illuminées. Dans certains d'entre eux, j'apercevais les propriétaires et leurs épouses assis dans leurs bureaux, en train de regarder la télévision en espérant voir s'amener quelque voyageur comme moi, las de conduire, traînant la patte, en manque désespéré d'une chambre.

Pourtant, cette nuit-là, je ne me lassais pas de conduire. Il est vrai que j'avais passé l'après-midi à dormir, mais ce n'était pas la vraie raison. J'étais mû par la vengeance. Vous voulez aller en Californie, maman ? Eh bien, je vais vous y conduire si vite que vous regretterez de m'avoir arraché à la rivière et confiné dans cette automobile. Vous voulez une vie nouvelle, une vie inconnue ? Libérée des griffes des défunts Marster et, surtout, loin du scandale, quel qu'il fût, que Zeke Justice est réputé avoir provoqué ? Alors allons-y, par tous les diables ! Je vais enrouler ce pays comme une descente de bain et le fourrer dans la malle ! D'ailleurs, je n'ai pas profité si généreusement de l'indulgence des frères chrétiens, moi. Par contre, j'ai les pères bénédictins et, permettez-moi de vous le dire, ceux-là ne se prêtent au sommeil en aucune manière. Leurs prêches m'ont enseigné de ne jamais oublier le passé, mais d'étudier les mœurs de ce monde. Les mœurs de ce monde ? Si Morphée n'en est pas épouvanté, rien ne lui fera peur !

Je n'avais pas seulement les bénédictins en tête, j'avais aussi Hoss Man Allan à la radio, sur les ondes pour le compte du magasin de disques Randy, dans un Etat limitrophe. Hoss Man Allan n'était jamais qu'un Blanc qui se faisait passer pour un Noir, attitude illogique si l'on considère la distribution des privilèges entre les deux, et Allan faisait ça dans le but de vendre des assurances aux Noirs par le truchement de la radio. Mais rien de tout cela ne m'importait du moment qu'il continuait à passer ces disques, une musique pour moitié digne comme le vieux Paul Gant et pour moitié criarde comme Little Richard. Je chantais avec ces vrais chanteurs, je les suivais en hauteur, je les suivais dans les basses, et je me surpris même plus d'une fois à sangloter pendant les deux minutes et demie que durait un air d'un certain Bobby Moore accompagné par les As du Rythme. Il m'était possible de chanter ainsi grâce aux protège-oreilles anti-crapaud de mer d'Evangéline, qui lui épargnaient les désordres de son fils unique et principal opposant, maintenant que mon père était parti.

Je roulais en direction de Meridian et de Vicksburg. Mon Dieu, comme le temps passe. Il ne passe pas, me repris-je. Il file à vitesse limite de distorsion. Tu te souviens comment c'était, avant ce matin, quand le temps ressemblait à un filet de six pieds lancé d'un bateau de pêche au bar ? S'ouvrant lentement et parfaitement, s'épanouissant jusqu'à la plénitude, jusqu'à demeurer en suspens dans les airs, de la même façon qu'on retient son souffle de crainte de rompre un charme. Le temps sur l'Isle of Hope. Discret, distinct, mesurable, objet possible d'étude. Il n'en sera plus ainsi. Pense au temps comme à ce filet étincelant, argenté, lancé à la perfection. Rappelle-toi maintenant ce qui lui donne sa forme : les plombs cousus à même ses lisières. Ces plombs cherchent le fond et saisissent la proie, et quand tu les tiens à la bouche au moment de lancer vers les prédateurs que tu cherches à ton tour à attraper, ils ont un goût de vase. Souviens-t'en : la destruction du monde que tu connaissais était cousue à même ce monde. Et c'est pour cela que tu te retrouves dans cette foutue bagnole.

Outre Hoss Man Allan et la réflexion bénédictine, j'avais les mini-bouteilles vides. Je n'ai pas l'habitude de converser avec des bouteilles vides de quatre centilitres, mais c'est exactement ce que je fis cette nuit-là dans le grand Etat du Mississippi. Dans leur compartiment à cartes et sous le siège, elles roulaient et s'entrechoquaient à chaque virage de la route ou chaque fois que je ralentissais en abordant une ville. Elles m'adressaient un signal. Elles étaient possédées – comment décrire ça autrement ? – d'une voix. Il était donc logique que je souhaite entendre leurs secrets. Après tout, elles connaissaient la vie, et avaient vu certaines personnes de ma connaissance en des instants de grande intimité. Je leur posai cette question : pour quelle raison quelqu'un préférerait-il payer plus cher des bouteilles d'alcool miniatures achetées sous le comptoir dans une station-service noire – surtout dès lors que l'argent est proclamé rare – alors qu'il est possible, pour le même prix, d'en acheter un demi-litre ou davantage ?

Au virage suivant, et il y en avait peu dans cette région de champs rectilignes, noirs et fertiles, les miniatures m'envoyèrent leur réponse. Pour l'*honneur*, disaient-elles. Car il est plus élégant de nous déguster, avec nos petites étiquettes raffinées et nos jolies capsules, que de s'envoyer un vulgaire demi-litre de supermarché. Particulièrement dans le cas d'une dame de l'Isle of Hope. Le prix est plus élevé, dites-vous ? L'honneur coûte toujours plus cher. Il exige toutes sortes de dépenses.

Pas seulement pour l'honneur – je m'essayai à faire la leçon aux bouteilles vides. Pour le cérémonial, aussi. On doit pouvoir éprouver un certain plaisir à briser ces petites capsules.

Les miniatures me corrigèrent à la première occasion, un passage à niveau déglingué. Ce que vous appelez cérémonial est en fait de la mesure, dirent-elles. Ou le cérémonial de la mesure, si vous préférez. *J'en ai pris tant. Il m'en reste tant à prendre. La nuit compte encore tant d'heures. Le pays, tant de kilomètres.* Des calculs de ce genre.

Je ne pouvais que me fier à l'avis des miniatures. Elles avaient vu ce qui restait pour moi du domaine de la conjecture. D'ailleurs, elles faisaient de très agréables compagnons de voyage, plus agréables que n'importe lequel des autostoppeurs fantomatiques qui surgissaient de temps à autre dans les phares de la Chrysler pour retourner aussitôt dans les ténèbres. Je n'aimais pas refuser à ces vagabonds la charité chrétienne, mais dans une entreprise comme celle-ci, je n'avais pas besoin de leur compagnie pour rester éveillé. J'avais les miniatures. Et il était important de rester éveillé, loin de ces chambres louées de motel, et d'arriver à cet endroit nommé Californie, où je n'avais nulle envie d'aller. S'il me fallait transformer des bouteilles d'alcool en oracles, en puits de science, soit.

Vous prétendez, maman, que le père Damian Dooley ne verra jamais mon rapport, même si je suis assez tête de mule pour persister à l'écrire. Vous me sous-estimez, comme d'habitude. Je n'écrirai pas ce rapport, Evangéline. Je le deviendrai.

Ouvrant brusquement les yeux, je vis la roue avant droite de la Chrysler sur le gravier du remblai et un panneau US 80 qui se précipitait sur moi, suivi d'un talus, d'un fossé et d'un champ. J'envoyai le volant vers la gauche et déboulai du bas-côté sur la chaussée jusqu'à la bande opposée, où le Seigneur miséricordieux voulut bien que personne n'arrivât. Je sentais dans ma bouche un goût bilieux de peur, et j'eus un haut-le-cœur. Sur l'accélérateur, mon pied paraissait insensible. Il était temps de faire une pause, je devais bien l'admettre.

A l'ouest de Meridian, il y avait une station routière, aussi illuminée qu'une petite ville. Bien qu'Evangéline se fût aveuglée et assourdie, je ne pris pas de risques. Je fis deux fois le tour des pompes puis reculai jusqu'à la plus éloignée afin d'éviter que la lumière ne lui tombe sur le visage. Même un innocent tel que moi devient naturellement stratège si les circonstances l'y poussent.

Ce n'est qu'après avoir fait le plein, lorsque je me dirigeai vers la station pour payer, que la question de l'argent me vint à l'esprit. L'argent était une chose dont je m'étais toujours passé à Hurt's Landing, une chose dont je n'avais jamais eu besoin personnellement, même s'il se trouvait au premier plan de presque toutes les conversations dans notre maison. Je me tâtai les poches sous le regard de la femme à la face empâtée qui tenait la caisse, et les trouvai là, mes trois dix et mon deux de chance. *Distinct Intent.* Je déposai un peu de cet argent sur le comptoir, pas beaucoup, en réalité, si on considérait la distance qu'il me ferait parcourir. Avec la monnaie, je me payai un café et un beurre de cacahuètes.

Je m'installai à la table la plus proche de la porte et me mis en devoir de percer un trou avec mes dents dans le couvercle en plastique de la tasse de café. J'avais ma part des gains, mais où étaient passés les trois mille deux cents autres dollars ? Disons trois mille cent – Mrs. Stafford en avait gardé cent en prévision des mauvais jours. En fait, si mauvais jours il devait y avoir, on y était. Je lui abandonnais volontiers cet unique billet de cent, puisqu'il en restait quelque part trente et un tout pareils. Mais où ? Quand on emmène un homme dans un endroit destiné à ceux qui ont perdu ou vont perdre leur lucidité, ou les deux à la fois, ne lui découpe-t-on pas les poches pour en retirer le contenu parce que, suppose-t-on, il n'est plus responsable de ce contenu et ne saurait qu'en faire, sinon risquer de se faire mal à la moindre possibilité ? Ce n'était pas pour moi que je voulais cet argent. A quoi l'aurais-je dépensé ? Mais c'étaient les gains de mon père. Ils lui appartenaient toujours, lucidité ou non.

— T'as des problèmes avec ce couvercle, hein ?

Debout près de moi, un homme en vêtements de camionneur sur une carcasse d'épouvantail observait ma lutte avec le couvercle en plastique. Il souriait avec gentillesse, et Dieu sait que j'avais alors besoin de gentillesse. Je regardai ce couvercle. J'étais parvenu à y ronger la forme d'une lèvre ricanante.

— Oui, je pense.

— Je vais te montrer comment on fait.

Il déchira le long de la ligne, dégageant une ouverture en demi-lune, et le café brûlant éclaboussa ses ongles graisseux. Je n'étais plus si sûr d'en vouloir.

— Question d'habitude.

— Je sais pas si j'ai envie de m'habituer.

Il plissa les yeux pour me dévisager.

— Il est bien tard pour être sur la route.

— Je conduis ma mère en Californie. J'essaie de faire ça le plus vite possible.

Il jeta un coup d'œil à sa montre.

— Je crois pas que tu y arrives cette nuit.

— Je le ferais si je pouvais, lui dis-je. Juste pour en être quitte.

Le camionneur parcourut la cafétéria d'un regard rapide. Elle était presque vide.

— Tu peux garder un secret ? me demanda-t-il.

— J'ai fait que ça toute ma vie.

Un rire comme un aboiement lui échappa.

— Je ne sais pas si c'est drôle ou non mais je ris, au cas où.

Puis il plongea la main dans la poche de sa chemise et en ramena une capsule. Il la brisa en deux et versa dans mon café la moitié de la poudre qu'elle contenait.

— Avec ça, tu iras aussi loin que tu dois aller, cette nuit. Mais je veux que tu me promettes quelque chose.

Je lui dis que je promettais.

— Quand tu sentiras que l'effet de ce truc commence à passer, et il passera, c'est pas tellement fort, je veux que tu t'arrêtes. Je ne veux pas que tu fasses un seul kilomètre de plus. Même si tu es sûr de pouvoir. Je veux pas être obligé d'apprendre qu'un pauvre gosse s'est foutu en l'air quelque part en Louisiane, en sachant que c'est ma faute.

Il désigna ma tasse.

— Bois-en un peu, maintenant.

Je m'exécutai.

— C'est dégueulasse.

— C'est amer. Personne n'aime ce goût. Un de ces maux nécessaires. Mais, bien sûr, t'es pas forcé de boire ce café.

J'en avalai une bonne gorgée afin qu'il ne pense pas que j'étais ingrat.

— Faut que je m'en aille sur la côte, maintenant, me dit-il. Je veux que tu te rappelles ce que je t'ai dit, faudra t'arrêter.

— Oui, m'sieu.

Quelle côte ? me demandais-je en marchant vers la voiture dans le parking. On est en plein milieu des champs de coton. Je me glissai au volant et installai mon café dans le support à verres que mon père avait fait placer au-dessus du cendrier. Pendant tout ce temps, Evangéline n'avait pas bronché et je me rendis compte qu'elle non plus n'avait sans doute pas beaucoup dormi la nuit précédente. Peut-être même moins que moi sur l'île Bonaventure.

Tandis que la station routière disparaissait dans le rétroviseur, je bus une gorgée de ce café, qui était brûlant et amer, avec un arrière-goût sulfureux presque intolérable. En me penchant du côté d'Evangéline, je trouvai son sac de mini-bouteilles, chiffonné, par terre, entre ses pieds. Mon tour d'en décapsuler quelques-unes. Je vidai une ou deux bouteilles dans mon café, puis bus une autre gorgée. Le brandy des frères chrétiens en coupait l'amertume mais, sous la douceur, le soufre était toujours là.

Si on peut être vif, à l'aise, sûr de soi, intelligent, habile – en un mot, le roi de l'univers pour toute l'éternité –, pourquoi préférerait-on ne pas l'être ? Surtout si ce pouvoir est aussi accessible qu'un épouvantail-camionneur dans une station-service. Si on peut régir à volonté le processus du sommeil et de l'éveil, pourquoi ne pas en profiter, sinon par vile frousse et, peut-être, à cause du soupçon que de tels pouvoirs ne sont pas naturels ?

Mais qu'est-ce que mon état a de si naturel, de toute façon ? Qu'y a-t-il de naturel et de bien dans le fait de se trouver assis droit et raide dans un cercueil lancé à toute vitesse à travers l'Etat du Mississippi au milieu de la nuit, avec la moitié de mes procréateurs qui s'est volontairement privée de la vue et de l'ouïe ?

Je sais pourquoi on a inventé cette poudre amère et ses semblables. Elles sont destinées à des gens tels que moi, afin de mettre un terme aux réflexions qui les tourmentent telles des mouches à merde autour d'une plaie ouverte.

Je me mis à chanter sans l'aide de Hoss Man Allan ni d'aucune autre station. Je chantais le temps où j'avais chanté pour me fabriquer un refuge sur le Lazaretto, sur l'île Bonaventure ou pendant la traversée vers Callibogee, tous lieux que j'étais certain de revoir, mais quand et dans quelles conditions, je l'ignorais. Je dévorais les kilomètres, fasciné et ravi par la ligne blanche et les réflecteurs qui signalent les virages de la route. Une heure évangélique s'égrena à la radio. Nombreuses étaient les pauvres âmes qui auraient eu besoin de Jésus cette nuit, mais rares celles auxquelles était accordée la grâce de croire. Les réflecteurs se tordaient, se tournaient, indiquaient le ciel, où ils se métamorphosaient, devenant la constellation de Draco le Dragon. Je suivis d'abord avec plaisir cette courbe ascendante, qui n'aimerait en effet conduire sa voiture en plein ciel ? Puis je commençai à perdre de la vitesse. Car un affreux démon mesquin et raisonnable s'était insinué sur mon chemin tandis que je roulais : si je vais vers le haut, vers le ciel, alors je dois avoir ralenti, car une telle pente n'est-elle pas extrêmement raide ? Je contrôlai mon allure. Elle était constante. Puisqu'elle ne pouvait être constante sur une montée aussi forte, je lâchai un peu l'accélérateur. Avec satisfaction, je notai que la vitesse tombait à soixante-dix, puis à soixante, puis à cinquante miles à l'heure. Ça montait tout le temps, maintenant.

Quand j'entrai dans Vicksburg, je devais rouler à quarante et j'avais envisagé une fois de sortir de la voiture pour pousser. Cette lancinante suggestion de nausée plantée dans mes tripes par le café sulfureux s'était épanouie en fontaine d'acidité. Vicksburg, reste au moins éveillé pour Vicksburg, m'exhortai-je. Ce monsieur Caton n'avait-il pas écrit quelque chose à propos de cette ville ? Une bataille s'était déroulée ici, si ma mémoire était bonne, et nous avions gagné, et la marée avait tourné en notre faveur. Non, ce n'était pas ça. Une bataille avait eu lieu, et nous avions perdu, et la marée nous était pour toujours contraire. Ou ces deux hypothèses étaient vraies. Oui, voilà. Nous avions gagné la bataille. Et le résultat, c'était que nous l'avions perdue.

Je t'en prie, Daddy Zeke, plus de blagues à propos de la Guerre civile. Elles ne sont pas drôles, et tu le sais !

Une fatigue désespérée. Une énergie exagérée, inusable. La guerre civile à l'intérieur du corps. Comment fait-on pour contrôler ce machin ? A qui demande-t-on conseil ? Petit à petit, je reconnaissais les chanteurs de gospels, à la radio. Les *MacIntosh County Shouters.* Je les connaissais, ils étaient un point amical dans cette nuit par ailleurs inamicale, il y avait un an à peine qu'ils étaient venus à Sandfly Crossing, six femmes en bonnet et robe de cotonnade et un Zoulou de plus de deux mètres qui battait la mesure avec un bâton de chêne. Les *MacIntosh County Shouters* avaient scandalisé la congrégation et son pasteur en maintenant, en chanson, que Daniel dans la fosse aux lions n'était autre que Rastus le petit esclave qui, après s'être faufilé dans le fumoir du Maître, avait tout juste réussi à s'en tirer avec ses filets de porc fumés, et que Dieu n'avait rien à voir dans cette histoire, non m'sieu. Là-dessus arrive le Maître, en plein devant l'assemblée, dans l'église où ils chantaient, un Noir au visage grossièrement blanchi, habillé d'un complet noir aux genoux luisants, qui regarde de tous les côtés en agitant le poing, et toutes ces femmes vêtues de cotonnades chantent : *Eh, il est par là !* en tendant le doigt vers la droite, et le vieux Maître part en courant de ce côté-là, son antique fusil rouillé à la main, tandis que Rastus arrive en douce par la gauche, le dos chargé d'un grand quartier de porc saignant, destiné au barbecue prévu au programme des festivités.

J'étais en équilibre au sommet du pont sur le Mississippi quand je le vis. Mon père. Debout sur la ligne blanche au milieu de la chaussée. Juste au pied du pont, côté Louisiane.

Je bloquai les freins. La queue de la Chrysler ondula comme celle d'un poisson et la voiture se mit à descendre la pente en dérapage. Lui se tenait là, immobile, absent, content de lui, souriant de son air béat. *Vas-y, si tu dois me heurter, vas-y,* semblait dire ce sourire. Je ne fus capable que de me cramponner au volant, il était trop tard pour le contourner. En pleurant, je glissai sur lui par le travers, m'attendant à la grande vague de sang rouge violacé qui allait jaillir de son corps et éclabousser le pare-brise.

Et puis, rien. Pas plus de résistance qu'un nuage n'en oppose à une aile d'avion. Cet homme que j'avais heurté ? C'était un fantôme. La voiture poursuivit jusqu'en bas du pont sa glissade nonchalante et alla s'arrêter sur le bas-côté.

Je m'en échappai, et remontai sur le pont au petit pas de course sous les lumières orange et bourdonnantes. “Papa ! Daddy Zeke !” appelai-je. Personne ne répondit. Sur le Mississippi, vers l'aval, quelques barges chargées de sable mugirent dans l'obscurité. Mon père était un revenant. Un homme sans reflet.

Je m'agenouillai sur la chaussée. Elle me parut tiède et accueillante au toucher. Elle était revêtue de goudron et de petits cailloux, et certains de ces cailloux scintillaient et me clignaient de l'œil. Allonge-toi avec nous, suggéraient-ils. Mais je refusai. Je suis un homme de rigueur, leur répliquai-je.

Au lieu de cela, je fis ce que depuis plusieurs heures je souhaitais pouvoir faire. Je vomis un flot de poudre blanche sulfureuse, de café et de brandy *Christian Brothers.* Après quoi je regardai vers l'est, là où j'étais passé à travers le fantôme. Il y avait une tache d'un vide plus intense à l'endroit où il s'était dressé. Puis vers l'ouest, le territoire auquel le fantôme m'avait introduit, tel un poteau indicateur. J'ai une certaine expérience de l'interprétation des revenants. Je connais leurs habitudes et leurs motivations. Tu m'abandonnes ici, avait voulu dire celui de Daddy Zeke. Poursuis ta route sans moi, puisqu'il le faut. Voici la frontière de mon domaine.

Qu'aurais-je pu lui répondre ? Son fantôme avait raison. Je l'abandonnais. Mais d'abord, je promis de revenir dès que ce serait humainement possible.

La voiture m'attendait en bas du pont, de travers, l'avant blotti contre le garde-fou, l'arrière sur la chaussée. A l'intérieur, ma mère dormait d'un sommeil d'une obscène innocence. Je ne me donnai pas la peine de remettre le moteur en marche. Je mis le levier sur neutre, braquai le volant et me laissai descendre ce qui restait de pente. Je quittai la route sous un panneau brun criblé de chevrotines, illustré d'un pin penché sur une table de pique-nique.

La voiture vint se mettre au repos, le nez contre une rangée de tables. Devant moi coulait une grande étendue de boue meuble. Le Mississippi. *Voilà,* pensai-je à l'adresse de ma mère. *Vous vouliez l'Ouest ; le voilà. Et vous, esprit pervers, esprit timoré, mauvaise mère, même pas éveillée pour jouir du passage !*

Je descendis de la New Yorker. Sous la lueur diffuse du plafonnier, je contemplai ma mère, ses traits pleins de charme et de vivacité gâchés par les protège-oreilles et le masque sur ses yeux. N'était-il pas touchant, dans son absolue vanité, cet espoir de se couper du monde, fût-ce pour une nuit ? Sauf que je n'étais pas d'humeur à me laisser émouvoir, pas par ignorance délibérée. A chacun son refuge, n'aviez-vous pas dit cela un jour, maman ? Alors pourquoi vous en faut-il tellement ? Je pensais que c'était un par client. D'ailleurs, vos refuges ne fonctionneront jamais. J'y veillerai.

Je refermai doucement la portière. Si tout le sommeil d'un lit peut avoir été dormi, ainsi que l'avait affirmé mon père, ne pouvait-on dire la même chose d'une voiture ? D'autant qu'*a priori*, il y avait assez peu de sommeil dans une voiture. Je me dirigeai vers la rangée de tables de pique-nique, non sans trébucher en chemin et déranger les pigeons qui nichaient entre les poutrelles du pont de Vicksburg, au-dessus de cette aire de repos. Sur ce pont, je savais qu'attendait Daddy Zeke, un concentré d'absence, tel qu'il m'attendrait au bout de chaque pont. Je reviendrai vous chercher, lui promis-je de nouveau, dès que j'aurai pu m'acquitter de cette course plutôt longuette. En attendant, ne vous offensez pas si je vous demande de foutre le camp de mon chemin.

Je grattai avec une baguette quelques crottes de pigeon grises sur la table et m'y allongeai. Comment notre mode de vie à Hurt's Landing, prudent, furtif, fait de compromissions, pouvait-il s'être si vite et si complètement effondré ? Comment en étais-je arrivé à me trouver allongé sur une table de pique-nique dans une aire de repos d'autoroute au bord du Mississippi alors qu'à peine un jour ou deux auparavant j'écoutais l'énumération des nombreuses possessions constituant mon domaine ? Mais que possédais-je en réalité ? Des eaux marécageuses ! Des sangsues ivres ! Des barques disjointes ! Comment expliquer, sinon, l'écroulement soudain et total de l'existence sur l'Isle of Hope ?

Et le pire, c'était que je croyais à tout cela, malgré moi. Et bien que la vie ait conspiré, depuis, à m'exposer la fausseté de mes croyances, je m'y accroche encore, par humaine habitude et nécessité, je suppose.

Jetant mon blouson sur moi, je recommandai aux dieux malpropres du fleuve mon âme douloureuse et grelottante de crapaud de mer.

XIII

— Timmy Marster Justice, qu'as-tu fait ?

Je m'assis sur la table de pique-nique, un mauvais goût dans la bouche et une crotte de pigeon sur une manche.

— Où diable es-tu passé ?

La portière s'ouvrit côté passager et Evangéline apparut, en lutte avec ses vêtements. Elle pinça ses dessous afin d'y faire entrer un peu d'air frais. Je lui fis signe. Elle fronça les sourcils.

— Par ici, maman.

Elle marcha vers moi en se palpant le visage ; manifestement, elle n'aimait pas cette sensation. Pas lavée, raide, grasse.

— Je n'ai pas vraiment l'habitude de dormir tout habillée. Je pensais que nous allions loger dans un motel, pas dans cette voiture. Nous ne sommes peut-être pas riches, mais nous pouvons nous offrir ça. Quelle était ton idée, d'ailleurs ?

— Je roulais, on avançait bien. Et puis tout à coup je me suis senti si fatigué que j'ai dû m'arrêter. J'ai eu un accident.

— Nous avons eu un accident ? Evangéline paraissait sceptique.

— Pas littéralement.

— Je vois. Encore un de tes jeux verbaux.

Ma mère examina le paysage. Sous le soleil brumeux de l'aube, le fleuve avait une couleur de moutarde brûlée. Les voitures cliquetaient sur le pont au-dessus de nous. Il y en avait beaucoup, tout le monde se rendait à son travail, sans doute, suivant le cours de vies ordinaires, certainement pas en route pour la Californie. Nous étions seuls sur l'aire de repos.

Evangéline s'abrita les yeux.

— Où sommes-nous ? Si j'ai le droit de savoir.

— Vous ne le reconnaissez pas ? Je fis un geste en direction du fleuve.

— Cette eau ? Non.

— C'est le Mississippi. Là où l'Ouest commence.

— Alors ?

— L'Ouest, insistai-je. La Californie. Je pensais que vous vouliez aller en Californie. Je nous ai fait faire tout le chemin jusqu'ici.

— Nous ne sommes pas pressés à ce point.

— C'est drôle. Hier, nous l'étions.

Je sautai de la table de pique-nique et adressai un au revoir silencieux au fleuve Mississippi et à tous les territoires du Sud. Sous le volant, les clefs se balançaient encore au contact. Laisse-les bien là, me dis-je, peut-être qu'un voleur charitable viendra s'emparer de cette chose, et de ta mère avec.

Evangéline se réinstalla dans la voiture et claqua la portière avec lassitude.

— Emmène-moi dans un restaurant convenable où il y ait au moins de l'eau courante chaude, pour que je puisse me rendre présentable.

— Présentable ?

— Oui, présentable. Vis-à-vis de moi-même. Vis-à-vis du monde. Elle désignait d'un geste irrité tout ce qui se trouvait de l'autre côté du pare-brise. Maintenant, toi qui es si bon conducteur. Conduis-moi là.

Je préférai la route locale à l'autoroute, pensant que nous tomberions tôt ou tard sur un endroit où on pourrait déjeuner. Pourtant, l'idée de saucisses fumées et d'œufs brouillés à la graisse de bacon donnait ce matin des crampes à mon estomac inquiet. Evangéline s'appliquait à remettre de l'ordre dans son coin ; elle vida les mégots de Viceroy du cendrier dans un sac en plastique, tapota son oreiller de voyage, inventoria ses mini-bouteilles.

Une journée toute neuve dans le nord-est de la Louisiane.

— Il me manque une miniature, annonça-t-elle après quelques kilomètres.

— En fait, il vous en manque plusieurs. Je les ai bues.

— Tu ne bois pas. Elle me considéra d'un côté à l'autre de la voiture. En tout cas, tu n'y as jamais montré de dispositions.

— J'ai toujours refusé les propositions.

— Alors ne me dis pas que tu vas attraper ce mal. Ici, maintenant, avec moi. Je ne me le pardonnerais jamais. Ni à toi.

J'envisageai les éventualités. Un mal si charmant, si sociable. A quel univers de camaraderie et d'excuses faciles il donnait accès ! Mais un mal d'une si écœurante complaisance.

— J'ai vu un revenant, hier soir, lui dis-je. Roulé à travers comme si c'était du brouillard.

Ma mère renifla.

— Une ou deux miniatures, et tu vois des fantômes ?

— C'était le fantôme de mon père.

— Laisse Zeke en dehors de ça ! glapit-elle. Je crus qu'elle allait bondir de son siège pour me prendre à la gorge.

— Comment pourrais-je le laisser ? Il *est* mon père.

Evangéline se laissa retomber contre son dossier.

— Je suppose que oui, admit-elle. Mais tu joues, c'est tout. Et la situation n'a rien d'un jeu.

— Vous ne pouvez pas affirmer à quelqu'un qu'il n'a pas vu ce qu'il a vu, même si vous ne l'avez pas vu. Même si personne d'autre ne l'a vu.

— Je suppose que tu crois aussi à l'inspiration du Saint-Esprit ? Sois un peu cohérent, mon garçon ! D'abord tu me parles de réflexion, puis de fantômes ! Tu ne peux pas avoir les deux en même temps. Tu dois te décider pour l'un ou l'autre. Il y a trop de différence entre les deux.

— Ce n'est pas mon avis, lui dis-je. L'un a tendance à mener à l'autre. En tout cas, c'est ce que j'ai découvert.

— Je crois, déclara-t-elle d'un ton exaspéré et sans réplique, que j'ai besoin d'aller aux toilettes. Aurais-tu l'obligeance de trouver un endroit où nous arrêter ?

— Comme si la route dépendait de moi, maman.

Peu de temps après, je rangeais la Chrysler sur le parking de la crêperie *la Grande Roue*. Curieux de voir comment, même pendant notre traversée du continent, nous continuions à nous disputer au nom de Zeke Justice et du droit de juger de ses actes. A peine entrée à *la Grande Roue*, Evangéline se dirigea droit vers les toilettes pour dames afin de se rendre présentable. Quand la serveuse arriva avec son pot de café à l'odeur âcre, je commandai du pain complet grillé et un verre d'eau sans glace.

Ce deuxième jour, nous parlâmes à peine, Evangéline et moi. Elle conduisait et je dormais. Nous étions comme les gens mariés qui ont appris à s'éviter mutuellement, l'un dormant le jour quand l'autre dort la nuit et vice versa, de manière à n'être pas obligés de respirer le même air. Ou peut-être la route était-elle responsable de notre mutisme. La route nous engourdissait, de même qu'elle affadissait les paysages parcourus. Je n'avais jamais soupçonné que, dans cette famille, il fût possible de rester assis côte à côte pendant des heures d'affilée dans un silence total. Peut-être étions-nous simplement en train de reprendre des forces, si on peut dire, en vue du prochain combat.

Je somnolai pendant des heures de broussailles ininterrompues. Marais et champs inondés s'étaient asséchés, transformés en pâturages au fur et à mesure de notre progression vers l'ouest. En fin d'après-midi, quand j'ouvris les yeux, la

New Yorker roulait à faible allure, avec l'aiguille du thermomètre dans le rouge, à travers les faubourgs de Sweetsburg, Texas. Les faubourgs de l'Ouest. Je regardai Evangéline ; deux couchers de soleil jumeaux rougeoyaient faiblement dans ses lunettes noires. Elle ôta ses lunettes et tourna vers moi deux fentes étroites et lasses.

— Si vous êtes fatiguée, suggérai-je en indiquant de la tête le grand crépuscule poussiéreux, je peux toujours conduire.

Elle me lança un long coup d'œil puis remit ses lunettes.

— Il n'y aura plus de tes excès au volant, mon garçon, m'informa-t-elle.

Là-dessus, elle fit faire demi-tour à la voiture et entreprit de retraverser Sweetsburg, comme s'il était possible que quelque chose lui eût échappé lors de son premier passage. Ensemble, nous explorions la ville du regard. Trois motels, un restaurant minable et, à ma surprise, un cinéma. Nous atteignîmes l'extrémité orientale de la ville, pareille en tout point à l'occidentale, à part le coucher de soleil. Evangéline n'avait pas plus que moi la moindre envie d'entrer dans un des trois motels de Sweetsburg, où nous serions contraints à l'intimité. Mais elle était encore moins disposée à se laisser emporter dans la nuit par un fou du volant qui était son fils.

Pendant quelques instants, il y eut entre nous quelque chose qui ressemblait à un accord. *Nous n'avons ni l'un ni l'autre envie de ceci*, semblait-elle implorer. *Alors évitons de nous torturer.*

— Je dirais *la Fontaine aux souhaits*, fit-elle avec lassitude.

— Je vote pour le *Sleepy Hollow**.

— Alors pourquoi pas *le Dourepos* ?

* *The Headless Horseman of Sleepy Hollow* – littéralement : "le Cavalier sans Tête du Trou ensommeillé" –, un conte de Washington Irving, est un classique de la littérature américaine pour enfants. *(N.d.T.)*

— Vous savez combien j'aime les mots, maman. Je ne supporte pas les motels où on maltraite l'orthographe.

Ce fut donc le *Sleepy Hollow*. Demeure d'Ichabod Crane et de son éternel tourmenteur, le Cavalier sans Tête. Au point où j'en étais, assis dans cette voiture à Sweetsburg, Texas, je me serais volontiers débarrassé de ma tête, aussi vite que possible, si j'avais seulement eu un bras capable de la lancer. Fils de lanceur ! Nous demeurâmes un moment sur le parking du *Sleepy Hollow*, où mon attention fut attirée par le vrombissement de la raie de néon blanc qui s'étendait sur toute la longueur du motel, le long de la ligne de faîte. Pourquoi ce tube au néon se trouve-t-il là ? me demandais-je. Il est là, me répondis-je, pour séparer l'arête de ce bâtiment des kilomètres de néant qui l'entourent de toutes parts. Il trace un trait devant le néant.

Lorsque Evangéline coupa le moteur, un grand type maigre apparut à la porte du motel, l'air à la fois ravi et incrédule. Apparemment, ses affaires ne marchaient pas fort. La région paraissait pleine de gens désireux de se déplacer, mais ils devaient l'être trop pour s'arrêter à Sweetsburg, du moins à une heure aussi peu avancée.

A en juger d'après les clefs accrochées au tableau derrière le comptoir, nous avions le choix des chambres. Evangéline en demanda une avec deux lits.

— Vu, fit le patron. Pour le jeune homme et sa mère. L'argent ne tombe pas du ciel, ces temps-ci.

— C'est mon impression, en tout cas dans ces parages, répliqua Evangéline, dont le regard était venu se poser sur la tête empaillée d'un coyote dépourvu de crocs.

Tandis qu'elle fouillait dans son sac à la recherche de son portefeuille, je me glissai à l'extérieur pour inspecter les lieux. Il y avait les inévitables balançoires et un bac à fleurs bleu qui pouvait avoir été, dans une vie antérieure, une piscine pour enfants. De toute évidence, Sweetsburg était un endroit sinistre, mais guère différent de n'importe quel autre, guère différent, sans doute, de l'Isle of Hope pour qui s'y retrouverait contre son gré. Je ris tout haut, là, entre la poussière et le vaste ciel, en évoquant le temps où Hurt's Landing, quand je ne possédais pas de bateau, m'avait donné l'impression que j'y étais bloqué. Ce n'était rien, comparé à ceci.

Evangéline vint se planter près de moi. Je vis que son exemplaire de la clef de notre chambre était attaché à la silhouette en plastique d'un petit cabinet de campagne.

— Qu'est-ce qu'on fait, maintenant ?

— Maintenant ? On passe la nuit dans ce motel, à moins que tu ne préfères te chercher une table de pique-nique quelque part ?

— Non, je veux dire *maintenant*, de tout *ça*.

Je désignai la pelouse sèche comme de la paille entourant le *Sleepy Hollow* et, au-delà, les poids lourds qui passaient devant nous sur la grand-route avec leurs pneus rugissants et leurs freins sifflants, en soulevant des nuages de poussière qu'ils nous balayaient dans les yeux. *Distance*, disaient ces camions. Tu te trouves exactement au milieu de nulle part, à égale distance des deux bouts de ton voyage, au point précis où le néant que tu habites sera rebaptisé. Chez les bénédictins, on m'avait exposé aux réflexions de Pascal ; il faisait partie de ce défilé de philosophes tristes que nous infligeaient les légions du père Dooley en guise de châtiment accessoire pour nos âmes. Le désespoir, selon leur pédagogie, était l'instrument par lequel s'enseignait la foi. Maintenant, debout sur la terre durcie et l'herbe jaunie près des balançoires du motel *Sleepy Hollow* à Sweetsburg, Texas, je comprenais enfin la terreur qu'inspirait l'infini à ce gentleman Pascal.

Que fait-on de tout ça ? me demandais-je.

Bien que non-buveur, j'avais étudié l'alcoolisme, j'en connaissais les principes. Ce qu'on fait de tout ça, c'est boire.

Dommage que je me sois interdit une échappatoire aussi commode. Se mettre un peu en forme n'a jamais tué personne.

— Ça ? interrogea ma mère, et je me rendis compte qu'elle avait poursuivi le même débat silencieux que moi. Elle fit un geste désinvolte de la main, et sa voix était teintée de dédain. Ça ? On le traverse. C'est simplement quelque chose qui est dans le chemin. Malheureusement, on dirait qu'il y en a beaucoup. C'est la faute de ce fichu pays.

— Ce n'est pas quelque chose qui est dans le chemin. C'est le chemin.

— Bon Dieu, j'espère bien que non !

Elle rit et s'alluma une Viceroy. Je fis glisser la clef de son doigt.

— Va chercher nos affaires dans la voiture, me dit-elle. Je vais finir ça ici, en regardant passer le paysage. Je sais que tu n'as pas envie de ma fumée dans la chambre. Mauviette !

La chambre répondait à mes craintes. Les deux lits mous se trouvaient à une proximité indécente l'un de l'autre ; seule une table de nuit les séparait. Perchée sur une étagère métallique vissée dans le mur de parpaings, la télévision semblait être le meuble central de la pièce. Je déposai nos sacs de nuit sur le support à bagages et m'en fus explorer la salle de bains. *Elle* et *Lui*, lisait-on sur les deux minces serviettes pendues à côté de la douche. Les verres à dents avaient des emballages de papier à l'effigie d'une infirmière, avec *Pour votre protection* écrit dessus.

Je fis usage des toilettes puis replaçai la rondelle de papier sur le siège. Quand je ressortis, Evangéline, assise sur le lit le plus proche de la salle de bains, contemplait son sac non ouvert comme s'il avait renfermé un putois mort, ou pis. Elle paraissait totalement défaite. Peut-être le véritable esprit de Blaise Pascal à Sweetsburg était-il venu l'envahir pendant qu'elle finissait sa cigarette, debout sur l'herbe. Ou peut-être était-elle simplement fatiguée. Elle nous avait fait parcourir un bon nombre de kilomètres, je devais le reconnaître. Elle semblait s'être convertie à ma façon de penser : sans doute ne savons-nous pas où nous allons, mais ce qui est sûr c'est que nous ne sommes nulle part en ce moment, et puisque nous ne savons pas où nous allons autant y aller le plus vite possible afin de découvrir où ça se trouve et en être quitte, et filer d'ici par la même occasion.

— Pourrais-tu aller me chercher les miniatures dans la voiture ? me demanda-t-elle lorsque j'entrai dans son champ de vision. Je prendrais bien un cordial en un moment pareil.

Curieux comme son langage se modifie quand elle parle de boire, songeais-je en rapportant de la voiture le sac en papier plein de petites bouteilles. Elle devient si délicate, si distinguée. *Un cordial.* Comme si, d'en parler en termes d'une telle élégance, elle pouvait supprimer tout le mal de l'alcool, n'en garder que la douceur.

Deuxième nuit depuis le Lazaretto. Apparemment, je n'allais pas pouvoir esquiver celle-ci. Pas de sac de couchage sur une île-cimetière, pas de table de pique-nique où m'affaler au bord d'une route. La nuit, dans toute son horreur : une chambre de motel mal aérée en compagnie d'Evangéline Justice, née Marster. Au Trou insomniaque, ainsi que j'avais déjà rebaptisé l'endroit.

La soirée commença par un dîner chez *le Roi des Chicken Fried Steaks.* Steaks panés façon poulet : mariage de la viande et de la volaille. Le *Roi des Steaks, la Grande Roue, le Gros Biscuit.* Tout paraissait démesuré en dehors de notre prudente petite Isle of Hope.

Dès qu'elle eut commandé, ma mère souffla à la serveuse :

— Je prendrai un Manhattan avec ça.

— Désolée, madame, clama la serveuse d'une voix nasillarde. Pas d'alcool dans ce pays.

— Que le diable emporte ces baptistes endurcis, s'écria ma mère. Sans laisser à la serveuse le temps de se remettre de cet affreux blasphème, Evangéline ajouta : J'en sais quelque chose. Je suis baptiste.

La serveuse éprouvait de la difficulté à croire cette affirmation.

— La limite du comté n'est qu'à vingt miles, conseilla-t-elle, puis elle fila comme si notre table était celle de Satan en personne.

— Il me semble que voilà une invitation, dis-je à ma mère.

— Vingt miles, répéta-t-elle, du même ton que si la serveuse lui avait suggéré de rouler encore pendant trente ans.

Je mangeai en hâte mon steak et la moitié du sien, puis nous sortîmes. Le cinéma qui nous avait offert de tels espoirs d'évasion n'était ouvert que le week-end. Nous nous retirâmes dans la chambre, où nous nous installâmes devant les informations locales, en nous tordant le cou pour regarder une télévision qui était quasiment fixée au plafond. A en croire le présentateur, il semblait que des coyotes dévoraient la contrée. Cependant Evangéline, oubliant mon dégoût de la cigarette, se mit à fumer des Viceroy à la chaîne tandis que nous suivions la chronique d'un endroit que nous ne verrions plus jamais. Elle alla chercher dans la salle de bains un verre *Pour votre protection* et y déversa presque toutes les mini-bouteilles qui lui restaient. Il y avait quelques liqueurs crémeuses parmi les eaux-de-vie, et elles composèrent, avec le *Christian Brothers*, un mélange d'aspect peu engageant, vert sauterelle et brun. Soudain et non désiré, un souvenir d'enfance à Hurt's Landing me revint, aussi malvenu qu'un rêve rappelant des choses qu'on n'a pas envie de savoir. Souvenir d'un jour où je jouais avec l'un des gamins noirs dont les pères venaient faire des réparations à la maison ou sur les bateaux, peut-être même le fils de Freeman Prince ;

nous étions dans le garage, occupés à mélanger peintures, vernis et désherbants, et tout ce que nous pouvions trouver, en les touillant dans un vieux bidon de Folger à l'aide d'un spécimen de ma collection de fouets à cocktail et en appelant ça du poison. Sous les yeux horrifiés de mon compagnon de jeu, j'avais porté le bidon à mes lèvres et fait mine d'en boire le contenu. "Hmm, bon poison !" Puis, faisant claquer mes lèvres après une gorgée imaginaire : "Juste comme papa."

Quand survint une publicité vantant des instruments aratoires, Evangéline se leva et entra dans la salle de bains. Je tendis le bras pour éteindre la télévision et dès que la porte fut fermée et l'eau en train de couler, je me déshabillai et me glissai au lit.

Au bout d'un moment, le bruit d'eau cessa et ma mère cria, de la douche :

— Prêt ou non, j'arrive !

Je ne comprenais plus. Etait-ce pour ça que nous nous trouvions ici à Sweetsburg, pour jouer à cache-cache ? D'ailleurs, il n'y avait pas la moindre cachette. S'il avait existé un coin secret, je l'aurais déjà localisé.

— J'ai dit que j'arrivais, cria-t-elle encore.

Sa voix taquine avait pris un ton irrité. Coquetterie tournant à l'aigre.

— D'accord, arrivez, criai-je à mon tour.

Une telle réponse ne suffisait pas. Evangéline ouvrit la porte à la volée mais demeura hors de vue.

— Ce que je veux savoir, c'est si oui ou non tu es décent.

— Je suis au lit, grognai-je.

— Bon, c'est bien. Maintenant, cache-toi la tête sous le drap.

J'obtempérai. Ça sentait les draps usés, l'eau de Javel et ma propre sueur rance. J'entendis froufrouter la chemise de nuit de ma mère qui entrait dans la chambre et se mettait les mains aux hanches.

— Si nous devons vivre comme ça – ce qui me paraît probable, au moins pendant quelque temps – il faudra que tu y mettes un peu plus du tien.

— Oui, m'dame, promis-je à travers le drap.

Je fis mine de remonter à la surface pour respirer, croyant mon purgatoire terminé. Ce n'était pas le cas.

— Je n'ai pas dit que tu pouvais sortir maintenant, déclara-t-elle gaiement. Et, rappelle-toi, on ne regarde pas.

— Je n'y songerais pas.

J'entendis le froissement plastifié du couvre-lit, puis des cintres qui s'entrechoquaient à l'autre bout de la pièce. Puis j'eus encore droit à quelques froufrous tandis qu'elle se mettait à l'aise et s'installait. Je priai avec ferveur d'être délivré de ma cage avant de suffoquer dans mes propres odeurs.

La lumière s'éteignit.

— Ça y est, la voie est libre !

Je rampai hors des draps. Derrière nos rideaux de plastique, l'enseigne du *Sleepy Hollow* bourdonnait et clignotait et, dans le parking, un projecteur nous protégeait des Mexicains, ou des coyotes, ou du fantôme du vide, ou de tout ce dont les gens pouvaient avoir peur en ce temps-là au milieu du Texas. En d'autres termes, l'obscurité dans cette chambre était une notion relative.

— Bonne nuit, Timmy.

Vint ensuite une période d'attente : qui serait le premier à briser le silence ? Qui ou quoi, car le premier son que j'entendis fut le déclic du briquet d'Evangéline. Le bout de sa cigarette rougeoya. Des mots allaient suivre cette brève flamme, je le savais, aussi sûr que la nuit vient après le jour.

Je ne fus pas déçu. Une occasion de plus de m'émerveiller de la capacité qu'avait Evangéline de se métamorphoser : de coquette veuve joyeuse en gardienne douloureuse du livre des lamentations Marster.

— Tu penses que je n'aimais pas ton père, lança-t-elle d'une voix plaintive dans la pénombre.

— Je crois pas que j'aie envie de savoir.

Mais elle voulait que je sache, bien entendu. A l'en croire, il fallait que je sache, dans son intérêt sinon dans le mien. Quand le besoin de parler l'envahissait on ne pouvait pas l'arrêter, pas plus qu'on ne peut demander à la marée d'attendre qu'on ait garni son hameçon.

— Je me suis donnée tout entière à ton père, m'apprit-elle. Avant et puis pendant notre mariage. Aussi longtemps que ça l'a intéressé. Je sais que tu n'as pas envie d'entendre ceci. Personne n'en a envie. Il est indécent de parler de ces choses-là, et plus indécent encore qu'elles se produisent. Mais il faut que je t'en parle, parce que je sais ce que tu penses : tu penses que tout ce qui lui est arrivé est de ma faute. Tout ce qu'il a fait.

— Je ne crois pas que c'est votre faute. Il n'a jamais dit que c'était votre faute. Il en voulait aux Marster.

— Et ne suis-je pas une Marster ?

— Si. Mais si je me souviens bien, vous ne vous êtes pas privée d'en vouloir aux Marster, vous non plus. On dirait que c'est de famille.

— M'as-tu jamais entendue rien dire contre ma propre famille ?

— Non. Mais j'ai cru que vous alliez boxer ces tombes quand nous sommes allés ensemble à Bonaventure.

— Tu as une de ces imaginations !

— Merci du compliment, maman. C'est à vous que je la dois. Avec toutes ces idées grandioses et ces histoires du passé qui flottaient autour de moi, je ne pouvais qu'avoir envie d'en inventer moi-même.

Je lui adressai un sourire sardonique qui se perdit dans l'obscurité. Dommage que mes dents ne fussent pas fluorescentes.

— Je n'y suis pour rien.

— Bien sûr que non. Tu n'es qu'un pauvre enfant innocent.

Evangéline se tourna dans son lit, cherchant une position confortable. Elle ne semblait pas y arriver. Une véritable princesse sur un pois, ici au *Sleepy Hollow*. Et moi j'étais le pois, le caillou dans la chaussure, le fruit de la passion naissante de Zeke et d'Evangéline. Passion ? m'interrogeai-je. Peut-être pas. Plutôt le fruit de la rébellion d'Evangéline contre les Marster. Je le voyais bien, maintenant : puisqu'on ne pouvait accuser une Marster de s'être délibérément méconduite, sa rébellion devait avoir été imputée à mon père. D'où la haine de Jefferson Marster envers lui.

— Enfin, au moins tu auras mis à profit ta prétendue période de réflexion. Mais pour l'étude, pas pour la réflexion. Ne va pas te figurer que c'est la même chose, espèce de philosophe amateur que tu es. Je comprends le sens des mots, moi aussi. Réfléchir signifie regarder en soi-même. Mais l'étude à laquelle tu t'adonnes paraît surtout consacrée à cataloguer les faiblesses des autres. Eh bien, félicitations, tu es venu au bon endroit ! Seulement, ne va pas croire que la véritable réflexion et l'établissement de tes listes, c'est la même chose.

— Pas la même, maman. Mais il est inévitable que l'une mène à l'autre. L'étude m'a l'air de venir avec le territoire. Je crois que c'est lié au fait d'appartenir à la glorieuse lignée des Marster.

A la lueur de l'enseigne du *Sleepy Hollow*, je vis les bras de ma mère balayer notre maigre chambre.

— Tu crois vraiment qu'être un Marster signifie quelque chose dans un endroit pareil ? Tu crois ?

— Oui, fis-je, paisible. Ça doit. A mon idée, ça doit signifier encore plus dans un endroit pareil.

— Ça m'a fait une belle jambe, à moi. Il ne t'est pas venu à l'esprit que c'était peut-être à cause de ça que j'ai décidé de nous tirer de là ? Parce que j'étais fatiguée d'être tout le temps une Marster, chaque jour que Dieu fait ?

Ça ne m'était pas venu à l'esprit. Ça aurait dû. Elle alluma une Viceroy puis maintint son briquet allumé afin de trouver le chemin de son sac de nuit, par terre, à côté de son lit. Elle farfouilla dedans, jura, et la chambre se remplit d'une odeur âcre de cheveux brûlés. A cet instant, l'enseigne du *Sleepy Hollow* décida de s'éteindre pour la nuit et notre chambre fut soudain entièrement habitée par l'ombre démesurée de ma mère, projetée sur les rideaux de vinyle tandis qu'elle retournait son sac à la recherche d'une ou deux mini-bouteilles qui auraient pu lui échapper plus tôt dans la soirée ou d'un quart de litre miraculeusement caché dans le tissu même du sac, de quelque chose qu'elle se serait dissimulé à elle-même comme à moi, mis de côté en prévision d'un jour tel que celui-ci. Et, en vérité, j'entendis bientôt le tintement joyeux de verre contre verre, suivi du contact du verre contre ses lèvres. Le calme qui l'envahit était aussi palpable que l'humidité sur l'île, un jour d'été.

Nouvellement fortifiée, elle s'adossa à ses oreillers. Puis eut la malencontreuse inspiration de diriger vers moi la flamme de son briquet. Elle se trouva face à face avec son fils, crapaud de mer toujours studieux, qui l'observait de ses yeux perçant les ténèbres.

— Je peux m'en passer. J'en ai *envie.* (Je devinai à son geste qu'elle exhibait le verre *Pour votre protection.*) J'apprécie trop l'alcool pour en abuser. Ce serait gaspiller.

En guise de preuve, elle avala une petite gorgée, aussi digne et cérémonieuse que s'il s'était agi de vin de communion.

— Je n'abuse jamais, insista-t-elle. M'as-tu jamais vue en empoigner une au goulot, faire sauter le bouchon et puis, cul sec ? Ça, c'est abuser !

Elle rit, pleine d'une soudaine indulgence envers elle-même.

— C'était une des plaisanteries préférées de ton Daddy Zeke. Ecoute-moi, maintenant ! Voilà que je répète ses vieilles blagues usées. Si ce n'est pas de l'amour, ça, qu'est-ce qui en est ? Oh, je sais, tu m'accuses de négligence, tu crois que j'aurais dû le sauver. Pourtant je l'aimais, je me suis donnée entièrement à lui, ainsi qu'on l'enseigne aux femmes sur l'Isle of Hope, à croire que nous n'avons d'autre raison d'être, sur cette île, que de nous accrocher à l'amour comme des sangsues.

Elle rit de nouveau, non sans malaise cette fois, ayant prononcé l'un des nombreux mots imprononçables de notre maisonnée itinérante.

— De toute façon, ajouta-t-elle, maussade, tout ça n'a servi à rien.

— Je ne sais pas. Au moins, vous avez gagné.

Elle écarta les bras, embrassant la chambre de motel.

— Tu appelles ça gagner ?

— Vous êtes ici, libre, et lui est resté là-bas dans une institution, entouré d'inconnus. Dans l'ordre des choses, telles qu'elles se présentent en ce moment, lui dis-je de cette voix raisonnable et évaluatrice que je savais qu'elle détestait, il faut bien appeler ça gagner.

— Il est toujours plus glorieux de prendre le parti de la victime. C'est presque aussi bien que d'être soi-même la victime, quand on n'a pas cette chance. C'est de la stratégie, ça, mon garçon. Je croyais te l'avoir déjà expliqué, il y a longtemps, sur cette saleté d'appontement où tu étais toujours fourré.

Je m'enroulai dans le mince drap blanc et tournai le dos à Evangéline. Oui, aurais-je pu lui dire, je vous accuse de négligence. Mais j'accuse mon père de bien d'autres choses, dont certains crimes plus graves, d'après mon épais registre des méconduites familiales. Mais n'attendez pas que je vous les énumère. C'est une affaire entre lui et moi.

Hélas, en ce moment, nous étions en train de nous éloigner à grande vitesse de l'endroit où j'aurais dû aller pour trouver un remède.

Quelque chose bougeait dans la maison. La tâche m'incombait de découvrir si c'était ami ou ennemi. S'il y a des esprits animés dans la maison, ils doivent être amis : la maison n'est-elle pas, en effet, une construction destinée aux amis ? Mais pourquoi des amis se déplaceraient-ils de manière aussi furtive, au plus profond de la nuit ? Ils doivent être ennemis.

J'ouvris les yeux et fus aveuglé par l'éclat du briquet de ma mère. Son visage s'illumina et disparut.

Alors je commis l'erreur de la nuit, plus grave encore que l'impudence de prendre parti. Je bougeai dans mon lit. Et elle me prit sur le fait.

— Tu es éveillé, déclara-t-elle d'un ton sans réplique.

Si je ne l'avais pas été, elle se serait assurée que je le sois bientôt. Je reconnus qu'elle souffrait d'un de ses besoins de parler. Croyez-moi, il n'y a pas de pire enfer que la séquestration dans une chambre de motel avec quelqu'un qui ne peut pas dormir et tient à vous faire partager cette malédiction. Elle s'installa au pied de mon lit, le bout de sa cigarette rougeoyant, pleine d'une exultation triomphante, avec dans le regard une lueur prédatrice visible même dans le noir. La porte donnant à l'extérieur paraissait distante de plusieurs kilomètres et, de toute façon, même si j'arrivais à l'atteindre, elle ne menait nulle part.

— Maintenant, je suis éveillé. Qu'est-ce qui se passe ? Quelle heure est-il ?

— L'heure éternelle des motels, bredouilla-t-elle d'une voix pâteuse.

— Bon Dieu, je croyais qu'on était dans un pays sans alcool ! Ou alors cette chambre est l'exception à la règle ? Et les bras de Morphée ? Ils ne se sont pas ouverts pour vous ?

— Tu as la langue sacrément bien pendue, et je m'en veux affreusement d'y avoir contribué ! Et juste quand j'ai besoin de ton aide !

Je la regardai tituber autour de mon lit dans le reflet du projecteur du parking.

— Ces petites bouteilles ne vous ont pas aidée ?

— Miniatures, maxiatures, plus rien ne marche, gémit-elle.

Elle fit un pas vers moi, puis négligea de reposer le pied. Elle resta perchée au-dessus de moi sur une jambe tel un grand oiseau pitoyable et sans ailes. Elle avait son verre à la main et je remarquai qu'elle avait commencé à s'en servir comme cendrier. Ainsi, voilà ce que font les Zekes et les Evangélines quand les lumières s'éteignent : au lieu de dormir, ils s'interrogent et broient du noir. Bruyamment. Ouvertement. Ça n'avait pas l'air très amusant. Comme d'assister à une soirée d'où on ne pourra jamais partir.

Alors elle décida de reposer le pied à terre. Et heurta là quelque chose qui lui fit perdre l'équilibre. Elle bascula en avant, le nez dans mes couvertures, tout en maintenant bravement son cendrier horizontal.

— Au cas où vous vous posez la question, je ne suis pas décent.

— Tu ne l'as jamais été, grommela-t-elle. Qu'est-ce que c'est que ce truc-là ?

Elle se redressa, se mit à genoux et commença à chercher à tâtons sous le lit l'objet qui l'avait fait tomber.

— Comment ce foutu machin est-il arrivé ici ? Elle exhibait la balle de granit.

Je haussai les épaules. Je ne me sentais même pas d'humeur à manifester de l'embarras. Et puis merde, pensais-je. Qu'est-ce qu'une mère peut s'attendre à découvrir à quatre pattes sous le lit de son fils aux petites heures du matin dans une chambre de motel à Sweetsburg, Texas ? Ç'aurait pu être bien pis.

— C'est une balle de base-ball. Souvenir de Hurt's Landing. Je l'ai emportée pour le voyage.

Elle caressait la balle entre ses mains. Personne n'aurait pu y rester insensible.

— Tu as l'intention de me tourmenter avec ça ?

— Honnêtement, non. Elle a dû glisser de mon sac.

— Elle a glissé, d'elle-même ? Tu crois qu'elle a des pouvoirs magiques ?

— Je sais pas. Possible.

Elle lâcha la balle qui écrasa le sol dallé d'asphalte, aussi anormalement lourde et destructive que s'il y avait en vérité un fantôme à l'intérieur.

— Et tu me reproches d'être esclave du passé ! Et toi, tu trimbales ce… ce souvenir. Je suppose que tu sais d'où ça vient ?

— *Pour le Blanc le plus gentil de Savannah*, répondis-je, citant la dédicace.

— Et tu sais comment on fait pour être considéré comme le Blanc le plus gentil par les Noirs de Savannah ?

— Non, m'dame, je ne sais pas.

— Eh bien, il vaut mieux que tu ne le saches pas.

— Je sais déjà tant de choses, lui dis-je, que celles que je ne sais pas ne me font plus peur.

— Tant mieux pour toi. J'aimerais pouvoir en dire autant.

Je me renfonçai dans mon lit en priant que viennent l'aube et la délivrance. Celle-là arriva avant celle-ci ; celle-ci ne s'est pas encore produite. Quand la lumière du soleil s'infiltra dans notre chambre entre les rayons de vinyle, je contemplai ma mère, étendue sur le couvre-lit plastifié, à moitié enroulée dedans, totalement inconsciente. C'est ça l'ennui avec Morphée. Il n'est pas là quand on a besoin de lui et quand il vient enfin, c'est pour ne plus repartir. Désagréable pour un fils de se livrer à de telles réflexions. Tu devrais l'aimer, cette pauvre mère à la triste victoire, cette enfant gâtée. Tu devrais l'aimer même si ça ne change rien.

Après tout, considère tout ce que nous avons en commun. Nous voici tous deux souffrant du choc de découvrir, mile après mile, que notre monde n'est pas le monde réel, ainsi que nous l'avions toujours cru. Que l'univers ne s'arrête pas au pont qui relie l'Isle of Hope au continent. Que nul ne se soucie ni ne se préoccupe des Marster, pas plus que d'une grosse mouche bleue bourdonnant sur une traînée de crotte de poule. En méditant sur cette découverte, si riche en contradictions par rapport à tout ce que j'avais appris auparavant, je ressentais une sorte d'exaltation mélancolique. On pourrait parler de liberté, faute d'un mot plus juste. Ma mère, cependant, encaissait plus difficilement.

Est-ce maintenant que l'amour, mêlé de pitié, va prendre possession de moi tel un état de grâce filiale ? Je me posais cette question en la regardant dormir, presque sans respirer, manifestement épuisée par l'effort de se procurer le sommeil. Peut-être ne l'aimerais-je jamais. Peut-être n'aimerais-je jamais personne. Peut-être l'Isle of Hope m'avait-elle rendu incapable d'amour.

Je sortis admirer le lever du jour. La beauté en fut perdue pour moi, ce matin-là.

XIV

Pendant deux jours, Evangéline, maussade et silencieuse, refusa de prendre le volant. Ce matin-là, au Trou insomniaque, elle s'était levée tard puis traînée jusqu'à la voiture, où elle avait attendu pendant que je rassemblais nos affaires. Je n'aurais pas pu lui reprocher son refus de cette corvée ; il eût été cruel de lui demander son aide. La chambre faisait penser à un bar après une bagarre que tout le monde aurait perdue. Des cendriers renversés, un verre plein de mégots flottants dans un liquide brunâtre et tiède, des mini-bouteilles vides gisant çà et là, et de minuscules morceaux d'un papier qui, pour ce que j'en savais, pouvait avoir représenté ses dernières volontés ou son testament, mais que nul ne pourrait jamais reconstituer. Et, au milieu de tout cela, la balle de base-ball sans coutures en granit, massive et intacte.

Dédaignant le côté passager du siège avant, Evangéline s'était fermement établie à l'arrière. Je m'installai au volant, dans le rôle du chauffeur. Vous aurez beau courir, vous ne pourrez pas vous cacher, avais-je envie de lui dire car je pouvais suivre dans le rétroviseur chacun de ses tics et de ses désaccords avec elle-même. Par le truchement du miroir, je la regardai disposer autour d'elle ses affaires de voyage avec un soin maniaque et inutile. Sa carte, son foulard, son poudrier compact avec son petit miroir, le carnet dans lequel elle notait les dépenses de l'expédition – mais je me demandais bien à qui elle irait en réclamer le remboursement.

A un moment de la journée, j'émis en passant un commentaire à propos du paysage, rien de bien notable, sur le fait que les fèves semblaient avoir remplacé le maïs en tant que principale source d'amidon. Elle ne m'accorda pas la grâce d'une réponse. Un coup d'œil dans le rétroviseur m'informa qu'elle avait remis ses protège-oreilles.

Elle les enlevait dans les relais routiers. On ne peut pas passer sa commande à la dame du comptoir avec des bouchons dans les oreilles. Dans ces établissements, elle se découvrit un penchant pour les babioles. Elle acheta des brocs à bière, des cartes routières d'Etats par lesquels nous n'avions nulle intention de passer, des étuis illustrés avec porte-mine et stylo, les fanions de diverses équipes de football universitaires. A l'occasion d'un de ces arrêts, nous fîmes nos deux seuls achats de biens mobiliers permanents de toute cette traversée : une glacière en polystyrène expansé d'une valeur d'un dollar et quarante-neuf cents, et une paire de lunettes de soleil pour moi. Je remplis la glacière de bière et en goûtai même un peu, lorsque je réussissais à arracher une boîte aux tenaces lanières de plastique qui maintenaient les packs ensemble.

— Ça va te rendre inapte à conduire, me fit remarquer Evangéline d'un ton apathique.

— J'ai soif.

C'était vrai. J'avais essayé de faire marcher le climatiseur, mais par cette chaleur torride il chauffait la voiture à tel point que j'avais dû renoncer aux températures artificielles et baisser les vitres. L'air pénétrait à grosses bouffées brûlantes, chargé de poussière et de sable. Toute conversation eût été impossible, si nous en avions eu le désir.

A un moment de notre traversée du désert, j'entendis chanter sur le siège arrière :

What'll ya have, Pabst Blue Ribbon
What'll ya have, Pabst Blue Ribbon

What'll ya have, Pabst Blue Ribbon
*Pabst Blue Ribbon Beer**

Elle chantait pour sa boîte de bière en la couvant du regard comme si ç'avait été la Vierge de la Guadeloupe en personne. Ses deux tampons de caoutchouc lui obturaient les oreilles. Le cœur plein d'amertume et de rage, j'enfonçai l'accélérateur et passai à bonne allure devant un grand panneau décoloré par le soleil qui annonçait : Prochaine station à cent miles.

Je sais que c'est mal, pervers, même, mais j'avoue que la perspective de l'inévitable panne d'essence me faisait plaisir. Tandis que le panneau avertisseur diminuait dans le rétroviseur avec le pont sur le Colorado, je regardai le compteur et me livrai à un rapide calcul : combien d'essence, combien de miles, comment immobiliser la voiture exactement au milieu d'un désert sans stations-service ? Je jetai un coup d'œil dans le rétroviseur. Evangéline avait disparu. Je me retournai pour l'observer à l'aise. Elle s'était endormie sur le siège arrière, entourée par la collection du jour de boîtes de bière vides et de sachets de chips de maïs.

A l'extérieur de la voiture, le paysage était un miracle de néant, une véritable consolation pour les yeux. Du rocher, du sable brûlé, de temps à autre un buisson aussi sec et aussi mort d'aspect que l'univers minéral alentour. Aussi vide que doivent le paraître nos marais à un étranger privé du bénéfice de l'histoire locale, qui ne peut savoir que telle voie d'eau particulièrement fangeuse porte un nom, qu'on appelle terron telle légère élévation au-dessus de la vase des roseaux, ni que M. Untel s'est noyé à tel endroit et que c'était sa faute. Je roulais à travers le désert dans une splendide ignorance, l'esprit non encombré, une

* "Qu'est-ce que ce sera, Pabst Ruban bleu *(ter)*, de la bière Pabst Ruban bleu." *(N.d.T.)*

boîte de bière tiédissante à la main. Au tiers du chemin dans cette zone sans service, la peur me prit. Une pancarte apparut, annonçant une ville. Wheat*. Je parcourus quelques miles avant de conclure que cette pancarte constituait à elle seule la ville entière. Ou alors on offrait du froment à vendre, ce qui me semblait peu probable.

J'étais en train d'imaginer ce que pourrait être l'existence d'un loyal enfant de Wheat quand ça arriva. Le moteur toussa une ou deux fois, étonné, incrédule, puis se tut. Je mis le levier sur neutre et laissai la New Yorker continuer sur sa lancée tandis que le silence nous rattrapait. Je continuai ainsi pendant un demi-mile environ puis rangeai la voiture au bord de la route, dans un remblai sablonneux. Je regardai le compteur. Exactement cinquante miles depuis le panneau avertisseur. Bien joué ! Pile au milieu de nulle part.

Refermant sans bruit la portière, je sortis de la voiture dans le vide du désert. Il s'avéra, bien sûr, que ce vide débordait d'objets, surtout des canettes de bière brisées et des boîtes aux formes étranges et torturées. Partout alentour, du verre brisé scintillait dans la lumière de l'après-midi ; apparemment, le désert faisait aussi office de champ de tir. J'entendis un frottement derrière moi et me retournai d'un coup, pensant scorpion ou serpent à sonnettes, bien qu'aucun animal ne bougeât dans cette chaleur. Le vent tracassait un journal jauni, empalé sur un buisson épineux. Je me penchai pour en lire la date. Un *Los Angeles Times* vieux d'un an, presque jour pour jour.

Sortant du champ de tir, je me retrouvai devant une étendue de sel d'où toute vie végétale était absente. Je m'accroupis, dos au soleil, en attendant que le monde joue son coup suivant. Dans un monde comme le mien, on n'a jamais longtemps à attendre.

* Froment. *(N.d.T.)*

J'entendis, sur la route, le claquement lourd d'une portière de la New Yorker. Evangéline fit quelques pas sur l'asphalte en trébuchant, la main serrée sur une boîte de bière, sa silhouette ondulant dans les vagues de chaleur tandis qu'elle s'avançait sur le sable dans ma direction approximative. Elle paraissait totalement incongrue, autant que n'importe quel être humain dans un tel environnement. Elle leva les deux bras au ciel.

— Mais qu'est-ce qui se passe ici ?

N'obtenant pas de réponse, elle battit en retraite du côté de l'automobile, un lieu sûr pour elle, un objet connu. Ou, mieux encore, un instrument d'évasion, ce qui, hélas, chère mère, n'était plus le cas.

Elle s'appuya contre la voiture et cria de nouveau.

— Timmy ! Timmy Justice !

Je me dressai sur la flaque de sel et fis de la main des signes joyeux.

— Par ici, maman.

— Bon Dieu, miséricorde, tu m'as fait peur ! C'est ça ton idée d'une aire de repos ? Tu n'aurais pas pu au moins nous trouver des arbres ?

— Ils ont pas d'arbres dans ce pays.

Elle fit mine de franchir le remblai de sable qui séparait la route du désert, puis se ravisa.

— Tu ne veux pas revenir par ici ? Je n'ai pas envie d'aller là où tu es, ça doit être plein de serpents.

— Je pense pas, m'dame. N'importe quel serpent à moitié sensé est au fond de son trou. Il fait trop chaud pour eux. Nous sommes les seuls êtres animés dans le coin.

— S'il fait trop chaud pour les serpents, pourquoi sommes-nous ici ?

— Parce que, lui dis-je en m'efforçant de contrôler l'orgueil qui faisait vibrer ma voix, parce que nous sommes en panne d'essence.

Evangéline recula de quelques pas et s'affaissa contre le pare-chocs, comme si je lui avais assené un direct à l'estomac.

— Je n'en peux plus. Je ne peux plus supporter ça, marmonna-t-elle pour elle-même.

— Au moins nous sommes en Californie. Je désignai l'océan de pierres, de rocs, de sable et de buissons calcinés qui s'étendait à l'infini de tous côtés. Voilà la Californie. Qu'est-ce que vous en dites ? Nous avons atteint la Terre promise !

— La Terre promise ! Comment as-tu pu tomber en panne d'essence ? Tu ne sais pas conduire ?

Elle se réfugia dans la voiture, à la recherche d'ombre, bien qu'il fît à coup sûr plus chaud sous le toit de la New Yorker qu'au-dehors. Remarquez, il y avait du moins des rafraîchissements là-dedans. A mes pieds, toujours empalé sur son buisson d'épines, le journal raclait le sable dur. Je suis grand lecteur et, à mon ravissement, je tombai sur les pages sportives et une victoire des *Los Angeles Dodgers*, mais la feuille était déchirée de telle façon que je ne sus pas qui ils avaient vaincu, ni si d'anciens *Indians* avaient participé au match.

J'étais si absorbé par l'examen de cet antique document et par l'histoire inachevée qui y était racontée que je n'identifiai pas le bruit qui approchait sur la route. Puis il fut sur nous, un camion géant, jaune, avec toutes sortes d'accessoires à l'arrière, sans doute destinés au forage de puits. Il passa sans ralentir, dans un nuage de sable et de broussailles déracinées.

Je remis le journal en place sur son buisson d'épines et revins vers la voiture à travers le champ de tessons de bouteille.

— Tu n'as rien fait, protesta Evangéline, outragée, du fond de son abri. Tu étais censé lui faire signe, nous faire secourir.

— Personne n'a rien fait, observai-je.

Je plongeai dans la glacière, par terre auprès d'elle, et pêchai dans l'eau tiède une boîte de bière. Ma mère surveillait cette glacière d'un air possessif. Elle buvait dans un broc en plastique découvert dans un relais routier en Arizona, sur lequel il était écrit : *Je bois pour rendre les autres plus intéressants.*

— Tu n'as pas fait signe à ce camion parce que tu souhaites faire obstacle à notre démarche.

— Ne vous y trompez pas, j'ai envie d'en finir, moi aussi. Mais je trouve que ça a quelque chose de reposant ici, bizarrement.

— Bien sûr, j'oubliais, tu étais perdu dans tes pensées ! Encore en train de réfléchir, cracha-t-elle, comme si c'était la pire des injures en cours. Pour moi, ça ressemble plutôt à une excuse pour se défiler de toute situation humaine.

— Vous auriez pu faire signe à ce camion. Vous auriez sans doute eu plus de chances que moi de l'arrêter, lui fis-je remarquer. Vous auriez pu faire des tas de choses que vous n'avez pas faites, au lieu de vous contenter de regarder.

Sur ce reproche sans réplique, je contournai l'arrière de la voiture, où une maigre raie d'ombre s'étendait au fur et à mesure que le soleil baissait à l'ouest. Dans le désert, mon impudence naturelle paraissait fleurir comme un cactus après la pluie. Ce paysage ne m'offrait pour elle aucune cachette. La dissimulation ne semblait pas pouvoir exister en cet endroit, comme elle existait sur l'Isle of Hope. C'est peut-être pour ça que personne n'y vit.

La route était à nouveau nue, silencieuse et sans fin, une extension du Mojave lui-même. Ce camion foreur de puits pouvait bien avoir représenté notre seule chance de la journée. A un moment de notre attente, je dérivai vers le côté de la voiture pour jeter un coup d'œil à Evangéline. Elle détourna la tête. Je lui fis la grimace. Le châtiment qu'elle avait inventé n'était pas très efficace.

Comme souvent en de telles circonstances, je pensai au père Dooley. *Efficace* était un de ses mots préférés et, chez les bons pères, l'étudiant capable de le distinguer des mots *efficient* et *effectif* en était récompensé d'un subtil hochement de tête. Je me souvins de m'être un jour laissé surprendre en cours d'instruction morale, le père Dooley ayant commencé son exposé par des conseils pour le traitement du hoquet. La victime était supposée retenir son souffle et avaler trois fois de suite, rapidement ; à l'en croire, ça marchait toujours. Du hoquet, le père Dooley était passé sans tarder au chapitre de la foi. La Foi, nous expliqua-t-il, pouvait se comparer au traitement du hoquet. Elle était efficace. Elle faisait de l'effet quand plus rien ne marchait. Les autres ficelles, combines et stratégies de la vie quotidienne n'étaient pas efficaces. Seules les siennes l'étaient.

— Absurde, dis-je à haute voix en cet après-midi déclinant au beau milieu du désert Mojave. Et de toute façon, qu'est-ce que ça voulait dire, marcher ? Dans la mesure où je pouvais en juger, rien ne marchait. Ni cette voiture, ni le traitement du hoquet, ni Dieu, ni même la réflexion. Et si l'on inventait un jour un truc efficace, il ne le resterait pas longtemps. Car il y a dans l'âme quelque chose qui ne peut que consumer les solutions inventées, réduisant tout le monde à un état temporaire, tel un alcoolique repenti. Un tel homme n'a pas cessé de boire ; il attend simplement de s'y remettre.

Plusieurs éternités plus tard, un camion tout déglingué arriva en zigzaguant au milieu de la route, un rat du désert au volant. C'est tout juste si nous ne nous couchâmes pas sur l'asphalte pour arrêter le chauffeur, qui faillit nous rouler dessus puis nous dévisagea d'un air incrédule quand nous fûmes dans son champ de vision.

Il passa la tête par la fenêtre.

— Merde, alors, je vous avais vraiment pas vus – oh, pardon, madame. Oublié mes saletés de lunettes à Forty-Nine*.

Il cracha discrètement par la portière de son pick-up, qui semblait dépourvue de vitre, de toute façon.

* Forty-Nine Palms (Quarante-Neuf Palmiers) ; c'est le nom d'un village. *(N.d.T.)*

— Vous avez un petit problème, là, m'sieu-dame, ou vous admirez le paysage ?

En gloussant de sa plaisanterie, il nous fit monter. Il ne devait pas avoir l'habitude de trimbaler des gens : il n'y avait pas de siège du côté du passager. Avant que j'aie eu le temps de redescendre pour grimper derrière, il avait enfoncé le levier des vitesses sur marche et redémarré. Accroupis sur le sol de métal rouillé, nous avions l'air, Evangéline et moi, de deux clandestins. Elle fixait avec inquiétude la surface asphaltée de la route qui filait au-dessous de nous.

— Sims, fit-il en tendant la main. Simple Sims. Content de pouvoir vous aider. J'espère que ça vous est égal d'être conduits par un gars qui n'y voit que dalle – pardon madame. Il doit plus y avoir que vous qui rouliez sur cette route ces temps-ci.

Puis il se pencha sur son volant pour regarder en clignant des yeux à travers son pare-brise maculé. Même pour un chauffeur qui avait oublié ses lunettes, la route offrait peu de surprises ; elle aurait pu avoir été tracée à la règle. Une ou deux fois, je le surpris qui nous fixait, une saine curiosité sur son visage tanné et grisonnant, tâchant de se faire une idée du genre de couple que nous formions. Avec ses cheveux en meule de foin, raidis par le sable et le vent, et ses lèvres bordées d'un trait d'écume blanche salée, Evangéline avait l'air de tout sauf d'une mère. Le désert nous avait égalisés.

La nuit tomba d'un coup, comme si quelqu'un avait abaissé un store. Simple Sims alluma ses phares, illuminant les tourbillons de poussière qui se pourchassaient en tous sens au travers de la route, tels des démons ou des revenants. Après quelque temps, nous arrivâmes en haut d'une légère pente et une série de lumières éparses apparut devant nous. Sims m'envoya son coude dans les côtes.

— Forty-Nine, annonça-t-il en se mordant l'intérieur des joues. Vous y trouverez ce qu'il vous faut, station-service et tout, et même un endroit où on peut se désaltérer. Mais je pense pas que les gars de la station voudront retourner là-bas avec un bidon d'essence si tard le soir. Y en a beaucoup qui aiment pas y aller quand il fait noir, à cause des serpents.

Il conduisit en silence pendant un moment, se mordillant toujours les joues.

— Les serpents me dérangent pas. Le pire c'est encore de dire leur nom. On a qu'à mettre des bottes. Toute façon, y a rien qui presse, votre voiture s'en ira pas toute seule. Ce qui peut arriver de plus méchant, c'est qu'une renarde vienne faire ses petits sur le siège arrière.

Moteur coupé, le pick-up descendait du désert vers les lumières de la ville à grands bruits de pot d'échappement déglingué et d'auto-allumage. Simple Sims m'indiqua les endroits dont j'aurais besoin, station-service et taverne, puis nous déposa devant le seul motel du lieu. Le croirez-vous ? Il s'appelait *l'Oasis d'Eden*. Evangéline l'examina d'un œil critique. Mais c'était *l'Oasis* ou rien.

— Je n'en peux plus. Cette fois je n'en peux vraiment plus, déclara-t-elle lorsque, après avoir payé la chambre à *l'Oasis*, elle put contempler à loisir le couvre-lit plastifié, troué de brûlures de cigarettes.

Je ne m'en émus pas. Elle répétait la même chose chaque jour, au terme des kilomètres accumulés. Comme tous les autres soirs, je partis à pied à la recherche d'une station-service vendant de la bière, afin de l'aider – et moi par la même occasion – à passer le temps jusqu'au lever du soleil.

Quand je rentrai, mission accomplie, à *l'Oasis d'Eden*, l'inévitable m'attendait. Ma mère, ses quelques possessions disposées autour d'elle, cendrier, tabagie, et son ridicule carnet de comptes, ainsi que le broc proclamant que boire rend les gens plus intéressants. Au soin apporté à la mise en place de ces objets banals, je reconnus la prudence obligée de l'alcoolique. Si vous en êtes un, vous devez faire preuve d'une attention extrême. Il vous faut en suffisance les fluides convenables, de la couleur convenable, au moment convenable. Vous ne pouvez pas courir le risque de tomber à court, d'avoir à dépenser pour la mise à niveau de votre stock des sommes extravagantes d'argent et d'amour-propre, que vous ne possédez pas. Vous ne pouvez pas courir le risque d'avoir à envoyer un taxi jusqu'au comté voisin un dimanche soir à minuit parce que vous avez été trop inconscient pour prévoir cette bouteille supplémentaire à une heure chrétienne le samedi.

Non que ma mère fût une simple sotte alcoolique ordinaire. Loin de là. Je la défendrai contre cette accusation, moi qui ne suis guère enclin par ailleurs à prendre sa défense. Simplement, elle appartenait à la culture de la parole, et de ce fait, à sa jumelle, la culture de l'alcool. Il n'était pas nécessaire pour y appartenir de boire en grandes quantités.

J'allai décapsuler les bouteilles de Pabst dans la salle de bains. Pendant ce voyage, j'avais appris beaucoup de choses. L'une d'elles était qu'on trouve des ouvre-bouteilles sous les lavabos des motels aussi sûrement que des bibles dans le tiroir des tables de nuit. Revenu, je regardai Evangéline remplir son broc et le considérer d'un air satisfait. Puis elle le déposa sur le côté, sans y avoir touché, apparemment comblée. Cette femme était un phénomène : elle n'avait pas besoin de boire pour boire.

Elle se racla la gorge et se lécha les lèvres. J'entendais les mots s'agiter dans ses poumons, mêlés à la fumée des Viceroy, avant même qu'elle ne les prononce. A cet instant précis, je tournai les talons, passai la porte et me retrouvai dans l'air desséché de Forty-Nine Palms. C'était ça, ou le matricide.

Où aller ? Au *Winners' Circle**, bien sûr. En quel autre lieu ?

Je reconnus Simple Sims devant le bar. Sous sa barbe mitée, il se mordillait les joues entre deux gorgées de bière.

— Où est la petite dame ? me demanda-t-il.

— Vous voulez dire ma mère ?

— C'est ta mère ? fit-il, incrédule. Je voulais pas t'offenser, fils.

— Y a pas de mal. Je l'ai laissée dans la chambre. Elle parle tellement qu'elle a failli me rendre sourd.

— Ça pourrait t'arriver ici aussi. T'es de la chair fraîche pour les gens d'ici. Dès qu'ils te verront ils se diront que t'as jamais entendu toutes leurs vieilles histoires assommantes, et que tu ferais bien de les entendre aussi vite qu'ils pourront te les raconter.

Simple Sims fit signe au barman.

— Donne une bière à ce garçon, quoique ce qu'il mérite, à mon avis, c'est une médaille. Il a conduit sa mère à travers tout ce foutu pays.

Le barman arriva avec une bière.

— Vous faites que passer, c'est ça ?

— Oui, m'sieu.

— Eh ben, continuez. Y a rien qui vaille ici.

Il me regardait boire : manifestement, un buveur inexpérimenté.

— Et d'où t'as dit que vous veniez ?

— L'Etat de Géorgie. Savannah. Enfin, tout près.

— Je le savais ! Je l'ai su quand t'as dit "m'sieu". Personne dit ça par ici, sauf si on parle au shérif avec une haleine qui pue la gnôle. Première fois que tu viens en Californie ?

Je répondis que oui.

— La Californie, c'est rien d'autre que le Sud à peine déguisé, même si personne veut l'admettre. Tous ces gens du Sud s'imaginent qu'ils

* Le Cercle des vainqueurs ; c'est ainsi qu'on appelle l'endroit où on présente son trophée au vainqueur d'une course automobile. *(N.d.T.)*

sont devenus autre chose, juste parce qu'ils ont flanqué leurs vieilles épaves hors de la frontière de leur Etat. Qu'est-ce qu'ils sont devenus, j'en sais rien. Des Californiens ? Jamais de la vie. Ils s'amènent tous à travers le désert avec leurs bagnoles qui chauffent et ils s'arrêtent ici, morts de soif, et juste aussi pressés d'aller se faire briser le cœur dans cette ville abandonnée de Dieu où ils sont si impatients d'arriver. Je leur dis qu'y a rien de l'autre côté des monts San Bernardino. Ils me croient pas, bien entendu. Alors au cas où ils auraient envie de rester, je leur dis qu'y a rien non plus ici à Forty-Nine. Pour ça, ils me croient – ils ont qu'à jeter un coup d'œil par la fenêtre.

— Ça, c'est pas vrai, intervint l'un des clients, un type d'une bonne vingtaine d'années, tout décoloré – à en juger d'après son allure, ce bar aurait dû s'appeler le Cercle des perdants. C'est pas mal du tout, ici. Des tas de gens supportent pas le désert. Ils y comprennent rien. Moi j'aime ça. Si j'ai envie de rentrer chez moi donner des coups de pied à mon chien, y a personne qui va s'amener pour me dire que j'ai pas le droit. Le désert est le seul endroit où je peux vivre, et je vis bien. Je vais à la foire au troc, je refile quelques-uns de ces cailloux que je trouve quand je veux, je les refile pour de l'argent à un de ces cinglés qui les collectionnent, et puis je m'achète quelques *C-rats*, tu sais, les “rations C”, la bouffe de l'armée. Le matin quand je me réveille, je mets une de ces boîtes de *C-rats* sur une pierre au soleil, et un quart d'heure après je suis attablé devant des œufs au lard chauds. Où c'est-y que tu pourrais faire ça ailleurs ?

Je dus reconnaître que je n'en savais rien.

Lorsque le gentleman décoloré, ayant exposé sa recette de vie au désert, fut retourné se fondre à sa table, le barman déclara :

— Pure Californie. Voilà ce qui leur arrive. Ils ont le cerveau recuit, juste comme une boîte de *C-rats*. Vous allez à Los Angeles ? Sans doute, oui.

Los Angeles n'existerait pas sans tous ces *Oakies** et ces gars du Sud qui ont la bougeotte.

— Y a peut-être quelque chose qui les pousse à partir.

— J'y ai pensé. Un rasoir rouillé ou une nana mal embouchée.

— Et vous, alors ? fis-je remarquer. Vous êtes toujours là.

— Eh oui, toujours là. Jamais rencontré un homme qui suivait ses propres conseils ?

Avec un grand rire généreux, le barman me souffla mon verre à bière et me le rendit plein.

— A l'Oklahoma, fit-il en levant le sien.

— A l'Isle of Hope. Je fis de même.

— Crois pas avoir jamais entendu parler de cet Etat. L'Etat d'Espérance.

— La carte vous dira que nous faisons partie de la Géorgie. Mais en réalité, on a fait sécession depuis longtemps. Seulement, y a personne qu'en a jamais rien su.

— La meilleure façon de se tirer. Faut pas leur dire qu'on s'en va. Avec un peu de chance, ils le remarquent même pas.

En cet instant inspiré par la bière, le continent américain m'apparaissait telle une machine à sous faussée, dont tous les gens du Sud traversaient comme des pets de lapin les fentes, les butoirs et les portes, pour se retrouver déviés vers l'ouest, tout au bout du pays, et tomber dans le trou. Au suivant, s'il vous plaît. Allez-y, et si vous gagnez vous réaliserez le grand rêve américain : vous pourrez rentrer chez vous donner des coups de pied à votre chien sans que personne ne s'amène pour vous dire que vous n'en avez pas le droit. En tout cas votre chien ne vous dira rien, lui, jusqu'au jour où il vous sautera à la gorge.

* Blancs pauvres de l'Oklahoma, qui ont massivement émigré en Californie pendant les années trente, et, par extension, Blancs pauvres dans tout le Sud. *(N.d.T.)*

Le barman s'étant éloigné afin de s'occuper d'autres soifs, M. Rations C réapparut pour m'exposer plus en détail sa version du désert et me proposer de l'accompagner le lendemain à une foire au troc. D'autres membres du *Winners' Circle* s'approchèrent, curieux de voir quelle sorte de créature étrange était venue s'échouer sur leur rivage aride. Un crapaud de mer, aurais-je aimé leur dire, mais je n'en fis rien, car les seuls poissons qui existaient ici appartenaient à la variété panée, en forme de bâtonnets, qu'on trouve dans les congélateurs. Je m'apercevais que j'étais très doué pour les propos de taverne. Pas étonnant. J'avais été initié par ces bons pères, puis entraîné par une star en la matière. Deux filles vinrent m'examiner. Elles commentèrent mon accent, que jusqu'à ce moment précis je n'avais pas été conscient de posséder, et m'en firent compliment, comme d'une vertu que j'aurais préservée à grand-peine. *Foutus Yankees*, jurai-je silencieusement, avant de me rendre compte qu'il était absurde d'injurier le Nord. Ce n'était pas le Nord, ici, ce n'était nulle part, le barman l'avait dit et il devait le savoir, lui qui se tenait en plein milieu avec son bar. Dans un endroit qui n'est nulle part, une voix parlant de *quelque part* étonne toujours et provoque des rires nerveux.

Alors, que les revenants de Hurt's Landing me le pardonnent, je commençai à dévider et à interpréter l'authentique sirop du Lazaretto en adressant mon sourire le plus ravageur et mes plus belles manières bénédictines à ces deux filles sapées l'une et l'autre dans des chemises western aux boutons de nacre ronds et laiteux, le visage garni de grandes dents de cheval. Je fis plus encore : je me mis, en vérité, à détailler mon passé exactement comme ce maudit vieux Jefferson Marster détaillait ses spiritueux. L'effet de mes pauvres histoires ne différait guère de celui des spiritueux : les filles éprouvaient à s'y oublier un bonheur provisoire, et elles en redemandaient.

C'est sans doute vrai, comme l'affirme Evangéline, que l'alcool fait appartenir à autrui, mais à ce moment-là ça m'était bien égal à qui j'appartenais, tant que ce n'était pas à moi-même.

Quoi qu'il en fût, je semblais prêt à vendre mon droit de naissance pour quelques verres de bière aqueuse et les sourires de deux cow-girls. Encore, me disais-je à part moi, que mon droit de naissance ne parût pas valoir grand-chose ces jours-ci. Je racontai à ces filles, de leurs prénoms Laura et Darlène, des histoires du Lazaretto comme si elles étaient arrivées à quelqu'un d'autre, je citai même des noms de lieux et elles gloussèrent, ainsi qu'il était prévisible, d'entendre *Runaway Negro Creek*. Mais si je nommai Hurt's Landing, je ne nommai pas la douleur*. Je n'avais pas perdu toute pudeur, ni envers elles ni envers moi. Je nommai les eaux, mais pas ce qui nage dans leurs profondeurs. Je parlai de Callibogee, mais pas du genre d'amour dont j'y avais été témoin.

On ne tarda pas à se retrouver dehors, une demi-lune pâlissante perchée juste au-dessus de nous, dans la nuit silencieuse, une fois la porte du *Winners' Circle* refermée derrière nous. Je marchai sur la route qui bourdonnait d'est en ouest comme un fil hypertendu, des rives du Lazaretto au Pacifique. "T'es cinglé, Timmy", me disait Laura, suspendue à mon bras et, bien que le mot cinglé fût un mot dur dans mon univers, elle avait la voix douce et consentante. Elle me montra la ligne médiane sur la chaussée en me faisant remarquer que j'étais debout dessus. Le shérif n'approuvait pas qu'on fît cela, me disait-elle, et je lui répondis qu'il y avait aussi des shérifs là d'où je venais. Et soudain, presque sans le vouloir, je racontai à Laura ma peur du shérif dans Butler Avenue, à Tybee, quand je conduisais mon père plongé dans un sommeil alcoolique sur le

* *Runaway Negro Creek* : le ruisseau du nègre en fuite ; Hurt's Landing : le lieu où aborde la douleur. *(N.d.T.)*

siège arrière. Avant que je sois arrivé à la fin relativement heureuse de l'histoire, Laura m'avait fait faire une sorte de danse jusque sur le bas-côté de la route et nous étions dans les bras l'un de l'autre. *Vite*, me disait-elle, *avant qu'on nous voie*, et on s'embrassait.

— Tu me ramènes chez moi ?

— C'est où, chez toi ?

Elle désigna la montagne au-dessus de nous, vaguement illuminée par le clair de lune.

— En bordure de la ville.

On traversa des champs de pierres et de broussailles, séparés par des barrières déglinguées. Elle me montra une caravane installée sur une légère élévation, avec des ravines caillouteuses des deux côtés.

— C'est ça, chez moi. Le Domaine des Déluges.

Elle regardait fixement le tube au néon allumé à la fenêtre de la cuisine, dans la caravane, à deux ou trois cents mètres de nous, qui l'attendait comme une veilleuse. Il me semblait presque l'entendre vibrer dans la nuit. Je sentis la répulsion qu'il inspirait à Laura et compris qu'il y avait là quelqu'un ou quelque chose qu'elle n'avait pas envie de retrouver.

— Ne fixe pas cette lumière, Laura, dis-je dans ses cheveux. Leur odeur de cigarette et de shampooing me paraissait douce. Elle va t'aveugler.

On monta le long de la ravine dans une bande d'ombre, protégés du clair de lune et des fenêtres de la caravane par une crête rocheuse. La ravine aboutissait à une corniche étroite, assez large pour s'y tenir debout mais rien de plus. Elle se retourna pour contempler la guirlande des lumières disséminées le long de la grand-route puis, d'un coup de pied, envoya une pierre rouler de la corniche en bas de la ravine, qui se déversait dans Forty-Nine Palms. Elle regarda cette pierre prendre de la vitesse et en entraîner de plus petites avec elle.

— Faudra plus que ça, lui dis-je.

— Tu crois que je le sais pas ?

Puis elle se détourna et grimpa le sentier abrupt devant nous en deux ou trois enjambées décidées qui me révélèrent une croupe admirable. Le sentier menait sur un vaste plateau, un paysage tel que je n'en avais jamais imaginé. Le sol était planté d'arbres hérissés, tordus, tendant vers le ciel une multitude de bras. Je touchai un tronc. Il était recouvert d'un croisillon de bandes d'écorce, aussi sec et aussi rugueux que les troncs de nos petits palmiers à rats rabougris, sur l'île.

Laura frappa le sol du pied, faisant s'envoler un nuage de sable.

— Je te présente le désert, me dit-elle. Tu aimes le vide ? Je le déteste.

— Tu ne crois pas, comme M. Rations C, que le désert est le seul endroit où on peut être libre ?

— Libre ? Libre de devenir complètement cinglé, oui, si c'est ça ton idée de la liberté.

Je l'attirai contre moi, et on marcha vers un groupe de cahutes aux portes et aux fenêtres béantes.

— Cabanes de colons, me dit Laura. Dans le temps, on pouvait avoir quelques hectares gratuitement, à condition d'apporter des améliorations au terrain une fois qu'on l'avait. Certains des types que t'as vus au bar sont des vestiges de ce temps-là. Apporter des améliorations au terrain, ça voulait dire construire dessus une maison de deux pièces. C'est ce qu'ils ont tous fait, et puis ils se sont tirés. Il fallait bien, y avait pas d'eau. Y en a jamais eu. Y a quelques pièces drôlement petites dans certaines de ces cabanes. Mais les gens ont pu garder le terrain.

— Pour ce qu'il vaut.

— Tout le monde aime dire qu'il possède un bout de terrain.

On s'arrêta sur le seuil d'une cabane. Je lui pris la main.

— T'es un vrai gentleman du Sud ?

— Je suis une pêche de Géorgie.

— Tendre et mûre ?

— Prête à se détacher !

Laura posa un pied sur le plancher surélevé de la cabane.

— Tu es un sensible, me dit-elle.

Je ne savais pas très bien à quoi j'étais sensible, mais le lui demander n'avait pas beaucoup de sens. Et puis, elle mit ma sensibilité à l'épreuve en tapant des pieds comme une folle sur le plancher de bois.

— Pour faire peur aux serpents.

On s'assit sur le seuil de la cabane et elle plongea la main dans la poche de sa chemise de cowboy. Elle en sortit dans le clair de lune une fine cigarette roulée à la main qui ne ressemblait à aucune de celles que j'avais vues.

— Tu veux fumer ?

Je n'étais pas sûr.

— Marijuana, précisa-t-elle. C'est plus ça qu'on dit. C'est de l'herbe. Du pot. De la douce. Tu sais bien ?

— J'ai pas vraiment l'habitude…

— Je sais. Elle se pencha pour me donner un baiser amical. C'est ça que t'as de si mignon.

— Oh, planer, je connais, affirmai-je précipitamment. Mais je l'ai jamais vu faire avec cette herbe.

— C'est différent. Et meilleur. Pas de gueule de bois.

On fuma son herbe, son pot, sa douce – quel qu'en fût le nom. Ça avait une odeur et un goût de corde, et mes poumons se révoltèrent. Fumer ça impliquait un cérémonial rapide, presque furtif, comme s'il était possible que quelqu'un nous observe, là, au milieu du désert, au milieu de la nuit. Ce cérémonial ne me plaisait guère. Il ne laissait pas de place à la conversation, et ce truc me brûlait la langue. Mais je constatai bientôt que fumer cette herbe n'était guère différent de boire de la gnôle, pratique qu'il m'avait été donné d'étudier. L'un comme l'autre offraient licence d'imiter le Cavalier sans Tête en envoyant promener la sienne.

Et de se livrer à des extravagances, ainsi que Laura était en train de le faire. Sortant de la cabane, elle s'était mise à tourbillonner au clair de lune sur le champ désert, entre les buissons secs et les palmiers tordus, avides de Dieu, qu'elle appelait des arbres de Josué. J'étais content d'avoir une excuse pour ne plus m'appartenir, même si l'âcre fumée que j'avais réussi à inspirer avait à peine suffi à modifier mon âme triste et persévérante. Ce n'était pas le cas de Laura, qu'elle soit bénie ! Elle dansait parmi les broussailles, un peu consciente d'elle-même, peut-être, les bras levés vers la lune. Puis elle commença à défaire les boutons nacrés de sa chemise. Je fus pétrifié en voyant cela, en pensant aux possibilités, et je dus me secouer. Tu as laissé partir la McQuithy. Vas-tu perdre aussi cette cow-girl ?

Tel un authentique suppliant, je rampai sur des rochers aussi tranchants que des coquilles d'huître et commençai à m'occuper de son blue-jean tandis qu'elle dansait, et ses seins s'agitaient très haut au-dessus de moi. Il est malaisé de danser avec un pantalon baissé aux genoux, et elle s'en débarrassa. "Libre, libre", chantonnait-elle pour elle-même, comme si prononcer le mot pouvait susciter la chose. Je ne savais rien de la liberté, sinon que je ne la posséderais jamais, même à des moments comme celui-ci. Si seulement je pouvais me défaire de mon encombrante conscience aussi facilement que de mes vêtements !

Laura revint vers moi, titubante, le corps argenté sous le clair de lune et verni de sueur, épuisée, sa danse ayant accompli sa mission. Je la ramassai et l'étendis sur le sol de la cahute.

— Eh, je ne veux pas d'échardes. Conduis-toi en gentleman.

Je ne me le fis pas dire deux fois. Je me couchai sur le bois raboté par des générations de vent et de sable. Avant que j'en eusse conscience, elle s'était posée sur moi et j'y étais. Je sentis une vague de chaleur autour de mon pauvre petit homme Lazare. La chaleur du bien. Je ne savais pas trop quoi faire ensuite.

— Je n'ai pas vraiment l'habitude.

— Regarde-moi dans les yeux.

Je fis ce qu'on me disait et découvris combien, d'un coup, elle était devenue belle. Si soudainement et si étonnamment belle que tout ce qu'on aurait pu appeler ses imperfections – dents de cheval, manières de vachère ou propos vaseux sur la liberté – se fondait dans un pardon aussi beau que total. Je commençais à comprendre pourquoi la moitié des gens étaient prêts à tuer pour cet acte.

Mais admirer et réfléchir ne semblait pas en constituer l'essentiel. Laura se mit à remuer et à ruer au-dessus de moi, et à dire des choses. Maintenant, je ne connais rien à l'amour, mais je savais que ce n'était pas à moi qu'elle disait ces choses, et que ça n'avait pas d'importance. Je la pris par les hanches, pour l'empêcher de s'envoler, car elle semblait si loin de moi, en dépit de l'intimité. Elle me bourra la poitrine de coups de poing, et je me sentis un peu honteux de ces côtes qui pointaient à travers ma peau comme une planche à lessiver, mais je n'aurais pas dû ; elle avait les yeux fermés.

Sans doute à cause de la position où nous nous trouvions, je fus visité par un souvenir vif et déplaisant de mon père sur l'île de Callibogee, et ma curiosité naturelle ainsi que l'esprit de compétition me donnèrent envie de savoir comment l'amour est fait. Bien qu'ignorant de ce que Bud Bandy appelait courir la gueuse, je suivis simplement la conformation de la chose. Le sexe est son propre guide, réalisai-je avec soulagement. Je posai mes deux mains autour d'elle, là où nous étions joints, et c'était ce qu'il fallait, car elle s'activa plus fort sur moi et, pendant un instant, son visage se détendit et ses yeux s'ouvrirent. Je regardai ce qu'elle fixait et vis les ombres hérissées des arbres de Josué, leurs frondaisons acérées évoquant des couteaux lancés vers la lune. Elle planait au-dessus de moi comme si elle voulait se retirer, mais je ne la laissai pas partir. Je la rappliquai sur moi et elle cria, et je connus un moment de conscience et de regret, qui furent perdus l'un et l'autre sous une lune pareille. Voilà où réside l'âme, me dis-je, et tu serais idiot de reculer. Alors elle entoura de sa main mon petit Lazare comme si j'étais la fiancée et ses doigts l'anneau, et presque aussitôt je sentis toute ma vie de pauvre crapaud de mer se précipiter à travers ma queue, s'écouler de moi, en elle.

Tel le Cavalier sans Tête, je m'étais débarrassé de moi-même. C'est ça la vie, je le comprenais, cet envol, cette dispersion, comme un journal dans le désert. Pour arriver à ça, il faut bien plus qu'un amour ordinaire.

Quand je relevai les yeux, la lune avait tourné et éclairait l'intérieur de la cabane. Sous mon cul nu, des rongeurs grattaient. Je m'assis en hâte.

— C'est rien, me dit Laura. Des rats-kangourous. Le désert est un endroit plein de vie, la nuit.

Elle était debout sur le seuil, rhabillée.

— Je ne voulais pas te laisser ici toute la nuit, mais je dois y aller. Tu sais, le Domaine des Déluges. Faut que j'aille bosser demain. Je travaille chez un agent immobilier, je réponds au téléphone pour un escroc qui essaie de vendre des morceaux de désert. Eau non comprise.

— Pourquoi les gens se font pas colons ? Ça a marché, pour nous.

Laura sourit.

— Ce temps-là est passé, sauf pour M. Rations C. Mais lui, c'est une autre histoire.

Je me rhabillai, embarrassé de son regard. Tapis sous le plancher dans un silence défensif, les rats attendaient notre départ. Du dessous du plancher, sur l'Isle of Hope, au dessus du plancher, à Forty-Nine Palms. C'est ce qu'on appelle s'élever dans la vie, me semble-t-il.

— J'ai dormi longtemps ?

— Une demi-heure, environ. Pas longtemps. Laura sourit de nouveau, indulgente. C'est O.K., tu l'avais mérité.

Nous redescendîmes du plateau. A l'instar de l'autoroute, cet endroit imposait son code, qui interdisait le bruit. Quand nous arrivâmes dans la ravine, elle s'arrêta. La silhouette sombre de la caravane se dressait sur son promontoire.

— On ne t'a même pas laissé une bougie allumée.

— On sait que je m'y retrouve dans le noir.

— C'est qui, "on", pour toi ?

Elle me lança un regard réservé aux intrus. Je connaissais ce regard.

— Personne. Mon bonhomme.

Je désignai d'un signe de tête les hauteurs d'où nous venions.

— Qu'est-ce qu'il dirait s'il savait ?

— Il serait jaloux. Vraiment très jaloux.

Puis elle escalada la pente, faisant rouler derrière elle cailloux et sable, vers la caravane qu'elle appelait le Domaine des Déluges.

En ouvrant la porte de notre chambre à *l'Oasis d'Eden*, je priais que me fût accordée la grâce du sommeil de ma mère. L'avoir pratiquement abandonnée au milieu d'une phrase, je n'aurais pu lui infliger coup plus cruel. Mais les lumières allumées dans cette chambre m'avertissaient qu'il ne fallait pas attendre de la vie une telle faveur.

Evangéline était assise dans le fauteuil, parfaitement droite. Sa tête reposait sur le tissu gris-brun et ses yeux étaient fermés. L'atmosphère de la chambre empestait autant que celle du *Winners' Circle.*

Aussi ridicule qu'un mari de comédie télévisée, j'avançais sur la pointe des pieds, mes chaussures à la main. Pour atteindre la salle de bains, il me fallait passer devant l'avant-poste d'Evangéline. Au moment où je m'y risquais, elle parla.

— Alors, on est parti explorer le Far West ?

Maudite bohémienne de carnaval ! Elle sait tout, elle voit tout, même quand elle dort. Ou qu'elle fait semblant de dormir, devrais-je dire, car un cerveau comme le sien n'est jamais vraiment au repos, pas lorsqu'il y a une telle profusion de torts et de petites injustices à répertorier et à compter.

— Oui, maman, je suis sorti.

— Laisse-moi deviner. Le *Winners' Circle.*

— On m'y a demandé de vos nouvelles, lui dis-je, espérant l'amadouer.

Elle huma l'air.

— Tu ferais bien de te laver les cheveux, ou quelque chose.

Je pris ça pour l'autorisation de poursuivre sans encombre jusqu'à la salle de bains. Mais ce n'était pas le cas.

— Je t'envie, déclara-t-elle. Ton aisance vis-à-vis du monde extérieur.

— Vous devriez sortir davantage.

— Sortir ? s'enquit-elle, comme si je lui avais présenté un concept inconnu, tel un réfrigérateur chez les Eskimos. Il n'est pas dans mes habitudes de sortir. Je ne connais que mon monde, pas tous ceux qu'on trouve par ici. D'ailleurs, le monde vient à moi, du moins c'est ce qu'il faisait. De toute façon, qu'est-ce que j'irais faire là dehors ? Elle désignait les stores baissés. Du surf ?

— Je ne sais pas si on pratique beaucoup le surf dans le désert. Mais j'ai entendu dire qu'il y a une ville fantôme, et qu'on y organise des festivals.

— Non merci. Nous venons de quitter une ville fantôme, ne le comprends-tu pas ? Je n'ai pas besoin d'en retrouver une autre. C'est tout le sens de ce voyage, mon garçon.

Je me glissai dans la salle de bains avant qu'elle pût me retenir au moyen d'un autre spécimen de repartie spirituelle. Dans le miroir rayé, je considérai mon reflet. J'avais perdu la grâce et le sommeil découverts sur le plancher de cette cabane de colon. C'est ça l'ennui, avec l'oubli de soi que procure l'amour : il ne dure pas assez longtemps. Ensuite, on se retrouve dans la galerie des glaces.

Dans la cuvette des cabinets flottait une cigarette noyée qui rappelait curieusement une sangsue au corps détrempé et distendu. Cette fois, je pissai dessus jusqu'à ce qu'elle se rompe, et refusai de tirer la chasse. Appelez ça un progrès si vous voulez. Tout sentiment de plénitude m'avait abandonné quand je rentrai dans la chambre.

— Je sais que tu as l'impression que je t'épie, me dit Evangéline tandis que je tentais de me figurer lequel des lits serait le mien pour la nuit, puisqu'ils étaient tous deux un peu défaits, de manière peu concluante. Mais, tu sais, ce n'est pas facile de parler avec toi. J'admets que je ne m'y prends pas très bien…

— Je ne dirais pas ça. Vous avez toujours été un modèle pour moi. C'est juste que je n'ai pas grand-chose à raconter.

— Et ce rapport que tu es si anxieux de rédiger ? Tu pourrais sûrement me faire profiter de certaines de tes réflexions, comme tu les appelles.

— Mes ordres étaient d'écrire ce rapport. Pas d'en discuter. D'ailleurs, son contenu est confidentiel.

Déçue, Evangéline se laissa retomber dans son fauteuil. Je décidai de revendiquer le lit le plus proche de la porte, me couchai, et commençai à écouter dans ma tête le bourdonnement de la bière pression. J'aurais donné ma couille droite pour me retrouver étendu, les fesses nues, sur le plancher de cette cahute, et entendre de nouveau les rats-kangourous en train de vaquer à leurs simples et humbles occupations. Mais cela ne se pouvait pas.

— Je vais dormir, annonçai-je dans cette chambre inondée de lumière électrique.

— Ne fais pas de vaines menaces.

Une nouvelle nuit active commençait pour l'équipe du cimetière. Je mis brièvement ma menace à exécution, puis me réveillai aux mots “Je n’irai pas plus loin”. Le plafonnier étincelait. Malveillante, Evangéline me tenait à l’œil.

— Vous n’en aurez pas besoin, lui dis-je avec lassitude, du ton dont j’aurais parlé à un enfant qui n’écoute jamais. Ça me prendra sans doute la journée de dénicher un jerrycan d’essence et quelqu’un qui veut bien me ramener à la voiture. Si j’arrive à trouver quelqu’un tôt le matin, on pourrait reprendre la route dans l’après-midi. On ne doit pas être à plus de trois cents kilomètres de Los Angeles. Vous pourrez être pour le dîner chez ces mystérieux cousins que vous avez là.

— Je t’ai dit que je n’irai pas plus loin. Tu ne me prends jamais au sérieux, marmonna-t-elle. D’ailleurs, je ne sais même plus si j’ai encore de la famille à Los Angeles.

Je me relevai pour éteindre le plafonnier. L’épuisement et les bières du *Winners’ Circle* me firent retomber dans le sommeil. J’évoquai les portes et les fenêtres béantes des cabanes de colons, un espace occupé par les pilleurs d’épaves nocturnes, et les mots *La Maison de l’amour* illuminèrent mon rêve, rouges et violents comme une publicité de bord de route. Puis je fus éveillé par un bang, mes propres cris et mon vieux cauchemar d’intrus persécuteurs, la porte s’ouvrit et ma mère passa la tête, amusée.

— Ne crie pas, fils, c’est moi, je fais juste une petite visite à la machine à glaçons.

Je me levai pour pisser ce qui restait de la bière. Dans la salle de bains, bizarrement proche de ses produits de beauté, je remarquai un représentant de l’armée des fouets à cocktail, un certain I. W. Harper. Je m’en versai un demi-verre à dents et complétai avec de l’eau du robinet. Je me pinçai le nez, fermai les yeux et me lançai. *Banzaï !*

— Tu ne bois pas, mon garçon.

Cette bohémienne de carnaval extra-lucide se tenait sur le seuil, seau à glace regarni à la main ;

ses yeux exprimaient un mélange de réprimande et de revendication.

— Non, je ne bois pas. Ce verre vient de me sauter dans la main.

— Je t'observais. Ça avait l'air du geste d'un buveur bien entraîné. Dévisser le bouchon, se servir. Et puis le robinet, sans le raffinement d'un glaçon.

— Simple observation, étude attentive.

Je pris un glaçon dans le seau.

— Voilà. Un cube de raffinement. Si vous pensez que ça fait une différence.

— Bienvenue dans l'affliction familiale, mon garçon.

— Non merci, je ferai ça à ma façon.

Passant contre elle, j'allai me planter sur le parking de *l'Oasis*. La demi-lune avait disparu depuis plusieurs éternités derrière les monts San Bernardino. Je ne pouvais que m'émerveiller d'un monde capable de placer un jeune crapaud de mer solitaire et non préparé, comme moi, dans une chambre de motel en plein désert aux petites heures de la nuit, à disputer de la différence morale essentielle que pourrait faire la glace dans un verre de bourbon. Même coupées d'eau du robinet, les vapeurs qui s'élevaient du mien me donnaient la nausée et j'en jetai le contenu sur l'asphalte du parking. Tant que j'y étais, je lâchai aussi le verre.

Pour votre protection.

XV

Mes œufs au lard ne me parurent pas très appétissants, le lendemain matin. Je ne devais pas leur paraître très en forme, moi non plus. Au réveil, j'avais été salué par l'odeur du liquide tiède stagnant au fond du verre à moitié bu d'Evangéline sur la table de nuit qui séparait nos lits, et ça ne m'avait pas mis de bonne humeur. Je m'étais souvenu que mon protecteur Simple Sims s'était proposé de me conduire au mile 50 sur la route de Wheat avec un jerrycan d'essence afin de dépanner la New Yorker. Je pourchassais le jaune anémique de mes œufs avec un petit carré de pain blanc grillé quand il me héla dans le restaurant.

Accroupi sur le sol de métal nu de son camion, percé de trous par lesquels je voyais défiler la route, j'appris le nom de l'agence immobilière où travaillait Laura. Et aussi qu'elle était mariée à cet homme – cet escroc, l'avait-elle appelé la veille – qui vendait des petits carrés de désert aride à une nouvelle génération de colons. Information décevante, mais pas surprenante. Entre Forty-Nine Palms et Hurt's Landing, la récréation du monde restait assez constante.

La voiture se trouvait là où je l'avais laissée la veille, sans portée de renardeaux sur le siège arrière. Mais nous avions été si pressés, Evangéline et moi, de sauter dans le pick-up rouillé de Sims que nous avions complètement oublié de remonter les vitres. L'intérieur de la voiture était plein de sable et de morceaux de broussailles sèches. Du sable s'était infiltré dans le levier du clignotant et l'empêchait de fonctionner. Mais cela n'avait plus guère d'importance. A partir d'ici, c'était toujours tout droit.

A *l'Oasis d'Eden*, Evangéline avait mis ses menaces à exécution. Son postérieur était solidement cimenté dans le fauteuil. Une émission de jeux se déroulait à la télé. Elle avait étalé le contenu de sa valise sur toutes les surfaces concevables dans la chambre.

— Je t'ai dit que je n'irai pas plus loin.

— Je vois. Vous avez l'intention de passer le reste de vos jours à Forty-Nine Psalms* ?

— Palms, me reprit-elle.

— Bien sûr. Mais vous ne comprenez pas que vous devez continuer ? C'est votre idée. La Californie, c'est votre idée.

— Nous sommes en Californie. Elle engloba la chambre d'un geste de la main. Tu l'as dit toi-même.

— Non. La Californie, c'est Los Angeles. C'est là que nous allons. C'est là que vous voulez aller, c'est là que tout le monde veut aller. C'est le bout de la ligne.

On frappa à la porte. La femme de chambre entra, nous vit et battit en retraite dans un flot d'excuses espagnoles. Mais pas avant d'avoir glissé un regard d'Evangéline à moi et esquissé un sourire indulgent.

Il vaut mieux ne pas décrire le reste de cette journée ni la suivante et, si l'on y pense, les oublier au plus vite. Pourtant, l'oubli n'est pas mon fort, je pense que vous devez l'avoir compris maintenant. Je me rendis à la station Phillips qui m'avait prêté le bidon de vingt litres d'essence et l'échangeai contre un pack de PBR, puis m'engageai sur le sentier caillouteux qui menait sur le plateau aux arbres de Josué. Je ne prétends pas qu'il suffit de baiser la femme d'un autre, dents de cheval ou non, agent immobilier ou non, pour

* *Psalms*, psaumes ; *palms*, palmiers. *(N.d.T.)*

devenir un homme. Mais d'avoir fait cela m'avait donné, de façon inattendue, les clefs du monde. *Du* monde ? Disons d'*un* monde. Un monde d'inactivité, d'attente qu'une femme m'accorde ses faveurs. Parlons-en, d'appartenir à quelqu'un d'autre ! Et pourquoi pas, Evangéline, pourquoi ne pas appartenir à quelqu'un qui nous permet de ne plus appartenir à notre triste et misérable personne ?

Sur le plateau, j'aurais voulu boire ma bière, assis à l'ombre d'un arbre de Josué, mais cette espèce ne donnait aucune ombre. Des busards tournoyaient au-dessus de moi, leurs petits cœurs durs pleins d'espoir. A un moment donné, j'entendis des voix indistinctes, et pensai que la combinaison de la bière chaude et du soleil avait eu raison de moi. Puis un couple de randonneurs géants, nu-tête et rouges comme des betteraves, passa près de moi à grands pas, gesticulant en tous sens et lisant un guide à haute voix. Après qu'ils se furent évaporés, je jugeai préférable de chercher de l'ombre, et j'en trouvai dans une petite grotte creusée par le vent. Bercé par la bière tiède de station-service, j'essayai de dormir. Quand tu te réveilleras, me disais-je pour me consoler, le *Winners' Circle* sera ouvert. Avec un peu de chance, la perfide Laura y sera. J'essaierai d'obtenir d'elle encore un peu d'immobilier dans le désert.

Ça devint une sorte de routine, une échappatoire à *l'Oasis d'Eden*. Après les prudentes règles morales de l'Isle of Hope, passer des après-midi entiers à l'ombre d'un rocher ou de l'arrière de notre New Yorker – qui se dégradait rapidement – ou s'éveiller nu avec Laura dans toute la violence torride du soleil, sur le siège arrière imprégné de transpiration, paraissait un véritable luxe. Après une longue saison sur le Lazaretto, où je ne connaissais que mon ignorance, Laura m'offrait un doux antidote. Notre amour était par nécessité itinérant. Une fois dans la New Yorker garée sur un lit étincelant de cristaux de soude, sans doute un lac au temps des tigres à dents de sabre. Une autre fois, dans le bureau même de l'agence immobilière de Josué Wells où, sans le faire exprès, je crois, je fis tomber sur le sol, d'un coup de pied féroce et irrépressible, une machine à écrire d'apparence coûteuse.

— Ma petite ardoise vierge, m'appela-t-elle après cet exercice.

Après quoi elle me fit simuler le vandalisme afin de justifier le bris de la machine à écrire, y compris forcer la porte d'entrée et arroser les classeurs de bourbon. Je la regardai avec admiration tandis que, nue, mon sperme dégoulinant le long de ses jambes, elle téléphonait au shérif pour lui signaler les dégâts.

Le lendemain, je m'éveillai dans une cabane de colon différente quoique identique avec l'impression que des éclairs éclataient au fond de mes yeux. Ardoise vierge, en vérité ! J'étais couvert des inscriptions et des ratures d'une atroce gueule de bois. D'ailleurs, j'étais à peu près mort de soif. A cet instant précis, je compris la vanité de ces tentatives d'assassiner sa conscience, comme si on pouvait faire cela sans que le corps se mette immédiatement à puer. Voilà ce qui arrive quand on envoie promener sa tête, disait le Cavalier sans Tête du Trou insomniaque : ça fait mal quand on la récupère. Extrêmement près de moi, un lézard me dévisageait d'un air franc et appréciateur. Je regardai par la porte ouverte de la cabine et me demandai : Qu'est-ce qu'une maison, sinon une image de l'âme ? Le cœur plein de dégoût de moi, je m'en fus à travers les champs de caillasse à la recherche de la voiture. Elle ne se trouvait nulle part en vue. Pour empirer encore les choses, il n'y avait pas de route. Je marchai pendant des heures, me sembla-t-il, avec l'espoir que mes pas seraient guidés par quelques filaments intacts de ma mémoire. Et ce fut le cas. Au bout d'un certain temps, j'arrivai sur une butte qui m'offrait un point de vue sur Forty-Nine Palms. Au loin, tout en bas, le toit de la voiture brillait au soleil. Elle était garée de façon originale, mais au moins je ne l'avais pas perdue.

La descente fut laborieuse, par les ravines, jusqu'à la ville. A la fin, j'aperçus Laura qui se baladait le long de la voie de service parallèle à la grand-route avec une désinvolture forcée. On s'arrêta l'un devant l'autre. Elle se retourna pour contempler la voiture, toute de travers, comme si c'était une explication.

— Tu as oublié de m'éveiller avant de partir, fis-je d'une voix plaintive. J'aurais pu geler là-haut, ou attraper la rage à cause d'une morsure de rat-kangourou.

— Tu ressembles à M. Rations C. Ça a été vite, avec toi, merde alors.

— Il doit habiter au fond de chacun de nous.

Elle absorba cette idée. Puis annonça :

— Il faut que tu quittes cette ville. Si tu ne t'en vas pas, aujourd'hui, quelqu'un va te tuer.

— Si jaloux que ça, hein ?

Elle s'éloigna. Je n'eus même pas mon baiser de paix.

J'ouvris la porte de la résidence familiale des Justice à *l'Oasis d'Eden*. La première chose qui arrêta mon regard fut une pile de conteneurs blancs en polystyrène expansé provenant d'un restaurant mexicain vendeur de plats à emporter, et six boîtes de bière vides encore reliées par leurs attaches de plastique. Une telle technique de consommation de la bière me donna sujet à réflexion. Mr. Harper aussi avait succombé dans la bataille. Il gisait, son bouchon dévissé, à côté d'un plateau de nourriture intacte sur ce qui avait été mon lit.

— Salut, fils. Evangéline fit un geste vague en direction de ce lit. Je t'avais commandé à dîner mais tu n'es pas revenu manger. Ça doit être froid maintenant. Froid depuis plusieurs jours. Quelle heure est-il ?

— Apparemment, il est l'heure de partir.

Je la considérai, et autour d'elle la chambre qu'elle avait façonnée à son image. Je me considérai, moi aussi, depuis peu une ruine. La vue de cette chambre, de ce portrait, aurait suffi à me décider à quitter la ville, même sans les menaces de Laura. A défaut d'autre chose, voilà ce qui nous distingue, Evangéline, papa et moi : l'orgueil. Le simple orgueil ordinaire, qui se révolte et qui dit : *Je ne deviendrai pas comme ça. Je descendrai jusque-là, mais pas plus bas. Là, je dois remonter.*

Je commençai à ramasser ses affaires, dans la salle de bains d'abord. Des produits de beauté, une chemise de nuit, cet infernal broc à la devise menteuse, son carnet de comptes, son écharpe de voyage, un guide de télé, des pochettes d'allumettes provenant de toutes les haltes que nous avions faites, le cendrier du motel, des fouets à cocktail décorés de sirènes nues ou de clubs de golf. Toute la triste collection. Elle me regardait remballer la chambre avec un intérêt modéré, comme si c'était quelqu'un d'autre qui avait résidé ici. Quand j'eus fini de boucler son sac et le mien, elle se leva et se laissa emmener, m'épargnant ce qui aurait pu être la partie la plus désagréable du nettoyage. Je l'escortai, aussi gentleman que la mort elle-même, bras dessus, bras dessous jusqu'à la voiture qui attendait. Une minute plus tard, nous nous étions engagés sur l'autoroute et nous dirigions vers Los Angeles dans le soleil de fin d'après-midi.

Je ne sais pas à quoi je m'attendais. Un portail de pierre dans le genre de celui de Wormslow, avec *Laissez toute espérance* gravé dessus ? Une arrivée en surplomb, d'où l'on découvrirait Los Angeles, semblable, avec ses bouillonnements et ses pulsations, à une vision immature de l'enfer, la ville entière étalée en contrebas comme une putain au con velu ? Rien de tel, chers compagnons de voyage. D'abord, je ne sus jamais exactement quand j'avais atteint Los Angeles. Après avoir fixé le soleil couchant pendant une heure ou deux à travers mes lunettes inefficaces de halte routière, je remarquai que les villes défilaient l'une après l'autre au long de notre route, mais je ne vis aucun endroit nommé Los Angeles.

A côté de moi, sonnée, contrite et préoccupée d'elle-même, ma mère buvait. J'étais dans le même état, moi aussi, et pas lavé.

Je vis plus de choses ce soir-là, avant d'arriver à destination, qu'un crapaud de mer ne peut en raconter. Ce lieu en était prodigue. Nous passâmes devant un cinéma qui affichait *la Guerre des mondes*. Dieu sait pourquoi, sans doute une exquise fatigue et des bouffées d'empoisonnement alcoolique précoce, je trouvai ça d'une drôlerie irrésistible. “Qu'est-ce qui t'arrive, tu ne tiens plus l'alcool ?” grommela ma mère parce que, l'honnêteté m'oblige à le signaler, j'avais fait un sort à une ou deux mini-bouteilles de brandy *Christian Brothers* en cours de route. Dans cet état de conscience accrue, je me mis à écouter vraiment les mots qui constituent le genre de conversation entourant une bouteille, quelles qu'en soient les proportions, à la façon de moucherons autour d'une lampe. Je vis tout le comique de cette proposition : que nous puissions en vérité tenir notre alcool, comme en une affectueuse étreinte, alors que tout le monde sait bien qu'au contraire c'est lui qui nous tient. En plein cœur de cette hilarité perverse, un homme surgit d'une rue latérale sur le boulevard où je roulais. Drapé de robes flottantes et sales, l'air d'une sorte de gueux arabe, il se précipitait au milieu de la chaussée avec des hurlements théâtraux en poussant un chariot de supermarché dans lequel naviguait un chiot squelettique. En me voyant arriver sur lui, il s'immobilisa sur place et m'attendit avec un sourire impatient, encourageant, plein d'espoir. Je ne lui donnai pas satisfaction. Je fis une embardée, heurtai le chariot et envoyai le chiot en vol plané, mais je manquai l'homme.

Encore une question de lucidité et de volonté. Encore un fantôme sur la route. Je poursuivis ma route avec un phare brisé.

Je passai devant un invraisemblable déploiement de commerces vendant des choses dont j'ignorais qu'on pût avoir besoin. Des ongles et des cils. Des housses de siège qui paraissaient fabriquées avec les peaux d'agneaux fraîchement sacrifiés. Une devanture où on lisait : *Droguerie éthique*. Un hôpital pour chiens et chats. Un marchand de tacos qui offrait aussi de laver votre voiture, de faire le plein d'essence et de vous cirer les chaussures pendant que vous mangiez. Et, tout au long des rues, les palmiers maigres mais comiques, tout rabougris sous des lampadaires aussi orange que le fromage de Cheddar dans un sandwich de relais routier.

Puis ce fut la fin du boulevard, une vaste étendue d'obscurité. L'océan Pacifique. Dernier arrêt, tout le monde descend ! Je me tournai vers ma mère pour l'informer de cette découverte ; elle avait la tête inclinée sur le côté et les yeux hermétiquement fermés. Si vous veillez toute la nuit, le sommeil finit tôt ou tard par vous rattraper, j'imagine.

J'allai m'arrêter dans un parking. Une estacade pointait dans l'océan, comme notre appontement avait jadis pointé dans le Lazaretto, sauf qu'ici, des vagues se gonflaient et se brisaient sous les planches. Je parcourus ces planches inégales en trébuchant à la façon des ivrognes que j'avais étudiés. Ici, enfin, c'était le bout. La délivrance. Incarnée par un quai bordé de cafés vendant du poisson frit, un stand d'autos tamponneuses fermé pour la nuit, une cabane avec une silhouette de palmier en tubes au néon où je lus : *Doreena, conseillère psychotique.* Je clignai des yeux un bon coup. *Doreena, conseillère psychique*, disait maintenant l'enseigne.

Sur l'estacade, l'air était frais et revigorant, et les pêcheurs nocturnes, avec leurs lignes plongées dans le ressac, donnaient même l'impression que la vie pouvait être possible, ici. Ne mangez pas les perches blanches, proclamait un avis affiché non loin des pêcheurs. Je changeai d'avis. Quelle sorte de pêche pouvait offrir cette estacade, si on ne pouvait même pas manger ses propres prises ?

Le long du garde-fou, on voyait à intervalles réguliers de petits télescopes bleus. Regardez l'Amérique, ordonnaient-ils et, moyennant vingt-cinq cents, on pouvait voir l'Amérique vingt fois plus puissamment qu'avec ses yeux naturels. J'avais le sentiment d'avoir vu de l'Amérique tout ce que je pouvais en supporter mais, au diable l'avarice, j'y glissai une pièce. Je tournai le télescope et visai la terre ferme jusqu'au moment où j'aperçus la New Yorker garée sous les palmiers étiques. Rien ne bougeait dans cette voiture. Bang ! fis-je, et elle disparut avec mes vingt-cinq cents de contemplation de l'Amérique.

Mais quand je détachai mon œil du télescope, la voiture était toujours là, posée de guingois entre deux emplacements de parking, le nez tourné vers le Pacifique. J'avais grand besoin de sommeil, même si cette voiture me paraissait un refuge aussi accueillant qu'une tombe. Tout en marchant vers elle, je considérai les autos tamponneuses parquées derrière leur clôture en fil de fer. Elles auraient fait un lit original pour cette nuit, si seulement ce féroce berger allemand n'avait pas travaillé là. Je m'installai au volant ; ça devenait une position naturelle. A la lueur du plafonnier, je vis que dans l'intervalle Evangéline avait remis ses bouchons d'oreilles et son masque d'occultation. Je farfouillai dans le sac mixte, poubelle et réserve de remontants, jusqu'à ce que j'y découvre deux mini-bouteilles abandonnées. Je leur fis un sort, puis inclinai mon siège en arrière et sombrai dans un sommeil forcé.

Tu as entendu ? Ça faisait boum, boum.

Ça recommence. Maintenant ça fait crac, crac.

Taisez-vous, ordonnai-je, Boum et Crac. Ne voyez-vous pas que j'essaie de dormir ? Vous pensez pas que je le mérite bien ?

Mais Boum et Crac ne voulaient pas me fiche la paix.

Le vent sifflait à travers la fente de la vitre. Au contact, les clefs chantaient ensemble.

J'ouvris les yeux et vis les têtes des palmiers qui s'inclinaient sous une bourrasque soudaine. Le ciel avait cette noirceur qui précède l'aube et les lampadaires perçaient des trous dans le brouillard. Quelque chose dégringolait d'un arbre en tournoyant sur soi-même tout au long de sa chute. Un corps miniature. Ça s'écrasa sur le sol du parking et ne bougea plus.

C'est alors que je devinai une présence animale hostile. Je regardai le pare-brise, droit devant moi. Agrippé à un essuie-glace, il y avait un rat aux yeux jaunes.

Même à travers la vitre, je sentais sa mauvaise haleine.

Et c'est alors que j'entendis Boum. Un rat tomba sur le capot et s'immobilisa. Un filet de sang d'un brun rougeâtre s'égoutta à l'avant de la voiture.

J'avais quitté mon île et traversé le pays entier, et maintenant il pleuvait des rats. Je tournai d'un cran la clef de contact et fis fonctionner les essuie-glace. Tire-toi de ma vue, Rat. Mais Rat se cramponnait des quatre pattes à la lamelle de caoutchouc. Il voyageait d'avant en arrière sur la vitre, ses pattes de derrière grattant furieusement le pare-brise, en produisant un bruit intolérable.

Je mis les essuie-glace à fond. Prends-ça, Rat. Mais Rat tenait bon, dents et griffes enfoncées dans la lamelle. On aurait dit des montagnes russes pour rats. On voyait que Rat essayait d'imaginer quoi faire dans une situation comme celle-ci. C'était la première fois qu'il se trouvait confronté à une chose pareille.

Nous sommes deux, alors, Rat. Devrions-nous en discuter ?

Je me tirai de la voiture. Tu peux la garder, Rat, les papiers sont dans la boîte à gants. J'espère que tu aimes les montagnes russes, Rat.

Mais je découvris que j'avais eu tort de sortir. Les palmiers se balançaient dans le vent et les rats tombaient comme une manne venue de l'enfer. Assis en tas sur un bout de gazon au pied d'un des arbres, trois rôdeurs étonnés humaient l'air, parfaitement incongrus sur ce parking. C'est par où, chez vous, rats ?

Finalement, j'eus l'idée géniale de m'éloigner des arbres. Tel un homme sous le feu, je traversai le parking en courant plié en deux. Des bancs s'alignaient le long de l'avenue qui bordait l'océan, surmontés seulement par le ciel noir et vide. Je fis de l'un d'eux mon refuge provisoire.

Je fus réveillé en sursaut par une nouvelle expérience mammifère. Un grand chien roux et mou était en train de me lécher la figure en bavant sur mon cou au moyen d'une langue qui ressemblait à du jambon cuit. Je n'ai jamais aimé le jambon cuit.

Je me levai d'un bond et chassai l'animal. Il recula de quelques pas, les pattes de devant étendues et la tête au sol, prêt au jeu. C'est le milieu de la nuit en Terre promise, une nuit pour les rats, pas pour les hommes. Tu veux jouer ? demandai-je au chien. Le chien dit qu'il voulait jouer. Je fis mine de dévisser ma tête et de la lancer aussi loin que je pouvais dans la rue, afin que le chien puisse la rapporter. Mais elle ne se détachait pas. Le chien s'en aperçut. Il parut perplexe.

— Eh, mec, ça va ?

Debout à quelques pas, une fille me regardait.

— Oui… Je jouais juste avec ton chien. Il m'a réveillé.

— Elle. Tu ne devrais pas dormir sur un banc public. C'est dangereux.

— Eh bien, je n'en avais pas l'intention. J'étais dans ma voiture, par là, et tout allait bien. Et puis, d'un coup, il est arrivé quelque chose de bizarre.

— Ouais ?

— Ouais. Il s'est mis à pleuvoir des rats. Du haut des arbres. Il a fallu que je me tire de là.

— Je pense bien.

A travers la mince bande de gazon, on contempla tous deux le parking, d'une couleur surnaturelle de fromage de Cheddar dans la lumière vive des projecteurs. La New Yorker était là, sous les arbres. Ses essuie-glace parcouraient le pare-brise au ralenti, sur le peu de courant restant dans la batterie.

— Il pleuvait des rats, dit la fille.

— J'en ai peur. Ça ne paraît pas très probable. Une espèce de vent s'est levé, et les palmiers ont commencé à se balancer. Les rats tombaient des palmes.

Les yeux de la fille passèrent lentement du parking à mon visage. Puis elle se tapota la cuisse. Viens ici, Arc-en-ciel, dit-elle, et le chien vola à ses côtés. Je n'avais jamais entendu parler d'un chien appelé Arc-en-ciel.

— Qu'est-ce que tu fais là-dedans ? La fille désignait la voiture. C'est là que tu vis ?

— Non, non… Je suppose que j'ai dû m'endormir… Je sais pas. Je voulais voir le lever du soleil, tu sais, sur l'océan.

— Dans ce cas, tu t'es trompé de côte. Elle se frappa de nouveau la cuisse. Viens, Arc-en-ciel, on s'en va.

Et elle s'éloigna dans la rue, d'un pas vif, avec son chien. Il faut reconnaître qu'elle avait raison. Cette côte-ci n'était pas la bonne pour assister au lever du soleil.

Troisième partie

LA CONFRÉRIE DES COMPLETS NOIRS

XVI

Quelques jours plus tard, couché dans un train qui roulait à travers les Carolines obscures, j'écoutais le choc léger des dés que lançaient des messieurs de l'autre côté de la cloison du wagon-lit. Ça m'avait pris l'éternité de Dieu de traverser en chemin de fer cet immense continent impassible, mais c'était ainsi que je voulais voyager. Je voulais voyager de la même façon que l'avait fait Daddy Zeke, et voir son pays. C'était pour ça que je revenais à Savannah. Pour récupérer Daddy Zeke.

Comment je m'étais procuré les moyens de voyager dans un tel confort ? Après la retraite de la fille et de son chien devant la figure de fou que je devais leur présenter sur ce boulevard au bord de l'océan, j'avais retraversé le parking en direction de la voiture. J'étais à la recherche de rats, morts ou blessés. Je n'en avais vu aucun. Celui qui avait joué aux montagnes russes sur l'essuie-glace devait avoir sauté en bas, étourdi comme un qui l'a échappé belle. Là, rien d'anormal. Mais où était passé celui qui s'était tué sur le capot ? Il avait disparu, lui aussi. De même que ceux qui avaient brisé leurs petits dos de rat en s'écrasant sur le béton.

D'habitude, les rats morts ne ressuscitent pas, contrairement à Lazare. Et les rats n'ont pas précisément la réputation de transporter leurs morts afin de leur offrir une sépulture convenable. Les rats sont… eh bien, les rats sont des *rats*. L'idée s'était fait jour en moi, en position de chasse aux rongeurs, à quatre pattes près du pare-chocs avant de la voiture, que peut-être il n'y avait jamais eu de rats. Je ne savais pas ce qui me paraissait pis : que cette chose fût réellement arrivée ou non.

Dans la voiture, Evangéline dormait d'un sommeil d'innocente. Elle avait les lèvres entrouvertes, et de petites bouffées d'une haleine teintée de whisky s'envolaient de sa bouche à chaque respiration. J'avais arrêté les essuie-glace et coupé le contact. Puis m'étais penché pour attraper son sac sur le siège arrière.

J'aurais dû m'en douter. J'y avais découvert le rouleau de billets de cent dollars de *Distinct Intent*. Je les avais comptés. Il en restait vingt-neuf. J'en avais pris quatorze pour moi, lui laissant la plus grosse moitié. Je commettais là une espèce d'acte de justice, et n'éprouvais aucun remords. Evangéline se débrouillerait ; elle avait de la famille ici. C'était elle qui l'avait dit. Et c'était aussi mon argent. Il m'était dû. Je le considérais comme une réparation. La contrepartie d'un démembrement. Une prime d'assurance, en quelque sorte. J'avais empoigné mon sac, dont le poids provenait principalement d'une balle de base-ball en granit, reverrouillé la portière avec soin et entrepris de chercher un taxi qui m'emmènerait à la gare. Même en Californie, avais-je raisonné, il doit encore y avoir des trains.

J'avais passé une bonne partie du voyage vers l'est à dormir. Si quelque âme compatissante suggérait que je gaspillais les beaux paysages, je lui riais au nez. Je savais ce que je perdais. Enfin, à Baltimore, ayant un peu récupéré, j'avais attrapé le *Panama Limited*, et maintenant je rentrais chez moi.

En cette mission que je m'étais assignée, la partie de dés de l'autre côté de la cloison et les voix de ces messieurs me paraissaient étrangement réconfortantes. Bien que les sons fussent étouffés, j'entendais chaque mot prononcé, chaque sentiment non exprimé, dans notre course commune à travers les paysages obscurs. Une paire de dés qui atterrit sur un tapis de feutre, ça fait un bruit particulier, de même que les exclamations de désarroi ou de gratitude qui ne peuvent manquer de suivre. Ce terrain m'était familier. Et bien que conscient que la soirée pouvait se terminer par des poignées de main à la ronde ou par un coup de pistolet, j'éprouvais de ce monde un désir nostalgique. Et ce, en dépit du fait qu'il m'était fermé pour toujours. En dépit de la façon dont il m'avait blessé, en dépit de la certitude qu'il n'existait plus ou, pis, qu'il était aussi virulent et aussi plein de mauvaises intentions qu'un cadavre abandonné pourrissant au fond des bois.

A un moment de la soirée, le bourbon dut faire défaut car mon demi-sommeil fut interrompu par des voix préoccupées qui se faisaient cajoleuses en s'adressant au contrôleur noir, lequel possédait sans doute la clef d'une réserve secrète de remontants. Et puis, dans leurs prières, apparemment vaines jusque-là, il se fit un bref silence, tel qu'en provoque toujours un billet de banque de dimensions considérables. Ce silence fut suivi par un ton de déférence charmée de la part du contrôleur. Quand je prêtai l'oreille à nouveau, la partie avait repris, accompagnée par le bruit caractéristique du bourbon dans des gobelets en plastique et le son universel d'un sac de papier brun qu'on froisse en le refermant.

Plus tard, après la partie, ou après que l'intérêt qu'elle m'inspirait fut épuisé, je sortis de mon compartiment pour marcher dans le couloir du train, afin de me dégourdir les jambes. Comme si marcher jusqu'à l'avant du train devait hâter mon arrivée à Savannah, où je ne savais ni ce que je ferais une fois que je m'y trouverais, ni vers qui me tourner qui pourrait m'aider à accomplir ce que je voulais faire. Où, selon toute vraisemblance, j'en serais réduit à attendre un signe.

Je fis coulisser la porte au bout du wagon. Dans le petit espace entre celui-ci et le suivant se tenait un homme, cramponné désespérément à une mallette noire et agité de tremblements incontrôlables, comme s'il avait été atteint de pellagre. Le train brinquebalait sur une voie inégale, et l'homme se battait avec les serrures en essayant d'ouvrir la mallette. Celle-ci aurait pu être un étui à flûte, mais elle était un peu large. J'entrepris de me faufiler à côté de lui et sentis sur lui le genre d'odeur qu'un homme acquiert après avoir dormi pendant plusieurs jours dans ses vêtements. Sensiblement la même odeur que la mienne après ma double traversée du continent, supposais-je.

J'avais presque réussi à franchir l'obstacle quand le train prit un virage et l'homme s'affala lourdement sur moi.

— Tu veux pas m'aider à ouvrir ce truc ? me demanda-t-il.

Il avait un visage creusé, pincé, avec une barbe inégale qui couvrait à demi sa peau blafarde de mangeur de gruau. Une chose surgie du fond des bois de pins.

Il surprit mon regard fixé sur le collier de morceaux de métal qu'il portait autour du cou.

— T'as jamais vu un homme avec un collier, hein ? me lança-t-il d'un air de défi.

— Sauf s'il y a une croix au bout, admis-je. Ou quelque chose contre le mauvais œil.

— Ce truc-ci marche contre le mauvais œil, en fait. Il empoigna le collier. Ce truc que tu vois ici est fait des éclats d'obus qu'on a retirés de ma pomme au Viêt-nam. Il éloigne les mauvais esprits. Repousse le reste des shrapnells qui flottent encore dans le coin.

— J'apprécie un homme superstitieux, lui dis-je.

La tête penchée, il me regarda.

— Est-ce que tu *sais* seulement où est le Viêt-nam ?

— Vaguement, prétendis-je puis, sentant qu'il devinait mon mensonge, j'ajoutai : On n'est pas tellement lecteurs de journaux là d'où je viens.

— Ouais, ça je crois.

Il me tendit la mallette et je me calai le dos contre la porte. Il réussit à se calmer les mains et à déverrouiller les serrures. Prudemment, il entrouvrit la mallette de quelques centimètres. Il n'y avait pas de flûte là-dedans ; à la place, je vis un instrument d'un genre différent. Un pistolet automatique avec un ou deux chargeurs de rechange et, tout le long du couvercle, une rangée de cigarettes à la marijuana roulées d'une main plus experte que celle de Laura, maintenues en place par des lacets de velours rouge.

— Ça c'est une valise ! fis-je, admiratif.

— Eh, en v'là un truc à dire ! Tu me bottes, toi ! Il hulula de rire. Je me présente : Lynn.

Nous échangeâmes une poignée de main. Ce Lynn avait un rire de fou, un vrai hurlement de singe. Il devait l'avoir attrapé dans une de ces jungles où les types étaient censés être allés au Viêt-nam. Il semblait tout naturel qu'il m'ait choisi comme témoin de sa folie. Aussitôt qu'un fou apercevait ma figure innocente de poisson-crapaud, il se sentait dans l'obligation de tenter de la corrompre par tous les moyens dont il disposait, et avec toute la diligence voulue.

— Ce truc-là, c'est mon paquetage de survie, me confia-t-il. Faut les deux espèces d'armement quand on prend le chemin de fer pour redécouvrir ces bons vieux U.S. d'Amérique.

— Je l'imagine. Si vous fumez ça et que vous n'aimiez pas ce que vous voyez, vous avez toujours l'autre arme pour tirer dessus.

— C'est plus vrai que tu ne le penses, gamin ! Il m'assena une bourrade sur l'épaule et mes dents s'entrechoquèrent. Il y avait de la puissance dans ce corps rabougri.

— Parce que cette herbe-là, elle est de mauvais augure.

— J'ai un petit peu d'expérience, hasardai-je.
Il secoua la tête.

— Pas d'importance quelle expérience t'as dans le général. Y a pas moyen de s'habituer à celle-ci dans le particulier.

Il y avait un bruit assourdissant entre les deux wagons et nous étions sans cesse ballottés d'un côté à l'autre, et l'un contre l'autre, ce qui entraînait une sorte d'intimité aléatoire. Mais ce qui nous manquait en confort nous était rendu en intimité. Lynn lécha la cigarette et se la mit en bouche.

— J'te préviens, c'est pas une herbe civile. On est en train de perdre la guerre à cause de ce truc-là.

— Ça vous ennuie ?

— Cette guerre ? Leur guerre ? Merde alors, non !

Je tentai d'inspirer la fumée dans mes profondeurs et de l'accueillir comme chez elle dans mes poumons, selon la méthode d'Evangéline Marster. Mais je ne réussis pas à la garder longtemps.

— Je vois ce que vous voulez dire. Qu'est-ce que vous mettez là-dedans ? Du napalm ?

Il me regarda en plissant les yeux quand je prononçai ce mot.

— Tu m'as dit que t'étais pas lecteur de journaux. Bon, ça fait rien. C'est ces petits Chinetoques jaunes contre qui on se bat qui font pousser ça pour qu'on s'en foute si y a une guerre ou pas. Et puis une fois qu'on s'en fout, ils s'amènent et ils nous tranchent les olives, tout net.

Lynn poussa son hurlement de singe rieur.

— Vous croyez qu'il y a une morale là-dedans, quelque part ? lui demandai-je.

— Sûr ! Tiens tes jambes croisées quand tu planes.

Je ris. En riant, je me rendis compte que la plaisanterie de Lynn n'avait rien de drôle, et ça me fit rire plus fort encore.

— Oh merde, t'es pas de ces connards qui peuvent pas s'empêcher de rigoler, j'espère.

— Je pourrais pas dire. Tout ce que je connais, c'est l'eau-de-vie des *Christian Brothers.*

Lynn haussa les épaules. La cigarette s'était consumée jusqu'au bout de ses doigts jaunis, mais il ne paraissait pas s'en rendre compte.

— Tout ça c'est pareil. T'empêche de penser à tes problèmes, quels qu'ils soient. Fout un océan entier entre toi et les trucs que t'as à faire pour t'en sortir.

Il laissa tomber le mégot sur le sol. Pendant un instant, je le regardai brûler sur une des plaques métalliques parsemées de petits reliefs en forme de vers, qui bougeaient et glissaient sur elles-mêmes dans les tournants. Il ne fallait aucun effort particulier pour imaginer ces plaques s'écartant et mon corps passant entre elles, vers le bruit et l'éparpillement.

— Merde alors, *c'est* quelque chose, cette herbe ! (En entendant ma voix, je me rendis compte que je ne parlais qu'afin de lutter contre la panique. Juste comme Evangéline.) Maintenant je comprends ce que ça veut dire, que les *Marines* font de vous un homme.

— Ha ! Une foutue saloperie de machine, qu'ils font de vous. Moitié animal, moitié machine, équipé pour tuer. C'est ça leur idée d'un homme. Et après ça ils vous lâchent en liberté dans ce zoo qu'on appelle le monde.

J'écoutais ces mots dans le réduit enfumé, des mots remplis de terreur mais étrangement distants. Rendus presque confortables par l'effet de l'herbe.

— Votre herbe, là, c'est une guerre à elle toute seule.

Lynn opina :

— Fait partie du paquetage de survie. Choisissez votre arme. Si mon cul est encore en une seule pièce, c'est à cette herbe que je le dois. Comme je disais, elle annonce le malheur. Quand je fume ça, je sens si une attaque est en train de s'amasser contre mes positions avant même qu'elle ne se produise. Paranoïa créative. Là-bas, une attaque *s'amasse* contre toi comme un orage, comme un coup de vent. C'est parce que ces petits Chinetoques sont faits de terre. On peut pas se battre contre la terre et gagner. On peut seulement tenir bon et espérer. Pour y arriver, faut se maintenir en état d'alerte permanent.

— D'où va venir la prochaine attaque ? Maintenant, je veux dire, maintenant que vous êtes rentré ?

— C'est ça le problème quand on fait la guerre sur le front intérieur. Lynn secoua la tête ; sa voix prit un ton triste, vaincu. Tout le monde a l'air pareil. Ils ont tous l'air d'être des nôtres. Mais c'est pas vrai. Un tas d'entre eux nous détestent parce qu'on est allés là-bas, parce qu'on leur rappelle qu'on est en train d'y faire la guerre. C'est encore pire ici qu'au Viêt-nam, et même là-bas on pouvait jamais prévoir.

Lynn sortit de sa mallette une deuxième cigarette et se mit à la manipuler.

— Vous feriez peut-être mieux de vous en tenir au bourbon, lui dis-je. Ça fait des gens heureux qui se donnent des tapes dans le dos. Ça entretient les rouages de la conversation. Sans terreur. Du moins, à ce que j'ai vu.

Lynn fit non de la tête.

— Aucune différence. C'est juste le choix des armes.

Je levai vers lui un verre imaginaire.

— A chacun son refuge !

Nous nous laissâmes ballotter pendant quelque temps dans ce vacarme entre les deux wagons, puis Lynn reconnut :

— Quand on est impliqué dans le genre de guerre où je suis, y a tout simplement pas moyen de s'assurer un périmètre. On peut pas prévoir d'où ça va venir. C'est au milieu de la nuit, c'est en vous, c'est partout. On peut pas être partout à la fois. Je le sais, j'ai essayé, ça m'a crevé.

— On dirait une guerre civile. C'est les meilleures. J'écartai d'un geste la cigarette qu'il m'offrait. C'est pour ça que je rentre chez moi. Je vais passer la serpillière.

Je découvris que le fumeur n'aime pas plus fumer seul que le buveur n'apprécie de céder à son vice en solitaire. Si je ne partageais pas cette cigarette, je disparaissais de son univers. Il ouvrit la porte coulissante et sortit de notre petite cellule bruyante en direction de l'avant du train. Mon compartiment était vers l'arrière. Pauvre Lynn. Il ne semblait pas avoir apprécié la vieille leçon Marster de l'Isle of Hope. Que s'il faut souffrir, la moindre des choses est d'embrasser sa souffrance. Que si l'on doit faire la guerre, la moindre des décences est de la perdre. Et avec élégance, si possible.

Je parcourus le couloir en titubant et visai pour introduire mon corps dans mon compartiment, sur mon étroite couchette. M. Rations C ; Lynn. Voilà de quoi ce pays est fait. Des guerriers. Eh bien, qu'on ajoute mon nom à la liste. D'accord, ma guerre est plus feutrée jusqu'ici, ses armes sont plus intimes. Mais seulement parce que je suis plus jeune, parce que je ne suis qu'un débutant. Plongé dans ces réflexions, je laissai le train m'emmener vers le Sud, anesthésié comme il convenait en l'occurrence, la bouche pâteuse, bercé et massacré par tout un continent de bourbon et la marijuana de Lynn, cette arme d'offensive du Têt. De mauvais augure, en vérité. Si j'avais eu son paquetage de survie sous la main, c'est une bonne douzaine de fois, au cours de mon sommeil agité, que j'en aurais extrait son pistolet automatique pour faire plein de trous dans ce train. Quand de tels rêves s'amassent autour de vous comme des moustiques, on est parfois obligé de faire un bruit violent pour les effaroucher.

Quand je rouvris les yeux le lendemain matin, le *Panama Limited* achevait sa pesante approche d'Union Station, à Savannah. Le contrôleur frappa sur la vitre avec sa pince en criant : "'Vannah, Géorgie", comme si je ne reconnaissais pas les quais de la rivière et, au-delà, le grand bassin tournant. Je me souhaitai bonne chance en serrant dans ma main la balle de granit, puis refermai la fermeture Eclair de mon sac de nuit.

Une minute plus tard, j'étais debout sous la grande coupole d'Union Station, là où le vieux Paul Gant avait chanté. Au lieu de son chant, on entendait résonner les haut-parleurs qui annonçaient l'arrivée de mon train et tous les endroits par lesquels il était passé. Cette fois-ci, leur voix chétive n'avait à se mesurer à aucun être humain. Depuis que j'étais parti, le vieux Paul Gant devait s'être transformé en fantôme. Ça, ou bien on l'avait enfermé dans un asile d'Etat pour avoir chanté sous influence.

Je regardai en l'air, vers les poutrelles gris-vert sur lesquelles le chant de Paul Gant s'était un jour perché. Tout à coup, je fus renvoyé à cet après-midi où j'avais attendu que mon père descende de son train venu du Nord. Et, du même coup, à cet état d'ignorance et d'espoir, aux temps antérieurs à ce voyage, quand j'étais le petit Timmy Crapaud-de-Mer, la main trop serrée dans celle d'une mère qui s'efforçait de lui communiquer la peur dont elle se sentait habitée. Que n'avais-je appris depuis lors sur les peurs d'Evangéline, combien des miennes n'y avais-je encore ajoutées, et quel acharnement n'avais-je pas mis à apprendre à vivre avec tout cet édifice branlant ?

Je discernai l'horreur de cette période d'attente. Son analogie avec l'état d'enfance, quand on est obligé de supporter la folie des autres sans pouvoir rien y faire qu'attendre, attendre, attendre. Dieu merci, le continent américain et Laura m'avaient sorti de tout cela.

Ne vous étonnez donc pas si je me tirai de cette gare aussi vite que je pouvais. Aux chiottes, le boulevard du souvenir. Dans certains cas, on n'a pas besoin d'une destination pour avoir envie d'aller vite.

Mon sac à la main, je partis sur West Broad Street dans la chaleur d'un matin d'été, fantôme terne, las et embrumé : l'état qui convenait, je suppose, pour un retour au bercail non annoncé. L'ignorance résultant d'une éducation sur l'Isle of Hope devait me l'avoir dissimulé, mais je n'avais jamais remarqué à quel point West Broad Street témoignait de la dureté des temps. Je tournai sur Broughton. Dans le premier pâté de maisons, il y avait plus de vitrines condamnées par des planches que de commerces en activité. Je vis un terrain vague plein de poutres calcinées et de briques noircies, résultat d'un incendie volontaire ou d'un désordre civil, ou des deux à la fois. Sans doute la rue avait-elle toujours été dans cet état, mais ce n'était pas une chose qu'on donnait à voir à un jeune Marster.

La situation ne s'améliorait pas pour Broughton quand j'approchai du coin de Bull, carrefour de l'infortune paternelle. En voyant tant de vitrines aveuglées, je ne pouvais m'empêcher de me demander où Evangéline avait fait toutes ces courses, chaque fois qu'elle filait sur la route du Lazaretto en proclamant qu'elle se rendait à Broughton Street. Pauvre Evangéline, je ne lui avais guère consacré de réflexion depuis que je l'avais laissée tomber le matin après la pluie de rats. Un geste cruel, mais nécessaire. Si vous avez besoin de moi, lui dis-je, l'interpellant sur le lieu de ses alibis, vous saurez où me trouver.

Au coin de Bull Street, je m'arrêtai. Je contemplai le trottoir. L'endroit où mon père s'était donné en spectacle. Il n'y avait là rien d'extraordinaire. Pas la moindre trace de craie sur l'asphalte.

C'est alors qu'il y eut un signe, comme on dit à Sandfly Crossing. Il avait pris la forme d'une vieille conduite intérieure noire qui vint se ranger près de moi le long du trottoir, dans un chuintement de vitre baissée électriquement.

— Dis donc, fiston, lança une voix d'homme.

La peur et une émotion superstitieuse m'empêchèrent presque de me retourner. Quelle petite leçon ma ville natale m'avait-elle donc préparée ? Peut-être le père Damian Dooley se trouvait-il au volant, avec un Dieu épuisé assis à côté de lui à la place du mort. Ou le vieux Jefferson Marster, rouge comme une betterave et revêtu de sa funèbre tenue du dimanche. Ou Calvin Fleetwood, se tordant les mains devant sa lâcheté et transportant sur le siège arrière une pleine bassine de sangsues. Ou mon Daddy Zeke à moi, en cavale de l'asile, attifé, en guise de robe de fou, d'un uniforme des *Indians* rescapé du désastre. C'était la voix, comprenez-vous. Tous avaient en commun cette voix de noceur, confite dans l'alcool et rocailleuse.

Je me retournai pour voir.

Heureusement, ce n'était aucun de ceux-là. Bien que le moule me fût familier, je ne reconnus pas l'homme au premier abord, avec son gros nez bulbeux enflé par la gnôle, ses doigts boudinés pincés par une bague au cabochon de saphir et la peau avachie qui pendait sous sa mâchoire massive.

— M'sieu, dis-je.

Il me dévisagea, vexé que je ne le reconnaisse pas.

— Aurais-tu besoin d'un bout de conduite ? s'enquit-il.

Je n'avais pas besoin d'un bout de conduite, puisque je n'allais nulle part. Mais je montai dans ce grand bateau noir de voiture précisément parce que je n'avais nulle part où aller. Et parce que c'était un signe.

— Où puis-je t'emmener ? demanda l'homme lorsque je fus installé sur le siège avant, mon sac sur le siège arrière. Tu pars en voyage ?

— Je reviens de voyage, lui dis-je. *Panama Limited.*

Il hocha la tête.

— Le train est un bon moyen de voir du pays. On y fait des rencontres. Quelques petites parties de cartes, sans doute, quelques conversations. Ça fait longtemps que tu es parti ?

— J'ai l'impression que ça fait des années, m'sieu.

— Et t'avais personne pour te prendre à la gare ? C'est pas bien, ça.

— Quand on descend du train, on est parfois content d'aller d'abord faire une petite balade. Se mouiller les pieds avant de se retrouver plongé dans la famille.

— T'as peut-être raison. J'en sais trop rien. Je me suis toujours fait chercher à la gare.

Il hocha sa grosse tête tout en roulant sur Broughton Street à une allure atrocement lente, comme s'il n'était pas tout à fait certain de ce qui se trouvait de l'autre côté de son pare-brise. Je connais cet homme et il me connaît, lui aussi, pensais-je, même si je ne le situe pas. Il est mauvais, et il détient un pouvoir quelconque sur moi à cause de mon père, à cause d'un détail honteux sur lequel je n'arrive pas à mettre le doigt. Un détail dont il est au courant et moi pas.

— Préviens-moi bien à l'avance quand tu voudras descendre. Mes réflexes ne sont plus ce qu'ils étaient.

— Vous ne devez pas être si vieux, m'sieu.

— Oh, je suis plus vieux que ton père, je suis prêt à le parier.

— Vous aimez les paris, m'sieu ? lui demandai-je.

Il aurait tressailli s'il n'avait été si bien coincé par son volant.

— Je les aimais en mon temps. Mais les joueurs ne sont plus ce qu'ils étaient. Ils ne connaissent plus les règles. Tout ce qui compte pour eux, c'est de gagner ou de perdre. Jadis, oui, cette ville était fameuse pour ce qui est de lancer les dés. Aujourd'hui, il ne reste que quelques miettes de la vie d'alors.

A travers les vitres de la voiture, je contemplais Broughton Street, cette vieille artère abandonnée.

— Je vous crois.

Puis je reçus un autre signe. Sous la forme, cette fois, de l'enseigne d'une taverne. J'aperçus l'établissement de Pinky Marster dans une rue transversale, à un pâté de maisons de Broughton, là où il avait toujours été.

— Si vous voulez bien tourner ici, m'sieu, ici à droite.

Il engagea son grand vieux bac dans McKennedy. Au carrefour suivant, je lui demandai de s'arrêter.

— C'est chez toi, ici ?

— Non. Je montrai *Pinky's* du doigt. Mais à la vue de cet établissement j'ai été pris d'une soif soudaine.

— Ma parole, fiston, que tu parles bien. Ce n'est pas souvent qu'on entend un jeune qui s'exprime comme ça, de nos jours. Avec un langage pareil, n'importe quel homme éduqué de cette ville saurait que tu viens d'une bonne famille de Savannah.

— Une bonne famille, en effet. De la tête, je désignai l'enseigne de Pinky Marster. Comme vous le savez, cet établissement est dans la famille.

Il opina, lentement, comme si les muscles de son cou pouvaient à peine porter le poids de sa tête.

— Tu es le fils de Zeke Justice.

— C'est ça.

— Je connais ta famille. La prochaine fois que tu verras ton père, et je suppose que ce sera bientôt, dis-lui que Joe Jackson lui envoie ses compliments. N'oublie pas, surtout.

— Je ne risque pas d'oublier.

— Joe Jackson, répéta-t-il.

Je me penchai pour attraper mon sac et sortis de la voiture. Puis je m'arrêtai.

— Pourquoi diable est-ce que vous prétendez vous appeler Joe Jackson, Mr. Peep ?

Et je claquai la portière de toutes mes forces, comme si je pouvais démolir ce corbillard par la seule force de ma haine.

Chez Pinky, deux bonshommes parcheminés qui ressemblaient à des lézards levèrent le nez quand je me hissai sur un tabouret de bar. Ni l'un ni l'autre, Dieu merci, n'était Jefferson Marster, propriétaire. Il y avait un client dont les yeux nageaient comme des poissons derrière des verres aussi épais qu'une bouteille de Coca-Cola, et qui me paraissait vaguement familier, ainsi que tant de gens dans cette ville. Le barman chauve tripotait la cicatrice qu'une balle lui avait laissée en travers du front, au cours d'un hold-up, un an plus tôt. J'avais entendu parler de ce hold-up. Il avait provoqué d'interminables dissensions dans ma famille quand mon père avait osé prendre la défense des gamins noirs qui avaient fait ça pour un sac de menue monnaie, en disant à la table du souper : Si vous me faites bouffer de la merde pendant des années, je vous cracherai à la figure, moi aussi.

Le type à lunettes me dévisageait avec une surprise non dissimulée, comme si j'avais été un alligator marchant sur ses deux jambes et tenant des propos humains.

— Nom de Dieu, mais je croyais que vous étiez partis, elle et toi !

Il se plaqua la main sur la bouche.

— Excuse-moi, on a même pas été présentés et voilà comment je te parle. Je sais que tu me reconnais pas, bien qu'on se soit déjà vus. Et je peux pas te le reprocher. Cette saleté de diabète m'a foutu les yeux en l'air, avec la moitié de ce qui reste de moi. Je me ressemble plus. Je suis Ray Marster, ton oncle du côté de ta mère. Ta mère est ma sœur.

— Oncle Ray.

J'allai lui serrer la main.

— M'appelle pas oncle Ray, tu me connais même pas. Viens ici tout de même, petite crapule, viens embrasser ton oncle un bon grand coup.

Je traversai le plancher de ce bar et serrai le vieil homme dans mes bras. Trop fort, je m'en rendais compte, mais il me laissa faire. J'aurais pu reposer sans fin dans ce nid de peau tannée qui sentait la lotion capillaire et le bourbon. Ça sentait la réconciliation avec l'île ; rien que ça. Je serais bien resté là éternellement, sauf qu'il n'était plus question de rester éternellement où que ce fût. Quand je m'écartai de lui, j'avais les larmes aux yeux, et je savais que c'était permis dans la compagnie de ces hommes.

— Peut-être qu'on ne se connaissait pas encore, mais maintenant ça y est, lui dis-je. Semblerait qu'on joue dans la même tragédie.

— Ben merde, on dirait la langue de ton père dans ta bouche !

— C'est ça, j'en ai peur. Et avec la mienne, ça fait deux. Avec toute cette viande, là-dedans, c'est parfois difficile de parler.

— Tu te débrouilles, mon gars ! Maintenant, cesse de tripoter ton trou dans le crâne, Shank, dit-il au barman, et sers à ce garçon ce dont il a envie.

— Ce dont j'ai envie, dis-je à mon oncle tandis qu'un petit gobelet de bourbon apparaissait devant moi, c'est de mettre de l'ordre dans toutes ces langues, dans ma tête. Je pensais commencer par essayer de retrouver le propriétaire de l'une d'elles. Il est dans une maison pour les gens qui ont perdu leur lucidité, à ce qu'on m'a dit.

— C'est ma petite Evangéline qui doit t'avoir dit ça, je reconnais son style. C'est le genre de choses qu'elle dit. Mais je croyais…

— Qu'elle était partie en Californie. L'endroit où vont les gens qui sont restés partout ailleurs plus longtemps qu'ils n'y étaient désirés, dis-je, et la citation fit tressaillir Ray Marster. On y est allés, bel et bien. Mais je suis revenu. Elle, non.

Ray Marster eut un rire triste.

— C'est bien d'elle de dire ça de la Californie. Toujours en train d'enjoliver les choses en les habillant de paroles. C'est peut-être pour ça qu'elle et ton père avaient tant de mal à s'entendre. Ils aimaient tant parler, tous les deux, qu'ils en oubliaient d'écouter – enfin, c'est pas mon affaire.

Je ramassai mon petit verre et le reniflai rapidement. Tiède et brun, comme l'eau des marais, bien qu'un peu plus profond. Et juste aussi bénéfique que l'eau des marais.

— Ton père avait l'habitude de humer son whisky avant de le boire, intervint le barman. Il plongeait le nez dedans, carrément. Sinon, il disait qu'il n'en sentait pas toute la saveur.

Merde, me dis-je, et je vidai le gobelet. J'ai la langue de mon père dans la tête et son verre à la main. Je n'ai donc rien qui m'appartienne, à moi ?

Si, me répondis-je. A condition de foutre le camp d'ici.

Un camion gronda dans McKennedy Street et les carreaux des fenêtres frémirent comme s'ils voulaient s'échapper de leurs plombs.

— Tu es revenu voir ton père, dit Ray Marster quand le camion fut passé.

— Oui. Mais je n'ai pas téléphoné pour prévenir. Je suis venu, c'est tout.

— Parfois, il vaut mieux faire comme ça… Je suppose que je ne te surprendrai pas si je te dis que le nom de ton père est devenu une injure par ici, du moins dans certains cercles, bien que je n'aie jamais compris pourquoi. On lui a fait plus de mal qu'il n'en a fait aux autres, mais ça n'a pas toujours été évident. Comme cette histoire de beigne, sur le terrain de base-ball… De toute façon, les gens ont déjà commencé à oublier. On oublie vite. Enfin, ils n'ont pas vraiment oublié, ce ne serait pas juste de dire ça. Ils s'intéressent à un nouveau scandale, c'est tout. Mais pas moi. Moi je ne lui ai jamais rien reproché, à cet homme. Même si je me fais du souci pour ma petite Evangéline.

Nous demeurâmes assis dans le silence du *Pinky's*, cet endroit conçu pour maintenir le monde extérieur à l'écart. La faible lumière qui entrait par les fenêtres donnant sur McKennedy

Street faisait à mon cœur l'effet de flots de compréhension et d'indulgence. Il est trop tard pour empêcher ce qui est d'avoir été, disait cette lumière poussiéreuse et rousse. Alors cherchons du moins un baume dans les paroles de réconciliation, car la seule façon de comprendre la vie, c'est après coup.

Il était aisé d'imaginer Daddy Zeke dans cet environnement. Je pouvais comprendre qu'un homme qui se croyait incompris fût venu se réfugier dans un lieu pareil, dans une lumière pareille. Mais que pouvait-il avoir fait ou dit ici, me demandai-je, qui ait incité Jefferson Marster à faire irruption sur le terrain, au stade Grayson, pour l'interpeller devant tout le monde et son père ? Juste *parlé* ? Philosophé ?

Je me tournai vers Ray Marster.

— A votre avis, pourquoi Evangéline était-elle si pressée de s'en aller d'ici ?

— Ah, ça, je peux pas te le dire, fit-il d'une voix traînante, préludant ainsi à son grand air. Tu sais, le vieux Jefferson lui a tant bourré le mou avec ses conneries Marster, sur le prix de l'honneur et l'importance de l'image de soi qu'on présente à autrui. Elle a fini par y croire, pourquoi, ça je le comprendrai jamais, parce que ces deux-là s'entendaient comme un ramassis de crabes dans un sac, et le vieux n'a jamais cru un mot de ce qu'il racontait. Ils se ressemblaient trop, tous les deux. Comme deux gosses qui se mettent réciproquement au défi de traverser une ligne imaginaire sur le trottoir. Mais elle a été la chérie à son papa à une époque, ou du moins c'est ce qu'elle souhaitait. Si tu veux mon avis, pour avoir coupé court et s'être cassée comme elle l'a fait, elle devait avoir décidé d'adopter les manières du vieux pour des raisons à elle. Et ça, on ne les connaîtra jamais, ses raisons.

— Même si on lui demande ?

Il rit d'un air gêné.

— Demande-lui toi-même, si tu veux. Vas-y. Si quelqu'un en a le droit, c'est bien toi. C'est toi qui…

— Qui en as le plus bavé, dis-je, terminant sa phrase pour lui. Je ne suis pas certain que c'est vrai. Il y a mon père, aussi.

Ray Marster ôta ses lunettes, mais je savais qu'il me voyait encore, même avec ses yeux condamnés à la cécité par le diabète. Nous retombâmes dans le silence. Un deuxième whisky apparut spontanément devant moi. Cette fois, j'eus soin de ne pas le humer avant de lui faire un sort.

— Pardonnez mon indiscrétion, dis-je, mais où étiez-vous quand tout ça s'est passé ? Je vous y revois pas du tout. Vous n'auriez pas pu faire quelque chose ?

— Je me pose cette question tous les soirs pour Zeke, et pour ma petite Evangéline. Maintenant, je vais devoir me la poser pour toi aussi. Bon Dieu de merde ! Je pourrais te fourguer n'importe quelle réponse idiote, par exemple que j'étais à Statesboro à ce moment-là, en train de m'occuper de je ne sais quel magasin qui vendait – je ne me souviens même pas de ce qu'il vendait. De la mercerie, je crois. Ou qu'on ne s'amène pas sans invitation dans une famille pour commencer à donner des conseils. Ou que je croyais à la façon traditionnelle de faire les choses, qui consiste à regarder ailleurs, même si ce qui va arriver est prévisible à plus d'un kilomètre. Et, bien sûr, c'est arrivé, pendant que je glandais avec mes mains dans mes poches. C'est comme ça qu'on se retrouve avec des regrets pour le restant de ses jours, mon gars.

Au mot *regrets*, Shank le barman orienta sa bedaine dans ma direction et fit mine de remplir mon gobelet. Je l'écartai d'un geste.

— Une victime innocente, ça n'existe pas, en tout cas pas dans cette famille, reprit Ray. L'innocence, ce serait trop facile pour nous, maintenant, n'est-ce pas ? Parfois je me dis que ton père a simplement été pris de paresse, qu'il a décidé de ne plus s'occuper de lui-même. Peut-être qu'il n'en est réellement plus capable, est-ce qu'on sait ? parce que d'après ce que j'ai entendu dire du mal dont il est affligé, ça n'a vraiment pas l'air d'être la voie facile pour se tirer de n'importe quoi. Une chose est sûre, c'est qu'il n'y a plus tellement de gens dans cette ville prêts à l'aider et que, pour une raison ou une autre, il n'a jamais eu envie de retourner dans le Nord, chez les siens. Je peux aussi bien te le dire : il est au *Chatham County Home* maintenant, même si on a pris l'habitude d'appeler ça l'hôpital des Anciens Combattants.

— Lui, un ancien combattant ?

— Tu vois, après cette histoire de coup sur la tête, quand il a commencé à déconner, il passait son temps à ressasser qu'il était un ancien combattant. Personne ne le croyait, bien sûr, parce que la plupart de ses élucubrations concernaient la Guerre civile et, naturellement, tout le monde a pensé que c'était de celle-là qu'il parlait. Mais j'ai eu l'idée de vérifier et, qu'est-ce que tu crois ? c'était vrai. Une sacrée bonne chose, d'ailleurs, parce que maintenant c'est le gouvernement qui s'occupe de lui.

— Le *Chatham County Home*, répétai-je.

— Vaut mieux l'appeler l'hôpital des A. C. *Home* n'a plus le même sens que dans le temps. Je suppose que s'il n'y est plus, ils doivent savoir où il est parti.

J'acceptai les largesses du barman et vidai mon verre, dont le contenu ne m'apporta qu'un maigre réconfort face à ce qui m'attendait de l'autre côté de la porte du *Pinky's*. Mais il fallait que je m'en aille tôt ou tard, et le moment était venu. Je ne pouvais pas passer le reste de mes jours dans ce terrarium.

Je serrai la main à Ray Marster.

— Vous êtes un chic type. Je voudrais pas que vous vous fassiez du mouron à l'idée que vous auriez dû intervenir et rétablir la situation sur l'Isle of Hope. J'ai essayé, moi, à ma façon. Je n'ai réussi qu'à m'attirer encore plus d'ennuis.

Ray tira sur ses lunettes et haussa les épaules.

— Un homme a droit aux regrets qu'il veut. C'est mon choix. Mais écoute, fiston, la prochaine fois que tu vois ma petite Evangéline, que ce soit en Californie ou ailleurs, embrasse-la de ma part.

— Je le ferai.

— Et si vous vous retrouvez un jour, tous les deux, d'humeur causante – je vous vois bien, vous deux, attablés avec une bouteille dans la salle à manger, et ça me fend le cœur d'imaginer ça –, demande-lui quelque chose que son frère Ray voudrait savoir. Demande-lui comment elle a pu en venir à détester son père comme elle le détestait et puis, d'un autre côté, gober toutes les foutues conneries qu'il lui a racontées.

— Je n'y manquerai pas, promis-je. Mais faudra qu'on soit arrivés au fond de la bouteille avant que je me décide à poser cette question. Il se peut que je la pose. Mais ça ne nous garantit pas une réponse.

— Je le sais pas, sans doute ? Merde, le vieux Jefferson est de ces gens qui ne veulent pas d'une certaine chose pour eux-mêmes, ils ne savent pas s'en servir, et ils ne sauraient pas quoi en faire s'ils l'avaient. Tu peux appeler cette chose la vie, si tu veux. Mais, d'une manière ou d'une autre, ils éprouvent la nécessité de la foutre en l'air pour tout le monde, surtout pour leurs proches. Un vrai ramassis de curés et de prêcheurs, ces gens-là.

Là-dessus, nous échangeâmes encore une poignée de main. Mes pieds pesaient comme du plomb. Ce devait être ces racines Marster qui poussaient à travers le plancher de chêne jusque dans mes semelles. Il me fallait empoigner mon balai imaginaire et balayer mon cul de là avant de me retrouver collé sur place.

XVII

A mes sens aiguisés par la montée d'une douce ivresse due au bourbon, la rue McKennedy parut fraîche et harmonieuse, résonnant du chant des grillons. Je marchai jusqu'au square le plus proche, où se trouvait un kiosque. Sous son petit toit rond, un chœur de jeunes filles était en train de répéter. A la diagonale du carrefour, des charpentiers restauraient la vieille maison austère qu'avait un jour habitée Mary Flannery O'Connor. Dans le parc, la maîtresse de chant conduisait le chœur à gestes brusques et saccadés en transpirant beaucoup, à en juger par l'aspect de sa robe, et en massacrant la musique à force d'insistance. Mais les voix des filles triomphaient malgré elle. *Chacun avec sa mie, danserons sur l'herbette*, chantaient-elles. Je lisais sur leurs visages le désir d'aimer cette musique. Appelez ça nostalgie, aveuglement volontaire aussi sûr que le masque d'occultation d'Evangéline, mais la scène me semblait d'une grande justesse. Même si je savais que les familles de toutes ces filles dissimulaient plus que leur part de fausseté, à l'instar de la mienne.

Je poursuivis vers l'ouest pendant quelques rues, jusqu'à Drayton Street. L'hymne joyeux des fillettes à l'amour galant s'estompait. C'était étrange de reconnaître chaque feuille sur chaque arbre dans chaque square de Savannah, et de m'y sentir néanmoins si désespérément déplacé. Sous la ramure gracieusement étalée des chênes, j'entendais chuchoter la terreur pascalienne de l'infini, en ce lieu même où je l'avais découverte pour la première fois, où Damian Dooley avait tenté de nous enseigner que l'illusion efficace constituait un antidote suffisant à cette terreur. Quelle naïveté !

Ces quartiers étaient l'orgueil de Savannah, son centre historique. Je savais bien quelles vies étaient vécues ici, derrière les rideaux de dentelle. Je savais comment l'histoire y était manipulée, transformée en une chose gentille et surannée, déguisée comme pour une fête costumée, comme une affreuse vieille dans la robe d'une jeune beauté. Où que je mette le pied, sur chaque pavé de chaque trottoir, les racines Marster et l'accablement Marster surgissaient du sol. *Ça* c'était de l'histoire.

Pour la maintenir à distance, je fis ce que j'avais souvent vu faire. Chez un marchand de remontants, je m'en procurai un quart de litre, puis je descendis sur la chaussée faire signe à un taxi.

— Au *Chatham County Home*, dis-je au chauffeur.

— C'est vachement loin, marmonna celui-ci d'une bouche édentée. L'autre bout du comté.

— Et il est grand comment, le comté de Chatham ?

— Eh bien, on dit que la Géorgie rassemble plus de comtés qu'aucun autre Etat de l'Union. Je suppose que ça veut dire qu'ils doivent tous être plutôt petits, pour y tenir.

— C'est bien ce que je pensais. Si ça va pour vous, ça va pour moi.

Il abaissa son compteur et partit vers le home. Pardon, l'hôpital des Anciens Combattants. Ainsi que le disait Ray Marster, le mot *home* n'a plus le sens qu'il avait autrefois.

Je n'avais pas su que Broughton Street était devenue une rue aveugle et incendiée, impropre aux emplettes d'une dame convenable de race blanche, alors comment aurais-je pu imaginer que la campagne au sud de la ville était en train de se faire dévorer par des centres commerciaux dont l'unique avantage était la disponibilité de parkings gratuits ? J'aurais dû m'en douter. Un événement succédait à l'autre, comme son corollaire. Les terres agricoles proches des limites de la ville, sur la route de Richmond Hill, avaient été morcelées en lotissements pour des maisons de même style que celles que j'avais vues en approchant de Los Angeles. Etrange, à présent, de les voir dans mon propre pays. C'était logique, pourtant. S'il ne restait de Broughton Street que charpentes calcinées et briques brûlées, l'argent devait bien trouver à se dépenser ailleurs. Il délaissait donc la ville au profit des centres commerciaux. Exactement comme, au début du siècle, il avait fui Savannah surpeuplée pour chercher refuge dans la sécurité illusoire de l'Isle of Hope.

Ou bien ce n'était pas tout à fait comme ça que ça marchait. Avec sa petite mentalité perverse et mesquine, l'argent avait sans doute commencé par décider de se tourner vers les centres commerciaux, et la mort de Broughton Street n'était survenue qu'ensuite.

Au beau milieu de ces nouvelles étendues habitées, le vieux *Chatham County Home* se dressait en haut de sa pelouse verte. A l'origine, ses architectes avaient fait exprès de le construire loin de la ville, afin qu'on puisse oublier facilement ses habitants et leurs infortunes. Mais la ville l'avait rattrapé. Les infirmes, les innocents et les sots se retrouvaient maintenant encerclés par la civilisation. Je me demandai s'ils aimaient ça ; je soupçonnais que non. Je me demandai s'il leur arrivait d'aller se balader dans le centre commercial pour s'acheter une glace ou assister à un spectacle en matinée.

Passant devant la nouvelle enseigne de l'administration des Anciens Combattants, le taxi s'engagea dans l'allée. Le home comptait trois étages de briques rouges, un pavillon central flanqué de deux ailes, avec partout d'identiques rangées de fenêtres dépourvues de rideaux.

— Vous voulez que je vous attende ? demanda le chauffeur devant la porte d'entrée. Je lui avais dit de garder la monnaie d'un billet de vingt.

— Je ne crois pas. Pourrais pas dire combien de temps ça va me prendre.

Il regarda le bâtiment. On voyait qu'il était content de ne pas être à l'intérieur.

— Je vais peut-être traînailler un peu dans le coin. Y a pas tellement de taxis qui viennent par ici.

A l'accueil, je m'enquis de l'endroit où se trouvait un certain Mr. Zeke Justice auprès d'une femme coiffée d'un buisson de cheveux noirs.

— Externe ou interne ?

— Je n'en sais rien. Peut-être les deux.

— Date d'admission ?

Je donnai celle du jour où j'étais revenu de l'île Bonaventure pour trouver la maison vidée.

— On l'a peut-être inscrit le jour d'avant, ajoutai-je.

— Vous n'êtes pas sûr de la date d'admission ? Quel est le motif de votre visite ?

— Familial. Je suis son fils.

Elle me dévisagea avec attention, puis feuilleta son registre des infortunés. Le nom s'y trouvait, noir sur blanc.

— Prenez l'ascenseur jusqu'au bureau des infirmières, m'ordonna-t-elle, en me précisant l'étage et le service, et faites-vous connaître auprès de l'infirmière-chef.

— J'espère qu'il me sera plus facile de sortir d'ici que d'y entrer.

— Ça dépendra de votre conduite. C'est un établissement officiel ici, vous savez. D'ailleurs vous êtes pas ancien combattant, vous en avez pas l'air, à mon avis.

— Tout dépend de quelle guerre.

Je lui décochai alors un sourire sirupeux, pur Lazaretto, et me dirigeai vers l'ascenseur. Dès qu'elle fut replongée dans son livre, je pris à gauche et me glissai dans l'escalier. Etablissement officiel mon cul. Daddy Zeke était à moi, il m'appartenait, à moi. Je n'allais pas soumettre une demande en règle. Je n'avais pas envie de me faire expliquer son cas par une infirmière ferme quoique bienveillante, spécialisée dans la domestication par la parole des cerveaux sauvages. J'avais déjà abondamment pratiqué l'explication, je savais comment ça marchait. Il ne m'en fallait plus. Ce serait sans doute horrible de le revoir, ça m'était égal. Ç'avait été horrible une fois, j'y avais survécu, et j'étais pourtant bien moins équipé alors pour me défendre que je ne l'étais à présent.

Je montai l'escalier jusqu'à l'étage supérieur. Une porte vitrée me séparait du corridor. Le gamin sournois, observateur furtif, refit surface en moi. Le petit Lazare allait retrouver le grand Lazare, sans entraves ni explications. J'écoutai décroître le clac-clac efficace des talons d'une infirmière puis m'engageai dans le corridor. Il ne me fallut pas longtemps pour m'orienter. Les hôpitaux sont conçus de telle façon qu'on s'y retrouve sans difficulté. Salle commune, indiquait un panneau pointant vers la gauche. Les salles B, C et D se trouvaient dans la direction opposée. Des salles désignées par des lettres, ça ne me disait rien, mais salle commune, si. Une autre appellation pour maison de fous.

Je me hâtai dans le corridor en m'efforçant d'avoir l'air de me trouver là pour quelque raison respectable ou, à défaut, d'un malade en train de jouer au visiteur. La salle commune n'était pas loin. Je jetai un coup d'œil à travers la porte à deux battants dont les vitres étaient renforcées de treillis à poules, puis je la poussai et j'entrai.

On n'imagine pas qu'on pourrait jamais ne pas reconnaître son père, pas plus qu'on n'envisage la possibilité de découvrir un beau matin dans son miroir un visage inconnu. Pourtant, pendant une ou deux secondes, je ne fus pas sûr d'arriver à le repérer, et cette idée me terrifia. Je ne pouvais pas espérer qu'il serait vêtu de son uniforme des

Savannah Indians, ici, dans cette chambrée d'anciens combattants en pyjama, les uns minables et trébuchants, perdus dans leurs robes de chambre, les autres anormalement alertes et sur le qui-vive, comme s'ils s'attendaient à une embuscade.

Je regardais à gauche et à droite, en évitant les visages des aides soignants. Je me sentais envahi par la panique, incertain des modifications que quelques semaines de folie, ou de semi-folie, pouvaient entraîner dans l'apparence d'un homme.

Mais quand mes yeux se posèrent sur son visage je le sus immédiatement. Automatiquement. C'était Daddy Zeke, papa, Zeke Justice, Elzéar Lajustice. Et, l'ayant reconnu avec tant de facilité, mon cœur se gonfla d'amour.

Je traversai la pièce vers ce grand et bel homme gris, défait, avachi.

— Salut, papa, vous avez l'air en forme.

Il leva les yeux vers moi. Pas tellement étonné.

— Fils. Crapaud. Timmy. Enfin, te voilà.

Je m'assis en face de lui et glissai mon sac sous la table basse, sur laquelle étaient posés toutes sortes d'instruments primitifs pour l'amélioration des capacités de concentration mentale. Jeux de cartes, jeux d'échecs, cartons pour maquettes, bouts mâchouillés de crayons de couleur.

— Ça fait combien de temps ? Il fit un geste englobant la salle commune. J'ai un peu honte.

Il marqua une pause.

— On me dit que j'ai pas beaucoup de contrôle là-dessus.

— Je sais. Quand vous m'avez parlé de contrôle, derrière la maison, le jour où je voulais que vous lanciez, je me suis vraiment mis en colère contre vous. Je regrette.

Il eut l'air intrigué, essaya de se souvenir, puis renonça.

— Je me rappelle plus très bien. Mais c'est O.K., de toute façon. Oubli et pardon.

Il parcourut de nouveau la chambre du regard, comme s'il ne savait pas trop ce qu'il faisait là en compagnie d'une aussi piteuse collection de calamités humaines.

— Vous voulez que je vous sorte d'ici ?

— Non, non. Il fit un geste vague. Je suis pas prisonnier. Quelquefois je suis là – il se tapota la tête – et quelquefois non. La faute de personne, qu'ils disent. Si seulement c'était pas si blanc, ici.

— Vous voulez dire propre ? Trop de lumière ?

— Non, blanc. *Blanc.*

Je me penchai et entrouvris mon sac, en surveillant du coin de l'œil les visages attentifs et méchants des aides soignants. Je sentis entre mes doigts le contact lisse et rassurant de ce petit cachottier de quart de litre.

— Je vous ai apporté quelque chose d'un peu moins blanc.

Mon père laissa tomber sa main sous la table, et je lui fis toucher le col de la bouteille. Quand il sentit ce que c'était, son visage s'allongea. Je ne sais pas à quoi il s'attendait ; peut-être ne le savait-il pas non plus. Peut-être n'avais-je pas compris ce qu'il entendait par *blanc*.

— Oh la la, fils, ça c'est vraiment gentil d'avoir pensé à moi. Seulement je ne bois plus. Je... Je n'aime plus boire. Je n'aime pas l'effet que ça me fait.

— C'est à cause des médicaments qu'on vous fait prendre ?

— Non, non. Je veux dire que ça ne me plaît plus. Tu imagines ça, moi qui refuse de boire ? Il rit faiblement, puis leva la bouteille bien en vue et en examina laborieusement l'étiquette.

— Et c'est du bon ! Dommage.

Je lui fis cacher la bouteille sous la table.

— Allez-y, essayez, lui dis-je. Je sortis un gobelet de mon sac. Regardez, j'ai apporté un gobelet, exprès pour l'occasion.

— Non, insista-t-il. Je n'aime pas ce que ça me fait. Je ne peux plus. Ça me donne la migraine.

— Allez, juste une fois.

— Non. Je peux plus.

— Ça vous aidera à sortir de vous-même.

— Mais je *suis* sorti de moi-même. C'est pour ça que je suis ici. Tu ne vois pas ? D'ailleurs, ça me fait faire des bêtises.

— Ça nous arrive à tous, tentai-je de plaisanter.

— Ça m'arrivait avant, moi aussi. Mais c'est pas des vraies bêtises d'homme. Ça ne rime à rien. Ça m'arrache le haut du crâne, je me mets à gueuler des trucs, plus personne ne me supporte. C'est pour ça que je suis ici.

— Vous parlez français, lui dis-je.

Il me lança un regard furieux, offensé.

— Comment le pourrais-je ? Je ne connais plus le français. J'en ai oublié jusqu'au dernier mot et, crois-moi, ça n'a pas été facile.

Discuter n'eût servi à rien. Il connaissait le français. Il ne pouvait pas l'avoir oublié ; il pouvait seulement nier qu'il le connaissait. Essayer de l'oublier devait l'avoir épuisé, de même que s'efforcer de vaincre les Marster. Il avait échoué dans ces deux combats. Et voilà où ça l'avait mené. *Chatham County Home.*

Je me penchai et lui touchai la main. Elle était inerte, comme la main d'un mort. La bouteille s'y trouvait encore. Je la lui repris sans effort.

— Je la remporte, et on dira que c'est l'intention qui compte.

— Si ça ne te fait rien, fils, laisse-la ici. Je la donnerai à un des gars. Il y a pas mal de breuvages maison ici, mais on ne voit pratiquement jamais un de ces bons produits de magasin. Ça leur fera plaisir. Je l'échangerai contre quelque chose dont j'ai besoin.

Je sautai sur cet espoir.

— De quoi avez-vous besoin ? Il y a quelque chose que je peux vous apporter ?

Il réfléchit un instant, secoua la tête.

— Non... non. Je n'ai vraiment besoin de rien. Tu peux laisser la bouteille dans la petite cachette que je me suis faite dans mes chiottes.

Nous rîmes ensemble parce qu'il avait berné les aides soignants, et qu'un homme a besoin d'un endroit privé pour son intimité.

— Vous avez l'air tout à fait normal, insistai-je. Vous êtes sûr que vous devez rester ici ?

— Attends seulement que je sois pris d'une crise. Tout ce que j'espère, c'est que ça n'arrivera pas pendant que tu es là. J'ai honte de moi au regard des gens. Tu imagines ça, moi, honteux au regard des gens ! Et pourtant, espérer que ça n'arrive pas est la meilleure façon de le provoquer, qu'ils disent. Crises. Transes. Incontinence nostalgique des centres nerveux de la parole. C'est comme ça qu'ils disent. Ils ont une saleté de mot de code pour tout, juste comme ces foutus catholiques. C'est comme ça qu'ils font marcher leurs affaires, ces gens-là. Ils disent que je parle french. Mais c'est impossible que je fasse ça, je pourrais pas plus que toi.

A ces mots, un silence se fit sur nous, et nous l'habitâmes un moment. Puis la double porte s'ouvrit à la volée et deux infirmières entrèrent en poussant un chariot chargé de gobelets de papier, avec dans chaque gobelet un joyeux bouquet de pilules. Elles blaguaient ensemble, à propos des malades, imaginai-je, à propos de M. Untel qui ne reconnaissait même pas l'odeur de sa propre merde, à propos de mon père, peut-être. Je savais que dès que ces dames se tourneraient vers nous, ma visite non autorisée prendrait fin.

— En ville, à mon arrivée, il m'est arrivé quelque chose de curieux, racontai-je à mon père. Un vieux type s'est arrêté pour me proposer de me prendre dans sa voiture. J'avais l'impression de le connaître, mais au début je ne le remettais pas. Lui aussi semblait me connaître. La famille, en tout cas. Au moment où je descendais de sa voiture, il m'a fait promettre que la prochaine fois que je vous verrais, je vous saluerais de la part de Joe Jackson.

— Joe Jackson ? cria-t-il. Joe Jackson, le joueur de base-ball* ? Joe Jackson est mort ! Comment pourrais-tu avoir vu Joe Jackson ?

Pétrifié, mon père contemplait fixement quelque chose qui ne se trouvait pas dans la salle commune du *Chatham County Home*. Le fantôme de Joe Jackson, peut-être, qui avait habité pas loin d'ici, à ce qu'on dit, du côté de Waycross. Le type qui lançait en *World Series* à la grande époque des *Chicago Black Sox*.

— Je sais bien que c'était pas Joe Jackson, dis-je à mon père. C'est ce que je vous explique. C'était Mr. Peep, du *Bo-Peep's*. Pourquoi diable a-t-il prétendu qu'il était Joe Jackson ?

Alors mon père eut une sorte de crise. C'est du moins comme ça que j'appellerais ça, bien que je ne connaisse rien à l'incontinence nostalgique ni aux mots médicaux spécialisés qui servent à décrire ce que le reste d'entre nous nommeraient folie et souffrance. Sa crise le poussa à tout raconter, dans l'espoir d'être pardonné, comme si le grand vase fangeux de la dissimulation venait de se briser.

— Un coup monté ! Un coup monté ! Un coup monté ! cria-t-il, un œil anxieux tourné vers les aides soignants. C'était un coup monté contre moi, je vous dis, un coup monté ! Tout le temps que j'ai misé mon argent chez Peep sur les matchs, il caftait sur mon compte auprès de la ligue. Il prenait mon argent, souriait, empochait son pourcentage, et puis il allait cafarder. Jusqu'au dernier centime. Il notait tout. Leur racontait tout. Mais il n'a jamais oublié de se servir au passage. Je sais pas pourquoi il m'aimait pas. Moi je le détestais, mais quoi, tout le monde déteste le book, il sait

* En 1919, l'équipe des *White Sox* (Chaussettes blanches) de Chicago s'est vu proposer de perdre exprès afin de favoriser les parieurs. Après la découverte du complot, son instigateur, Joe Jackson, a fini ses jours dans une retraite forcée non loin de Savannah. Par la suite, on a appelé cette équipe les *Black Sox* (Chaussettes noires). *(N.d.T.)*

que tout le monde va le détester, ça fait partie du territoire. Il a raconté à la ligue que j'avais parié contre moi-même. J'ai jamais parié contre moi-même, j'ai jamais parié contre mon propre bras. Un type peut pas se permettre de parier contre son bras quand c'est tout ce qu'il possède. Y a pas de pourcentage, là.

Il s'arrêta, avala une goulée d'air, et reprit :

— C'est lui qui m'a fait chasser de chez les Grands. Y a jamais rien eu qui clochait avec mes balles à effet. Elles étaient pas formidables, mais elles étaient aussi bonnes que celles de beaucoup d'autres lanceurs. Quand j'ai été appelé là-haut, il est allé trouver les responsables et il leur a tout dit. Quelques jours plus tard, mes balles à effet sont trop faciles à frapper, qu'ils prétendent, et je tombe. J'ai toujours aimé les jeux de hasard, je l'admets. Je suis pas le seul. Mais ils en ont profité pour m'avoir. Joe Jackson, merde ! Joe Jackson, Joe Jackson, qu'il aille se faire foutre, Joe Jackson. Ils ont profité de ma faiblesse !

Une paire de robustes aides soignants aux uniformes tachés dérivait vers nous, cherchant la bagarre. Ils paraissaient indifférents au fait que je sois là sans autorisation de visite. Enerve pas ce malade, connard, disaient leurs yeux.

— Quand j'ai fini par comprendre, se lamentait mon père, j'étais plus en état de rien y faire, ni de persuader quelqu'un d'autre de le faire pour moi. Merde, tout le monde s'en foutait. J'étais plus dans le tableau.

Les dames pilules se tournaient vers nous. L'une d'elles s'aperçut de ma présence. Il fallait agir vite. Mon père était en train de s'effondrer en lui-même, et j'avais peur de ce qui allait suivre. Le genre de douleur pour laquelle il n'existe pas de mots médicaux.

— Moi j'aurai ce type pour vous, Daddy, chuchotai-je. Je ne savais même pas s'il m'entendait. Je l'aurai, je vous le promets, je suis sérieux. Ce sera ma mission.

Tel fut mon au revoir. Je m'éclipsai, avec un pas d'avance sur les dames pilules et leurs gobelets de papier si gaiement remplis de stimulants et de calmants, d'antidépressifs et d'anticonvulsifs.

Une fois dans le corridor, je me dirigeai vers l'escalier. Puis je m'arrêtai. Je me rendis au bureau des infirmières et, grâce à mes meilleures manières "merci-madame" du Lazaretto, j'arrachai à la naïve et charmante jeune personne que j'avais trouvée là le numéro de la chambre de mon père.

Cette chambre était une mini-salle. Quatre lits. Trois vides, un occupé. Le type du lit occupé n'était pas disponible. Il était branché sur un goutte-à-goutte et avait les yeux hermétiquement fermés. J'allai au binoche chercher la cachette de mon père. Je tentai de glisser les doigts derrière la cuvette, mais elle était collée contre le mur. Pas la place d'une cachette. Je démontai le couvercle du réservoir. C'était là : il s'était fabriqué une petite plate-forme avec des cintres entrecroisés, posés sur le mécanisme de la chasse d'eau. Il y avait là quelques revues réservées aux messieurs et l'annuaire du base-ball, et sur cette étagère de papier je déposai doucement la bouteille. Ça tenait.

Troquez-la contre quelque chose dont vous avez besoin, Daddy. Si vous réussissez à découvrir ce que ça peut être.

Mais une demi-heure devait encore s'écouler avant que je repasse les portes du *Chatham County Home*. Après ma visite charitable à la cachette de mon père aux chiottes, je fus appréhendé dans le corridor par les deux dames pilules. Qu'avez-vous à faire ici, à traîner comme ça dans les couloirs ? me demanda l'une d'elles. Je me demandai quel genre de châtiment elle allait bien pouvoir m'infliger. Me séquestrer en compagnie de Daddy Zeke, peut-être, et nous laisser ruminer ensemble toutes les douleurs de Hurt's Landing jusqu'à ce que nous soyons tous les deux complètement cinglés, ou parfaitement réconciliés avec le monde. Ou les deux.

Mais la seconde dame pilule, considérant mon visage apeuré, me demanda :

— N'êtes-vous pas le fils de Mr. Justice ?

— Par la grâce de Dieu, m'dame, oui.

Alors Mrs. Dupree et Mrs. Leclair, comme l'indiquaient leurs insignes, m'emmenèrent dans une salle d'attente garnie de revues *Route et Rail* et de cendriers débordants, avec au mur un portrait de Lyndon Baines Johnson. Là, dans cette pièce consacrée à l'administration de conseils aux cas difficiles, elles m'expliquèrent des choses que je savais déjà, d'autres que j'avais toujours sues sans vouloir les admettre, et d'autres encore qui n'avaient plus d'importance à présent ou que je n'avais pas désiré connaître. Mrs. Dupree et Mrs. Leclair, bénis soient leurs noms français, croyaient à cette proposition fatiguée selon laquelle si on parle d'un mal, d'une façon ou d'une autre, par magie, de soi-même, il se métamorphosera en bien.

Elles me racontèrent comment on avait ramassé mon père qui délirait au coin de Bull et Broughton dans une langue que personne ne comprenait. Certains avaient prétendu qu'il était possédé de l'Esprit-Saint, mais Mrs. Leclair dit : Non, je savais qu'il était du Nord et, excusez-moi de le dire, la possession n'est pas vraiment ce qu'on pourrait appeler une coutume du Nord. D'ailleurs, pour autant que je sache, il n'avait pas la moindre fibre religieuse. On l'a amené ici, et il a continué à délirer jusqu'à ce qu'un jour, par un coup de chance, quelqu'un passe dans les salles, entende votre père et me dise : Mrs. Leclair, est-ce que vous savez que vous avez un Français enfermé là-dedans ? Comment pouvez-vous le soigner si vous ne comprenez pas un mot de ce qu'il raconte ?

"C'était mon premier jour à cet étage, poursuivit-elle de son accent yankee. Avant que je ne m'habitue si terriblement, si facilement, à la tristesse de ces cas. J'ai fait venir quelqu'un du collège d'Etat qui connaissait un peu le français. Malheureusement, ce n'était pas si simple. Votre père parlait français, en effet, mais il refusait de le croire. Il ne réagissait pas au français, parce qu'il le parlait contre sa volonté, parce que ça ne dépendait pas de son contrôle."

Alors Mrs. Leclair et Mrs. Dupree m'apprirent des choses que j'avais devinées en entendant les discours délirants de mon père cet après-midi-là, mon dernier après-midi sur l'Isle of Hope, avant de filer, moi sur le Lazaretto dans l'*Elzéar* et lui sur le pavé de Broughton Street. Il avait été blessé lorsqu'il était en Corée au service de sa patrie, pas au combat, en fait, mais à cause d'une explosion dans une décharge de munitions, longtemps après la fin de la bataille. Un traumatisme qu'avait réveillé la balle qu'il avait reçue sur la tête. A la suite de cette beigne sur le terrain du stade Grayson, il avait recouvré certains réflexes rejetés depuis longtemps, tel ce vieux langage d'immigrants dont il avait honte, et en avait perdu d'autres, des automatismes qu'il aurait voulu conserver. Telle la capacité d'envoyer une balle de base-ball en un point précis, situé à soixante pieds six pouces de distance.

Mrs. Leclair me confia :

— Même si je suis seule de mon avis, ce qui ne me dérange pas du tout, je crois que Mr. Justice se débrouillerait très bien tout seul, en dehors de notre établissement, en tout cas dans une certaine mesure. Mais, à ce qu'on m'a dit, votre père n'était pas n'importe qui à Savannah. Il y a beaucoup de gens qui ne seraient pas chauds à l'idée qu'un homme d'une telle envergure et aussi populaire se balade à travers la ville en se mettant de temps à autre à glapir dans une langue que personne ne comprend. Ça peut être un peu déconcertant, je le reconnais, mais il n'est pas dangereux. Et on ne peut tout de même pas reprocher à ce pauvre homme tout ce qui lui est arrivé.

Alors Mrs. Dupree leva en l'air un doigt baptiste, et corrigea Mrs. Leclair en nous rappelant à tous deux, comme si c'était nécessaire, que la consommation d'alcool avait très certainement joué un rôle dans les infortunes neurologiques de Mr. Justice.

Les infirmières m'escortèrent jusqu'à l'ascenseur. Je me sentais trop épuisé pour descendre par l'escalier. Du moment que je commençais par me faire connaître, me dirent-elles, j'étais libre de venir en visite aussi souvent que je voulais. Je leur répondis qu'il y avait peu de chances que ça arrive.

Dehors, le taxi attendait toujours ; le chauffeur s'était endormi sur son volant sans égard pour les appels de sa radio.

Je lui touchai l'épaule par la fenêtre ouverte. Il sursauta.

— Ça n'a pas été trop long, camarade.

— Parlez pour vous.

A Union Station, et puis loin d'ici, avais-je envie de lui dire. Mais ma mission n'était pas accomplie. Le petit crapaud de mer allait plonger dans des eaux bougrement profondes et boueuses.

— L'hôtel *John Wesley*, dis-je au chauffeur.

Je connaissais mon Histoire. Les bénédictins n'avaient pas enseigné en vain. John Wesley était ce prédicateur coincé qui avait atterri sur nos rives bien des années auparavant. Son unique grâce sanctifiante était l'amour de la musique. Pour être précis, il avait abordé sur les plages envahies de moustiques qui bordent Cockspur Island, là où se dresse à présent le fort Pulaski. Le temps de lire la plaque commémorant son débarquement, placée là par quelques-uns de ses disciples tardifs, vous aurez le visage si dévoré par les moustiques que vous ne le reconnaîtrez plus dans votre miroir. A l'époque où j'étais encore chez les bénédictins, le père Damian Dooley nous avait emmenés sur cette île fangeuse nous émerveiller et nous gausser de ce sot de réformateur.

Quand Wesley et sa suite avaient pataugé vers le rivage dans la boue et dans la vase, dans les marais et les marécages, au milieu des fantômes et des revenants, ils avaient dû décider sur-le-champ que ce dont cette colonie avait besoin, c'était une religion bien constipante afin de calmer les sangs de tout le monde. Ils devaient brûler d'envie d'un défi à relever.

Amusant, dès lors, que ce pauvre feu John Wesley eût prêté son nom de méthodiste à cet hôtel-immeuble de bureaux du centre de Savannah qui hébergeait la trop célèbre officine de bookmaker connue sous l'appellation de *Bo-Peep's*. Le patron du *Bo-Peep's* était Mr. Peep, de son vrai nom Mr. Wolf. Il y a une chose que je peux dire, à propos du destin de Wesley : ce pays a une manière bien à lui de récupérer les ossements d'un bonhomme à ses propres fins.

Quand le taxi s'arrêta devant le *John Wesley*, j'éprouvai l'ombre d'une déception. Ou peut-être fus-je déçu par les ombres. La double traversée du pays que je venais d'accomplir y était peut-être pour quelque chose, mais je vis que l'hôtel n'avait plus aussi grande allure que lorsque j'avais passé devant au pas cadencé, en soldat du Seigneur, avec les bénédictins. A présent, en levant les yeux, j'apercevais, rangée après rangée, des fenêtres désolées, béantes, où les cordons des stores se balançaient dans l'air chaud et immobile, ces stores que certains ne se donnaient même pas la peine de baisser pendant la nuit. La salle et l'officine du *Bo-Peep's*, c'était sur le côté. J'en connaissais bien la lourde porte. Mais c'était ici, à l'étage, qu'habitait le gros homme aux doigts boudinés et à l'énorme tête fatiguée.

Et quand le vieux Mr. Peep ouvrirait son robinet afin de rafraîchir son visage gras aux pores épais, le petit Lazare en surgirait en vrille avec son sourire sardonique, un de ces sourires auxquels nul n'a jamais survécu le temps de les décrire.

Je pris une chambre et payai comptant, cash sur le comptoir. Après avoir signé ma fiche, je demandai à la réceptionniste :

— Pourriez-vous m'appeler la chambre de Mr. Wolf ?

Quelques sonneries plus tard, elle reposait le combiné.

— Il n'a pas l'air de répondre, monsieur.

Je déployai tout mon charme de crapaud de mer :

— J'essaierai plus tard, dis-je. Rien ne presse. C'est un vieil ami de ma famille. Pour que je ne doive pas chaque fois vous déranger, auriez-vous le droit de me communiquer le numéro de sa chambre ?

— Certainement. Il occupe la suite du coin, au cinquième étage. La chambre cinq cent, mais tout le monde l'appelle la suite du coin. Il habite là depuis toujours.

— Oui, je sais.

En montant dans l'ascenseur, que manœuvrait un fac-similé de Freeman Prince portant d'étincelantes lunettes à monture dorée et une casquette d'officier de marine, je songeai que j'étais en train de me faire voir par tout le monde – si jamais Mr. Peep devait être victime de quelque malheur radical. Bien sûr, j'avais inscrit sur ma fiche un nom inventé et j'avais payé comptant et, bien sûr, comme le disait mon père, personne n'aime le book, mais j'étais conscient de ne pas passer inaperçu dans cette ville. Quelqu'un qui parle avec l'accent local du Lazaretto ne va pas se louer une chambre dans un grand mausolée sinistre comme le *John Wesley*. Normalement, quelqu'un qui est supposé se retrouver enfin chez lui ne cherche pas à se loger à l'hôtel.

Pourtant, je ne me souciais guère de telles questions policières conventionnelles. Je ne savais pas ce que ce serait, mais ce qui allait se passer entre Mr. Peep et moi aurait plus d'envergure qu'un simple petit crime.

Je demandai au garçon d'ascenseur de m'attendre, déposai mon sac dans ma chambre et redescendis aussitôt.

— Z' êtes pas resté longtemps, monsieur.

— J'ai l'intention de me refamiliariser avec la ville. Est-ce que le magasin de Mr. Gammon est encore en activité ?

— Y a des choses qui ne changent jamais et, dans le cas de Mr. Gammon, je dirais que c'est une bonne chose. Seulement, ils ne livrent plus.

— C'est vrai ?

— Non, m'sieu, ils ne livrent plus. Leur pauvre petit livreur, il roulait dans la rue à bicyclette, et voilà qu'un malfaisant surgit de derrière un buisson et lui fourre un bâton dans la roue. Le gamin tombe de vélo, et cet homme vole toutes les bouteilles de Mr. Gammon. Ils ont dû renoncer aux livraisons.

— Triste histoire.

— Oui, m'sieu, convint-il en m'ouvrant la porte de l'ascenseur vers le hall de l'hôtel. Mais au moins, comme ça, on fait un peu d'exercice.

La saison du football semble durer toujours pour les amateurs, à Savannah, même en plein été. Comment avais-je pu oublier les *Bulldogs* ? Johnnie Gammon n'avait pas oublié. Sur le sol de son magasin, immédiatement à droite de l'entrée, il avait construit à l'aide de bouteilles d'alcool miniatures un terrain de football en réduction. Les gin jouaient contre les bourbon en un combat épique entre les forces de lumière et d'obscurité. D'après ce que je pus déduire de leurs positions, les gin avaient le ballon au milieu du terrain. Ils se dirigeaient vers les poteaux de but, deux bouteilles d'un litre de scotch. Les bourbon s'apprêtaient à lancer leur contre-offensive, selon leur habitude. De l'autre côté de la ligne de touche, constituée de fouets à cocktail disposés bout à bout, les supporters des gin, représentés par des centaines de mini-bouteilles rangées sur de minces planchettes, suivaient leurs meneuses de claque.

Sûr que ces gens aiment enjoliver leur alcool !

— Qui gagne ? demandai-je au gars du comptoir.

— Y en a qui misent sur les gin, y en a qui misent sur les bourbon. Mais ça n'a pas d'importance, parce que, de toute façon, ils seront tous bus à la fin du match.

Je hochai la tête et m'en fus inspecter les marques de whisky. Si Daddy Zeke ne voulait plus boire, il faudrait que je boive pour lui. Je pourrais peut-être trouver dans l'alcool la solution au problème : que faire de Mr. Peep ? On trouvait absolument tout sur les étagères de Johnnie Gammon. Il se faisait une spécialité des demis et des quarts de litre auxquels allaient les préférences de sa clientèle. Un homme prévenant, sage et compréhensif, ce Mr. Gammon. Je choisis trois demi-litres dont les appellations avaient été des favorites sur l'Isle of Hope. Un pour moi. Un pour Mr. Peep. Et un pour mon père, au cas où il changerait d'avis et se déciderait à guérir.

Je posai mes achats sur le comptoir.

— Je vois que vous êtes pour les bourbon, remarqua le caissier.

— Oui, m'sieu. J'ai vu que les gin avaient le ballon et que ça allait plutôt bien pour eux, alors j'ai décidé de prendre le parti des défavorisés.

— C'est très bien, ça. Mais méfiez-vous des bourbon. Ils vous interceptent au moment où vous vous y attendez le moins.

N'est-ce pas la vérité vraie ? me disais-je en reprenant, à travers les rues et les places, la direction de l'hôtel *John Wesley*. Je retrouvai Oglethorpe Street, ses palmiers et le souvenir d'y avoir défilé pour le Seigneur et les bénédictins. Sous ces arbres, je sentais la présence du père Dooley et, en cet instant, je me serais volontiers tourné vers lui en quête de sages conseils. Mais avant d'être admis à nouveau dans son institution, il m'en avait averti, je devais achever mon rapport, ce que je n'avais pas fait. Le repentir n'avait pas encore racheté ma délinquance.

C'est presque prêt, lui promis-je.

Ma chambre au *Wesley* avait la forme d'un cube de glace, aussi haute de plafond que large. Très déconcertant. J'accomplis les préparatifs de ce qui aurait pu devenir un siège prolongé. Je déballai mes boîtes de biscuits d'apéritif de chez Johnnie Gammon, fis provision de glaçons à la machine du couloir et remplis un broc d'eau, de manière à ne pas devoir me rendre à la salle de bains pour faire mes mélanges ni risquer d'éparpiller mon verre sur le robinet de métal ou l'évier de porcelaine.

Un verre à la main, j'allai à la fenêtre contempler Oglethorpe Street. Vus d'en haut, les palmiers commémoratifs paraissaient plats et écrasés. Comme des rats sur un capot, me rappelai-je. Je pensai à Evangéline se réveillant abandonnée au bord de l'océan, je pensai à la folie de gens tels que Lynn parcourant le pays en tous sens, je pensai à l'inutilité de tenir Mr. Peep pour responsable de ce qui était arrivé. J'aspirai une petite gorgée de bourbon à l'eau, et j'entendis la voix de ma mère : *Tu ne bois pas.* Dans sa bouche, c'était moitié affirmation d'un espoir, moitié accusation. Mais si, je bois, répliquai-je en m'adressant à elle et aux membres absents de la famille, ainsi qu'aux autres membres de la petite société insulaire qui m'avait fait ce que j'étais. Je bois, afin de découvrir ce qu'il faut que je fasse, ou pour m'en fiche si je ne le découvre pas.

Je terminai ma dilution douceâtre de bourbon et d'eau et laissai le verre vide sur l'appui de la fenêtre. Pour ma visite à Mr. Peep, j'avais besoin de lucidité en plus du sentiment de la justice et de la vertu ; pas question de tituber ni de me montrer larmoyant et imbu de moi-même en toute cette affaire. Sinon, Peep me sentirait venir comme un loup sent les moutons à sa portée et, avec son instinct de joueur, il me posséderait. Dans sa voiture, il m'avait confié que ses réflexes n'étaient plus ce qu'ils avaient été. C'est quand un homme vous dit ça qu'il est le plus dangereux.

Je bus un dernier petit coup au goulot. Le coup de l'étrier. Une visite, ça demande un gage quelconque ; je pris donc la bouteille dont l'étiquette avait l'aspect le plus engageant et la remballai dans le papier de chez Gammon, puis je passai dans le corridor.

Au bout de celui-ci, j'empruntai l'escalier de secours pour monter d'un étage, au cinquième. En ce début de soirée, le *Wesley* était aussi silencieux qu'une morgue un dimanche matin. On n'entendait pas encore d'appels pour le service d'étage et, s'il y avait ici une clientèle d'hommes d'affaires, ils n'étaient pas revenus de leurs réunions. J'ouvris la porte du cinquième étage. Le couloir était vide. Je me demandai si Peep et moi étions seuls en ce lieu, restés seuls dans un hôtel désert afin d'accomplir notre destin. A ma droite, un corridor privé menait à la suite du coin. Je frappai.

Frappai encore, puis tournai la poignée. Pas étonnant que Peep n'ait pas répondu. La porte ouvrait sur une antichambre, avec un vestiaire et un porte-parapluies. Un pardessus solitaire, abandonné, y était accroché, surmonté d'un feutre gris.

Je fermai derrière moi la porte extérieure. Si la première était ouverte, pourquoi pas la seconde ? Pourquoi prendre la peine de frapper ? C'était lui-même qui se prétendait ami de ma famille. Je poussai la porte et découvris Mr. Peep très incommodément suspendu au crochet du lustre, avec une corde autour du cou et, sous lui, un fauteuil de bureau renversé sur le flanc.

Nom de Dieu, pensai-je. Il a déjà reçu une visite. Sa propre conscience de salaud est arrivée avant moi.

Je m'écroulai en face de lui dans un grand fauteuil de cuir. Celui-ci poussa un soupir de lamentation comique, tel un coussin de farces et attrapes. Je déballai mon cadeau, en rompis le sceau et portai un toast au cadavre : A toi, vieux tricheur, et à la seule action valable que tu aies jamais accomplie. Puis je prélevai une portion raisonnable du contenu de la bouteille. Merde. Tous ces aveux que j'allais lui extorquer… eh bien, à présent, il ne me restait qu'à les imaginer.

Après un second prélèvement raisonnable, je me relevai et fis le tour du Peep pendu. La masse de cet homme, toute cette chair bouffie, enflée, œdémateuse. Etonnant qu'il restât là-haut. Son corps me paraissait stupide, maladroit, risible, mais son visage était horrible. C'était là que nichait la mort. La bouche ouverte sur un cri qui ne serait jamais entendu, les yeux exorbités et fixes, le teint rubicond en train de blêmir, les taches sur les vêtements, les odeurs intimes, nauséeuses.

J'eus une vision : Peep s'écrasant, tombé de son crochet, et m'emmenant avec lui en un dernier acte de vengeance envers les Justice. Je m'enfuis de cette suite du coin sans refermer la porte.

Toute la soirée, toute la nuit, le poids de Mr. Bo-Peep demeura suspendu au-dessus de moi à l'étage supérieur. Je récupérai le verre que j'avais abandonné sur l'appui de fenêtre et le rafraîchis à l'aide de la bouteille qu'à mon insu je tenais encore dans ma main droite. Je bus une fois encore à la santé de Mr. Peep et déclarai ma mission remplie.

Mais la nuit ne fut pas reposante. La mort de Peep n'était guère satisfaisante. Après tout, rien n'avait réellement été de sa faute. Ses seuls péchés avaient été la mesquinerie, la rancune et la tricherie au petit pied, qui ne conféraient pas une originalité particulière, dans cette ville. J'étais malheureux qu'il fût mort. Même si je l'avais souhaité. Je l'avais souhaité mort, en effet, mais pas avant une longue conversation. Mort selon mes conditions.

Je m'éveillai une première fois aux petites heures de la nuit, toutes les lumières de la chambre allumées, la tête dans mes bras et mes bras sur le bureau. *Joe Jackson*, les paroles de Peep résonnaient dans ma mémoire. Et avec elles le claquement de la portière de sa voiture, qui s'était chargé dans mon rêve d'une irrévocabilité de mauvais augure. C'était ce claquement, je m'en rendis compte, qui m'avait éveillé. Je me levai pour aller à la fenêtre et à mon verre vide. Je le reniflai. Il sentait la chambre du motel de Forty-Nine Palms. Pour chasser l'odeur éventée qui stagne au fond d'un verre d'alcool, il faut le remplir à nouveau.

Peep ne compte pas, me dis-je en regardant ces masses sombres et aplaties qui étaient les palmiers d'Oglethorpe Street. Ou s'il compte, il n'y a pas que lui. Ce qui compte, c'est la vie gâchée. Ma vie. C'est une affaire de famille.

Le lendemain, je me réveillai dans la lumière blafarde du milieu de matinée, étalé sur le couvre-lit aux chenilles de peluche blanche. Me réveillai en entendant une chose énorme s'écraser à l'étage au-dessus.

Un poids mort, qui dégringole.

Maintenant, il est temps d'aller chercher Daddy Zeke.

XVIII

Ma mission débutait avec la cachette dans les W.-C. de Daddy Zeke au *Chatham County Home*. Je rassemblai les revues pour messieurs, l'annuaire du base-ball et la pinte curative de bourbon haut de gamme qui, sait-on jamais, pourrait se révéler utile, sinon pour lui, du moins pour moi.

En réalité, ma mission avait débuté avant l'expédition aux chiottes. J'avais commencé par effectuer une reconnaissance, après quoi j'avais pénétré dans notre ancienne maison, route du Lazaretto, sans le bénéfice d'une clef. Est-ce qu'entrer par effraction dans sa propre maison peut constituer un délit ? Un délit analogue, pensais-je tout en me hissant vers une fenêtre mal fermée, au fait de demeurer dans son territoire natal plus longtemps qu'on n'y est désiré.

A l'intérieur, je n'avais trouvé qu'un silence de mort. Chacun de mes pas résonnait en échos d'une solitude infinie. Excepté l'inamovible mobilier Marster original, la maison était vide. Bienvenue au musée du Lazaretto, déclara Timmy Crapaud de Mer, guide touristique et cambrioleur intensément préoccupé de faire main basse sur le passé. Je suis votre guide pour cette visite, et si je parle à voix plus forte que nature, c'est dans la seule intention de disperser les légions d'esprits mauvais qui habitent l'écho de mes pas. Car, souvenez-vous-en, ce musée et tous les autres ne sont en vérité que cimetières. Remarquez, ceci n'est pas le Telfair, bien que les sièges – je me laissai glisser au sol et m'assis, le cul sur les planches de chêne – soient presque aussi confortables. Bienvenue aux Domaines du Lazaretto, où ceux qui ont vécu revivront. C'est ici que nous nous installerons, Daddy Zeke et moi. C'est ici qu'il guérira. Ou que son mal empirera.

Comment vivrons-nous ici ? Sans effort. Les crevettes les plus fraîches nous seront offertes, déposées tout étêtées sur notre seuil. Et des truites d'été, et des haricots beurre, et du muscat, et des chaudrons de soupe au crabe. Nous vivrons tels des enfants dans un conte de fées : d'amour, de grâce et de miettes.

J'affirmai mes droits sur notre ex- et future maison en déversant le contenu de mon sac de nuit dans un coin de la chambre de mon père. Puis je téléphonai à mon taxi marmonneur pour lui demander de me conduire au home, à l'autre bout du comté.

— Cette fois, attendez-moi, ne vous endormez pas, lui dis-je lorsque nous fûmes arrivés au rond-point situé devant cet impressionnant bâtiment. Une sorte de relation s'établissait entre nous, alimentée par les gains de *Distinct Intent.* Pauvre Mr. Mumbles*, il n'en croyait pas sa chance.

Comme je l'ai dit, je mis dans mon sac les revues, l'annuaire et la gnôle. Il n'y eut aucun témoin de mon acte de repossession. Le gars au goutte-à-goutte et aux paupières scellées avait disparu, remplacé par un lit impeccablement refait. J'eus une inspiration et ouvris les tiroirs de la commode. Rien que des fringues d'inconnus, dans tous. Sauf dans le dernier, en bas à droite : un uniforme d'*Indian* repassé de frais, intact.

Lui aussi fila dans mon sac.

J'entendis le chariot des dames pilules passer en cahotant dans le corridor, me pétrifiai, puis me réfugiai dans les cabinets. Mrs. Dupree et Mrs. Leclair m'avaient invité à venir quand je voulais, mais

* *Mumbles* : marmonnements. *(N.d.T.)*

elles risquaient de ne pas apprécier cette visite-ci. D'ailleurs, j'avais peur de ces infirmières gentilles et compréhensives. Particulièrement de Mrs. Leclair. J'avais honte. Elles savaient tout de nous.

Dès que la voie fut libre, je me dirigeai de mon pas le plus digne vers la salle commune. Pas de panique, m'admonestai-je, sinon on va la sentir et t'enfermer ici. D'ailleurs, cet endroit existe grâce à l'argent des contribuables. Il doit bien y avoir quelqu'un dans ta famille qui a un jour payé des impôts. Par conséquent cet endroit t'appartient. Alors du calme.

Cette illusion efficace me permit de franchir la distance jusqu'à la porte de la salle commune et d'y entrer. Là, la vue de Daddy Zeke fracassa toutes mes autres illusions.

Debout au milieu de la pièce, il marchait en rond sur ce qui ne pouvait être qu'une butte de lanceur. Il poussait des aboiements dans un langage que je ne comprenais pas. Bon, je ne connais pas le français, je n'avais aucune raison de le connaître, sur l'Isle of Hope, mais je savais qu'il parlait cette langue. Ses collègues, les autres malades, menaient grand tapage, encourageant sa folie de leurs cris. Ça leur faisait un spectacle qui n'était pas la télévision.

Pendant quelques terribles secondes, je regardai mon père tituber sur sa butte de lanceur imaginaire avec une peur affreuse d'en tomber, comme s'il se fût agi d'une haute montagne au pied de laquelle les rochers pointus et malveillants de la réalité l'eussent guetté avidement. Son visage exprimait la douleur et la perplexité que lui inspirait sa propre folie, comme s'il ne pouvait, en toute honnêteté, comprendre pourquoi ces sons venus du passé, qu'il s'était si fort appliqué à bannir de sa bouche, étaient revenus l'habiter. Pourquoi cet envahissement cruel ? semblait-il se demander. Je voyais qu'il ne comprenait ni le sens des mots qu'il prononçait, ni comment il pouvait les prononcer, et du même coup la douleur et l'horreur de sa situation m'apparurent et je me rendis compte qu'il n'y avait jamais eu de complaisance, en vérité, dans son attitude, et que ce que j'avais pris pour de la complaisance n'était que l'amour-propre légitime d'un homme refusant d'admettre qu'il a perdu l'esprit.

Je compris ce qu'il éprouvait. Cet instant était l'instant de pardon pour lequel j'avais vécu.

Je m'avançai au centre de la pièce. Sur son terrain.

— *Elzéar Lajustice !* appelai-je.

Il se tourna vers moi, mais à contrecœur, car je m'étais adressé à lui dans le vieux langage.

Alors je lui lançai la balle de granit. Un beau lancer courbe, facile à rattraper, au cas où il ne reconnaîtrait pas la nature de l'objet.

Mais ça marcha. Il l'attrapa impeccablement et admira la belle pierre lisse. Il la frotta entre ses mains, ainsi que le ferait n'importe quel lanceur. Ainsi qu'il le faisait du temps de sa gloire de *minor league*, au stade Grayson.

— Pour le Blanc le plus gentil de Savannah, lui rappelai-je.

Je lui fourrai son uniforme propre dans les bras et lui en fis palper l'étoffe rassurante. Ce sont ces choses-là qui nous ramènent à la vie.

— Allez, ôtez-moi ce pyjama et enfilez ça. On s'en va. On va jouer pour de vrai.

Je l'aidai à revêtir son uniforme. C'était comme d'habiller un enfant. Il savait quel bras allait dans quelle manche, et comment ne pas mettre les deux jambes dans la même jambe du pantalon, mais il manquait de coordination pour y arriver. Foutues pilules, sacrai-je, ne voulant toujours pas le mettre en cause. Autour de nous, la moitié des malades s'étaient mis à bouder d'un air dépité, et les autres nous criaient des injures. Je leur avais gâché le plaisir. Je leur dis d'allumer la télévision s'ils voulaient voir des drames grandeur nature.

Je réussis à l'habiller et reculai d'un pas pour admirer mon œuvre.

— Vous faites peine à voir ! dis-je en riant. Vous êtes le père le plus pitoyable que j'aie jamais vu ! Il faut qu'on vous fasse retrouver une autre mine, et vite.

Il se regarda. Baissa les yeux vers ses savates de malade. Il se mit à rire avec moi, et pendant un instant je jurai que tout allait bien se passer.

Je me jetai sur l'épaule mon sac contenant ses effets personnels. Il ne voulut pas me laisser reprendre la balle.

— Je la garderais bien, si je pouvais. Il y a encore un peu de chance dedans.

Ça me convenait. Nous allions avoir besoin de tous les esprits que nous pourrions rassembler à nos côtés. Je le pris par la main et l'entraînai vers la porte de la salle commune, où je m'assurai d'un coup d'œil à travers le treillis à poules que le couloir était vide. La demi-douzaine de pas entre cette porte et l'escalier qui menait en bas fut la plus longue que j'aie jamais parcourue.

Son allure était lente et branlante, et je le tirai quasiment en bas de la première volée de marches. Nous nous retrouvâmes en tas sur le palier.

— Ça va ? lui demandai-je.

— Je suis léger comme une plume. Je suis immatériel.

Il se releva et épousseta son uniforme.

— Je veux bien te suivre, tu es mon fils. Mais ça t'ennuierait de me dire où nous allons ?

— A la maison, pour commencer, lui dis-je.

Il secoua la tête.

— Je ne sais pas si je peux te suivre là. C'est pas exactement l'endroit qui me convient le mieux. C'est le théâtre de mon infortune. J'aimerais autant rester ici.

— Si vous voulez, nous irons ailleurs, après. Laissez-moi au moins récupérer mes affaires.

Alors il frappa des mains les poches de son pantalon, et son visage s'éclaira du plaisir de retrouver une mémoire utilisable.

— Mes gains ! *Distinct Intent !* Je t'ai dit qu'ils avaient coupé mes poches. Ils m'ont tout pris !

— Non. C'est moi qui ai l'argent.

Il n'eut pas l'air de m'entendre. Son expression s'assombrit.

— Ça veut dire que je vais devoir retourner chez Peep. Merde.

— Non, lui dis-je, tout en m'efforçant de lui faire descendre l'escalier. C'est moi qui ai l'argent, et vous n'y retournerez pas. Peep est mort.

— Mort ? Tu l'as tué ?

— Non. Il a fait ça lui-même.

Mon père laissa échapper un glapissement de joie.

— Eh bien, ce fils de pute ! Il a roulé tout le monde, une fois de plus. Alors ça, je n'en reviens pas ! Justice règne !

— C'est ça. Maintenant tirons-nous d'ici. Je vous rappelle que vous vous trouvez sur le palier d'un escalier du *Chatham County Home*, un endroit où on n'a pas à se trouver, surtout si on veut en sortir.

Je le poussai jusqu'au rez-de-chaussée. Nous défilâmes juste devant le bureau de l'accueil, où la dame noire aux cheveux en buisson était assise avec son grand registre des noms et des cas.

— Eh, vous ! cria-t-elle avec indignation. Vous n'avez pas été autorisé à sortir. Vous ne pouvez pas vous en aller comme ça, sans qu'on ait rempli les papiers nécessaires. Nous sommes responsables de vous !

Je stoppai net devant son bureau, tirant Daddy Zeke derrière moi. Je ne savais que dire à cette femme. Alors c'est arrivé. J'ai ouvert la bouche et commencé d'émettre le plus effrayant, le plus évocateur de fantômes des hurlements issus des bas-fonds du Lazaretto qu'il eût jamais été donné à quiconque d'entendre. Et, au cas où elle n'en aurait pas su la provenance, je rendis gloire à mes sources.

— Little Richard ! Bobby Blue Band ! Screaming Jay Hawkins ! James Brown ! Ivory Joe Hunter !

Puis je me tournai en direction de la porte d'entrée et, avec une dignité tout à fait exagérée, Daddy Zeke et moi marchâmes vers la liberté. A nous deux. Le petit Lazare et le grand. Le crapaud de mer et son héros de *minor league* préféré.

Mr. Mumbles était éveillé et nous attendait dans son taxi.

— L'Isle of Hope, d'abord, lui dis-je.

Il démarra. Nous n'avions pas fait deux kilomètres vers la ville que mon père s'écriait :

— Callibogee !

Je faillis sauter de mon siège.

— Quoi, Callibogee ?

— On devrait aller à Callibogee. J'ai encore cent dollars qui m'attendent, là-bas. Pour les mauvais jours. C'est étonnant, tous les trucs dont je me souviens maintenant.

— J'ai de l'argent, je vous dis. Une partie de vos gains.

Il agita la main.

— Un homme doit avoir son propre argent. C'est une loi naturelle.

Je n'aimais pas mieux Callibogee que lui la maison de Hurt's Landing.

— C'est à Callibogee que vous avez été blessé. Je sais pas si c'est une tellement bonne idée.

— Je promets de ne plus enjamber de choses mortes. Il esquissa un sourire en coin. Accorde-moi ça, Timmy, juste pour cette fois.

— Merde, comment suis-je supposé dire non à ça ?

— Y a des gens qui l'ont fait.

— Je suis pas les gens, et vous le savez.

Je regardai vers l'avant et surpris Mr. Mumbles qui nous fixait dans le rétroviseur. Nos regards se croisèrent. Il détourna le sien.

— Vous pensez aller à Callibogee ? demanda-t-il. Y a rien, là-bas, que des serpents et des nègres.

— Oh, mais c'est un peu des bons nègres, fit mon père en imitant l'accent du chauffeur.

Puis il se tapota la tête. C'est le seul endroit où tu peux te faire lever un sort, si t'as été ensorcelé.

— Les Blancs ne croient pas à ces conneries, dit le chauffeur, et il se remit à sa tâche.

Devant la maison, sur la route du Lazaretto, mon père me regarda avec un vif intérêt effeuiller les billets pour Mr. Mumbles.

— On n'a pas besoin d'aller à Callibogee pour un billet de cent dollars, dis-je à Daddy Zeke. Il nous en reste quelques-uns sur cette île-ci.

— Callibogee est un endroit sûr pour moi. En tout cas, c'était vrai dans le passé. Ça peut l'être de nouveau, si je n'en fais pas mauvais usage.

Nous descendîmes du taxi, mon père avec sa balle de base-ball en granit et moi avec mon sac de nuit presque vide. Debout sur l'asphalte de la route, dans la petite brise tiède venue de la rivière et l'ombre verte des chênes. Difficile d'imaginer que tant de problèmes eussent habité un tel havre de paix. Il n'y avait pas de voitures sur la route, une fois Mr. Mumbles reparti, et aucun trafic sur l'eau. Ce qui n'était pas plus mal, si l'on considérait quelle grande, triste, belle et peu convaincante excuse avait cet homme en tenue d'*Indian* de se trouver là, hébété, à côté de moi. Il régnait un silence absolu, un silence suspect, j'aurais dû m'en douter alors. L'air était comme immobile, de la même immobilité que le jour où mon père était revenu du stade Grayson et où nous étions partis ensemble pour Callibogee. Nous nous engageâmes dans la petite allée et je vis soudain la maison telle qu'il la voyait sans doute : sinistre, le repaire de l'ennemi, où rien de bénéfique ne pourrait jamais se produire. Je l'encourageai à monter sur le perron, et il me suivit de mauvaise grâce. Je comprenais sa réticence mais, dans l'immédiat, nous n'avions pas d'autre endroit où aller. La clef du hangar à bateaux se trouvait dans la maison, ainsi que le contenu de mon sac. Et nous ne pouvions pas très bien rester plantés sur la route du Lazaretto à attendre l'inspiration.

Je n'avais pas reverrouillé la porte d'entrée, le matin, et nous pénétrâmes dans la demeure déserte. Mon père lança la balle de granit en l'air, la rattrapa, parcourant des yeux le vide qui nous entourait. Je compris alors que ce retour à la maison était une erreur. Si la maison représente l'âme, cette bâtisse abandonnée était la pire des médecines possibles.

— On a vraiment tout fichu en l'air, dit-il. Pourquoi ils ont fait ça, à ton avis ?

— Je sais vraiment pas… Evangéline a tout emballé. Je crois qu'elle avait peur.

— Peur ? Peur de moi ?

Il entra dans ce qui avait été la salle à manger et je le suivis, inquiet à l'idée de le laisser seul, inquiet aussi d'être avec lui et de n'avoir aucune idée de ce que j'allais faire de lui, maintenant que je l'avais ramené chez nous. Je savais seulement qu'il me fallait faire quelque chose, et vite. Au centre de la salle à manger, la table était toujours là, si les chaises avaient disparu. Il s'y appuya lourdement.

— Elle avait peur de moi ? Pourquoi ? Qu'est-ce que j'ai fait ? C'était pas ma faute. Bon, je l'ai frappée une fois, je n'aurais pas dû. Mais des tas d'hommes font ça. Et il n'y a eu que cette seule fois…

Je m'approchai de lui et touchai l'épaule de son uniforme fraîchement lavé. Un accessoire clownesque, dérisoire.

— Je crois que vous avez raison, lui dis-je. Je crois que nous devrions aller à Callibogee. Attendez-moi ici. Je cours chercher mon sac en haut.

J'arrachai la clef du hangar à son crochet dans l'office puis montai l'escalier quatre à quatre et entrai dans le bureau de mon père. Je récupérai les quelques souvenirs de mon voyage dans l'Ouest, en me demandant ce que nous ferions à

Callibogee. Nous échangions un asile contre un autre, mais si mon père pensait que cette île basse, sablonneuse et hantée, qu'aucun pont ne reliait au continent, pouvait lui offrir un asile plus aimable, plus indulgent, alors mon devoir consistait à l'y emmener. Pour un homme qui ne pouvait s'empêcher de parler sous influence, Callibogee était le meilleur endroit où aller.

Quant à moi, Timmy Justice, je n'avais ma place nulle part. Ni à Callibogee, ni sur la route du Lazaretto, ni au *Chatham County Home* – pas encore. Ma place à moi, je ne l'avais pas encore découverte.

J'étais en train de boucler mon sac quand j'entendis ouvrir la porte d'entrée. Je me précipitai du bureau au sommet de l'escalier.

— Maman ! criai-je.

Mais ces pas sur le perron et la façon propriétaire dont la porte s'était ouverte à la volée n'auraient jamais pu être le fait d'Evangéline. Du haut des marches, je vis Jefferson Marster foncer en titubant dans le salon. Il avait vieilli de plusieurs années depuis la dernière fois que je l'avais vu, ou bien il s'était mis à boire sec. Mais ce n'était pas seulement l'effet du bourbon. La décrépitude se voyait sur cet homme comme la gelée blanche sur les fenêtres en hiver, et il était armé d'un fusil de chasse.

Les morts s'obstinent à dérober la vie aux vivants. La terre appartient désormais aux morts. Cette île, toutes ces îles : des îles-cimetières, telle Bonaventure. Et les vivants qui les fréquentent paieront, en corps et en âmes. Comme la folle McQuithy. Comme nous. Si seulement j'avais laissé Daddy Zeke dans son bienveillant asile avec ces deux gentilles dames pilules si compréhensives, rien de tout ça ne serait arrivé. Comment avais-je pu l'arracher à cet abri ? Jefferson Marster et Mr. Bo-Peep ne font qu'un, ces deux destructeurs d'âmes, ces gardiens d'un ordre disparu. Je voyais le fusil de chasse entre les mains du vieux Marster, mais je refusais de croire qu'il avait l'intention de s'en servir. Il allait brandir ce vieux machin en tous sens afin de nous obliger à l'écouter, et puis il pérorerait un moment. Parce que quand vous devenez vieux et inutile, quand vous n'êtes plus animé que par l'amertume, plus personne ne veut vous écouter. Vous êtes obligé de recourir à des mesures extraordinaires pour forcer l'attention.

J'avais tort, une fois de plus.

Il mit son fusil de chasse en position et s'avança vers mon père. Celui-ci le regardait venir, incrédule et immobile, et je me rendis compte qu'il ne se faisait pas une idée très nette de ce personnage, ni du fusil de ce personnage, ni de ce qui allait inévitablement se passer. C'est mal de s'en prendre à quelqu'un qui est en pleine confusion, car il ignore jusqu'à la signification du mot défense. Je voulus crier ça au vieux fossile qui menaçait mon père, mais rien ne sortit de ma bouche qu'un petit souffle d'air. Quand mon père vit enfin ce qui lui arrivait, il était trop tard.

De toutes ses forces, il lança la balle de granit à la tête de Jefferson Marster. Il rata. Marster pressa la détente. Je criais maintenant, mais ça ne servait plus à rien. Mon père vola en arrière, s'écrasa contre le mur du salon, la poitrine soufflée du corps.

Je dévalai l'escalier. Jefferson Marster se tourna vers moi, mais je n'avais pas peur. De quoi aurais-je encore pu avoir peur ?

— Vous n'avez plus qu'à vous tuer, vous, maintenant, lui dis-je. Comme votre ami Mr. Peep.

Pour une fois, quelqu'un ici parut m'écouter. Pour l'importance que ça avait encore. Jefferson tenta de tourner son arme contre lui-même, mais ses bras étaient trop courts et son fusil trop long, et il ne réussissait pas à trouver l'angle convenable. J'aurais eu largement le temps d'arrêter cet étrange vieil homme. Je ne saisis pas l'occasion.

Il pressa à nouveau la détente. Le coup l'atteignit à l'endroit où le bas de la mâchoire rejoint le cou. La déflagration me fit fermer les yeux.

Involontairement, parce que j'aurais voulu voir ça. Quand je les rouvris, le destructeur de vie était autant dire sans tête.

Son sang et celui de mon père se répandaient ensemble sur le plancher. C'était la seule injustice de cette scène.

Je sortis sur le perron pour échapper aux échos dont le fusil de chasse avait empli la pièce. Puis, en état de choc, je traversai la route du Lazaretto et descendis sur l'appontement. Un couple de tourterelles perturbé par les coups de feu revint se poser sur un fil électrique. Dans le silence, dans le vide le plus absolu, le plus vide de tous ceux que j'avais connus jusque-là, le Lazaretto coulait. *Tout ceci t'appartient*, m'avait un jour appris ma mère. *Ça m'appartient, en effet*, j'en convenais enfin avec elle. Alors voyons l'inventaire. Le cœur de mon père explosé dans sa poitrine. La tête de l'homme qui a fait ça arrachée à la tige ridée de son cou. Quel héritage, chère mère ! Comment me suggérez-vous de l'investir ?

Debout sur l'ultime planche de notre appontement, je poussai le plus long cri de douleur et de tristesse qu'il eût jamais été donné d'émettre à un malheureux crapaud de mer. Les rats tombèrent des arbres et les herbes des marais s'écartèrent, telles les lèvres d'une blessure, le Lazaretto s'ouvrit et ses eaux d'un noir glauque se retroussèrent comme la bouche d'un cadavre. Tout ce qui était caché fut révélé. C'était le jour du Jugement pour l'âme de l'Isle of Hope.

Le monde appellerait ça un hurlement. Moi, j'appelle ça chanter. Mais quoi que ce fût, lorsque j'en eus terminé et que l'univers eut repris sa forme lourde, indifférente et passive, je m'adressai au père Dooley. Voilà, incrédule imbécile que vous êtes, j'ai achevé votre rapport. Le voici. J'ai rempli les conditions de ma réadmission dans votre institution. Mais pardonnez-moi si je refuse votre offre généreuse. Votre institution, je l'ai depuis longtemps surpassée, et je ne crois pas qu'il en existe une seule dans tout cet empire qui puisse m'être utile ni à laquelle je puisse adhérer sans hypocrisie. Alors on se reverra sur l'autre rive, Père.

Une fois ces messages passés, il me restait un problème : qu'allais-je faire de moi ? Ou, plus simplement : où aller ? C'est alors que je pris conscience que la clef du hangar à bateaux était accrochée à mon doigt au moyen de son anneau. Pourquoi pas ? pensai-je. J'irai à Callibogee, ou je remonterai tout l'*Intracoastal Waterway* jusqu'à la sainte perpétuelle, au Canada, ou bien je resterai dans les parages, à l'île Bonaventure, par exemple, où je pourrai m'étendre auprès de la folle dame McQuithy. Je m'en fus donc sur les eaux dans ma petite barque appelée l'*Elzéar*, bien mal préparé à ce monde, mais ô combien instruit des coutumes des morts.

TABLE

OUVRAGE RÉALISÉ
PAR LES ATELIERS GRAPHIQUES ACTES SUD
PHOTOCOMPOSITION : SOCIÉTÉ I.L.,
A AVIGNON.
REPRODUIT ET ACHEVÉ D'IMPRIMER
EN JUIN 1992
PAR L'IMPRIMERIE FLOCH
A MAYENNE,
SUR PAPIER DES
PAPETERIES DE JEAND'HEURS
POUR LE COMPTE DES ÉDITIONS
ACTES SUD
LE MÉJAN
13200 ARLES

DÉPÔT LÉGAL
1re ÉDITION : AOÛT 1992
N° impr. : 32656.
(Imprimé en France)